KB181437

관동맥 만성완전폐색 병변의

시술 매뉴얼

대한심혈관중재학회 K-CTO Club

대표저자 장양수

이승환 · 장양수 · 이종영 · 홍범기 · 최동훈 · 신상훈 · 최진호 · 김병극 · 김동기
최락경 · 안태훈 · 김두일 · 박종선 · 유철웅 · 이승환 · 채인호 · 김명곤 · 임도선
이재환 · 김동빈 · 김희열 · 조병렬 · 서 존 · 이내희 · 이장훈 · 박헌식 · 김무현
조정래 · 나승운 · 박상호 · 이민호 · 김효수 · 윤정한 · 탁승제

관동맥 만성완전폐색 병변의 시술 매뉴얼

첫째판 1쇄 인쇄 2016년 1월 4일
첫째판 1쇄 발행 2016년 1월 18일

지 은 이 대한심혈관중재학회 K-CTO Club
발 행 인 장주연
출 판 기 획 김도성
내 지 디 자 인 이슬희
표 지 디 자 인 군자출판사
발 행 처 군자출판사
등록 제4-139호(1991.6.24)
본사 (10881) 경기도 파주시 회동길 338(서패동 474-1)
전화 (031)943-1888 팩스 (031)943-0209
홈페이지 | www.koonja.co.kr

ISBN 978-89-6278-494-7
정가 50,000원

집필진

대표저자 장양수 신촌세브란스병원

저자진 (가나다순)

김동기 인제의대 해운대백병원
김동빈 성바오로병원
김두일 해운대 백병원
김명곤 인천국제성모병원
김무현 동아대병원
김병극 신촌세브란스병원
김효수 서울대병원
김희열 부천성모병원
나승운 고대구로병원
박상호 순천향천안병원
박종선 영남대병원
박헌식 경북대병원
서 존 부천순천향병원
신상훈 보험공단 일산병원
안태훈 가천의대 길병원
유철웅 고대안암병원
이내희 부천순천향병원
이민호 순천향대 서울병원
이승환 서울아산병원
이승환 원주기독병원
이장훈 경북대병원
이재환 충남대병원
이종영 강북삼성병원
임도선 고대안암병원
조병렬 강원대병원
조정래 강남성심병원
채인호 분당서울대병원
최동훈 신촌세브란스병원
최락경 세종병원
최진호 삼성서울병원
홍범기 강남세브란스병원

감 수 윤정한 원주기독병원
탁승제 아주대병원

Preface

중재 심장학에서 가장 빠르게 발전하는 분야가 만성폐색병변 중재시술입니다. 새로운 도구와 기술이 많이 소개되고 있으며, 우리나라에서도 여러 선생님들의 노력으로 만성폐색병변 중재시술 성공률이 향상되고 있지만 아직도 시술자의 경험과 어떤 도구와 기술을 사용하느냐에 따라 시술 성공률의 편차가 큰 것이 현실입니다.

毫釐之差 千里之謬(호리지차 천리지류)라는 고사성어가 있습니다. '처음에 터럭 같이 조그마한 차이가 결국엔 천리만큼의 격차를 나타낸다'는 뜻으로, 처음에 어떤 기구나 기술적인 전략을 사용하느냐에 따라 성공과 실패뿐 아니라 환자의 안전에도 영향을 미칠 수가 있습니다. 본 매뉴얼은 만성폐색병변의 특성에 적합한 도구와 기술의 선택, 시술시 장점과 단점을 소개함으로써 만성폐색병변에 관심이 있는 선생님들이 쉽게 이해할 수 있도록 집필되었습니다.

中庸(중용)에 有弗學 學之 弗能 弗措也(유불학 학지 불능 불조야)라는 말이 있습니다 '공부를 하지 않을 수는 있으나 공부를 시작하면 능통하지 않으면 그만두지 않는다' 라는 뜻으로 만성폐색병변의 중재시술에 있어 가져야 할 마음 가짐이라고 생각합니다.

이번에 개정한 매뉴얼이 여러분들이 만성폐색병변 중재시술에 능통해지는데 도움이 되기를 바랍니다.

2015년 12월
K-CTO Club 회장 박헌식

인사말

심혈관중재학회의 CTO연구회에서 제2판 CTO manual을 출판하게 된 것을 진심으로 축하드립니다. 2009년 첫판을 낸 이후 CTO-PCI의 기술의 발달과 사용기기의 개발로 제2판의 출판이 늦은 감은 있으나 반드시 필요한 출판이라고 생각합니다.

우리나라의 CTO연구회는 심혈관 중재학회 초에 internet을 이용한 정보교류를 목적으로 영문으로는 e-CTO club이라고 한때 부르기도 하였으나 이제는 공히 K-CTO club 으로 불리기에 업적이나 활동면에서 다른 선진국의 CTO club 못지 않은 위상을 보이고 있습니다.

CTO병변의 중재술이 나라마다 약간의 특징이 있어 일본의 경우 "Never Give up"으로 guidewire와 microcatheter의 개발을 통한 성공률을 높이기 위해 노력하고 있고 미국의 경우 "Hybrid approach"로 다양한 antegrade dissection device를 활용한 Cross-Boss, Stingray catheter등이 활성화되고 있어 우리도 우리나라 고유의 특징을 살려가야 할 필요성이 대두되고 있습니다.

물론 우리는 다른 관동맥 중재술분야와 같이 만성폐쇄병변의 중재술에서도 K-CTO registry, CTO-IVUS trial등을 통하여 여러 국제학회에서 과학적인 자료에 바탕을 둔 논문을 출판함으로써 대한민국 중재술학의 위상을 높이고 있습니다.

이와 같이 세계적인 K-CTO club의 위상에 걸맞은 CTO manual의 제2판 출간을 진심으로 축하하며 우리나라 고유의 특징을 갖는 만성폐쇄성 병변의 중재술학으로 발전되기를 진심으로 기대하는 바입니다.

바쁜 임상스케줄과 교육, 연구등의 많은 업무에도 불구하고 후학들의 만성폐쇄병변 중재술의 발전을 위해 헌신하여 주신 저자과 K-CTO연구회 임원들에게 진심으로 감사를 표하는 바입니다.

2015년 12월
CTO 연구회 초대 회장 장양수

CONTENTS

Chapter 1

관동맥 만성 완전폐쇄 병변의 병태생리와 근거중심의 치료

이승환(서울아산병원), 장양수(세브란스병원)

1. 관동맥 만성 완전폐쇄 병변의 병태생리

관동맥 만성 완전폐쇄(Chronic total occlusion, 이하 CTO)병변에 대한 경피적관동맥 중재시술이 1982년 Savage 등에 의해 처음 보고된 이래 30년이 지났지만, 아직도 CTO는 중재 시술의가 정복하지 못한 분야 중 하나이다.[1] CTO의 발생률은 일반적으로 전체 관상동맥질환의 20% 안팎으로 보고되고 있는 비교적 흔한 병변이지만,[2] 시술자에 따른 개통율의 차이가 크고 사용하는 의료기구의 따라서도 개통율에 차이가 있어 대규모 무작위 연구가 아직 미흡하여 그 치료의 방침이 명확히 설립되어 있지 않은 실정이다. 현재까지의 등록 연구에서는 성공적인 중재시술이 연이은 관상동맥 우회술(CABG)의 요구도를 감소시켰고, 장기간 생존율 향상을 보여 앞으로 CTO 병변에 대한 중재시술 적응증의 확대가 더욱 기대되고 있다.

1) CTO의 정의

CTO는 관상동맥조영술에서 해부학적 폐쇄(TIMI flow grade 0) 혹은 기능적 폐쇄(TIMI flow grade 1)이면서 폐쇄 기간이 최소 3개월이상 경우로 흔히 정의된다.[3] 임상적으로 관상동맥의 폐쇄가 서서히 진행되면서 미약한 증상을 보이거나, 급성 관상동맥 증후군의 양상으로 나타나기도 하지만, CTO의 60% 환자에서 증상이 없거나 미약하여 정확한 폐쇄의 시점을 예상하기 힘들다. ST 분절 상승 심근경색 환자가 재관류(revascularization)치료를 받지 않을 경우, 경색 관련 동맥(infarct related artery)은 4시간 이내 87%, 12-24시간 이내 65%, 1달 이내에는 45% 에서 폐쇄가 관찰되고[4, 5], 혈전용해치료를 받더라도 심근 경색 발생 이후 3~6개월 이내에는 30%에 가까운 환자에서 동맥의 폐쇄가 확인되었다.[6] 중재시술의 발전으로 재폐쇄율이 많이 감소했지만, 아직도 중재시술 이후 6개월 시점에서 6~11% 는 CTO로 진행하는 것이 확인되었다.[7]

2) 조직학적 특징

CTO는 일반적인 관상동맥 협착과는 조직 및 병태생리학적인 기전이 다르다고 흔히 알려져 있는데, 조직학적 특징에 따라 발생단계를 나눠볼 수 있다. 현재 CTO의 단계별로 여러 동물 모델을 개발 중에 있지만, 인간의 동맥경화 기질과 석회화의 특성에 근본적인 차이가 있기에 인체에서의 그 발병기전을 정확히 밝히기란 쉽지 않다. 일반적으로 급성기에는 죽상동맥경화반이 파열되어 혈전이 형성되면서 염증반응을 촉발시킨다. Jaffe et al. 의 동물 연구에 따르면 막 형성된 혈전은 혈소판, 혈색소 및 피브린을 함유하며 곧 염증세포의 침윤이 진행되는데, 2주간의 급성 염증반응 이후에는 프로테오글라이칸이 풍부한 세포외기질(extracellular matrix)이 불균질하게 형성되고, 근섬유아세포(myofibroblast)가 혈전 폐쇄부위에 침착된다.[8] 중기의 초반 6주에는 혈관의 축소성 재형성(negative remodeling)이 진행하면서 내탄력막(internal elastic lamina)의 균열이 생기고, 이어서 혈관내강으로 신생혈관이 다수 생성되면서 CTO 병변의 관류가 증가된다. 그러나 중기 후반 12주부터는 모세혈관 형성이 감소하면서, 18-24주의 만성기에 이르면 프로테오글라이칸이 세포외기질의 콜라겐으로 대체되면서 CTO 병변의 관류는 급격히 감소하고, 특징적인 콜라겐과 칼슘 침착을 보이면서 완성된다. CTO 병변은 시간을 거치면서 병변의 길이에 따라 다양한 구성성분을 보이는데, 섬유석회화(fibrocalcific)조직은 중간보다는 근위 및 원위 말단부에서 더욱 치밀하게 나타난다. 조직학적 관점에서 본다면, CTO 는 3가지의 특별한 조직으로 구성되어 있다.(그림 1-1)

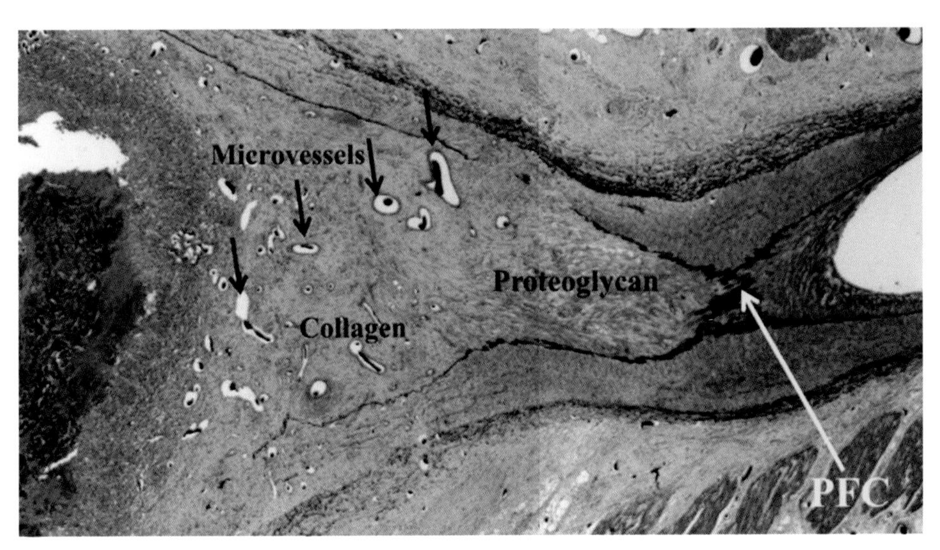

그림 1-1. CTO 병변의 종단면도 조직사진. 조직의 우측이 CTO의 근위부이고 좌측이 원위부로, 치밀한 프로테오글라이칸 조직의 근위부 섬유화 캡(Proximal Fibrous Cap, PFC) 에서 멀어지면서 조직이 성글어진다. CTO 병변의 중간부위로 미세혈관들이 잘 발달되어 혈관내 채널을 형성하고 있으며 원위부 내강은 혈전으로 차있는 상태이다.

(1) 근위부 섬유화 캡(proximal fibrous cap)

CTO 병변의 기시부로서, 콜라겐이 많이 축적되어 물리적 방어막 역할을 한다. 특히 Ⅰ, Ⅲ, Ⅴ, 그리고 Ⅵ 형 콜라겐이 많고, Ⅵ 형 콜라겐의 경우 석회화 조직에서 더욱 많이 관찰된다.[9]

(2) 원위부 섬유화 캡(distal fibrous cap)

이 부위 역시 콜라겐을 다량 함유하고 있는데, 대개는 근위부 섬유화 캡부위 보다는 얇고 부드러운 조직을 보이므로, 만성 전폐쇄의 역행성 접근(retrograde approach)를 가능케 하는 근거가 되겠다.

(3) CTO의 중간부위

CTO의 동맥경화반 역시, 여느 동맥경화반과 마찬가지로 콜라겐, 석회, 엘라스틴, 콜레스테롤 조각(cholesterol cleft), 거품세포(foam cell), 대식 세포(giant cell athero-phagocytes), 단핵세포(림프구, 단핵구)와 적혈구로 구성되어 있다. 기간이 1년 미만의 비교적 신생조직인 경우 비교적 부드러운 혹은 콜레스테롤을 포함하는 조직이 더 지배적이고, 기간이 오래될수록 콜레스테롤 병변 및 거품세포는 줄어들고, 시간이 지남에 따라 단단한 CTO 병변이 뚜렷해진다. CTO 병변은 특징적으로 염증세포들이 침윤된 조직 주위로 내막의 신생혈관이 발달되면서 다량의 재관류 채널을 형성하는데, 내막의 신생혈관들이 외막의 미세혈관망(vasa vasorum)과 직접적으로 교통하는 경우는 있지만, 병변내 내강과의 교통은 거의 관찰되지 않는다. 중막 층에서도 신생혈관은 관찰되며, 외막의 신생혈관은 CTO의 모든 단계에서 거의 관찰되며 이는 외막의 염증 수준에 비례하여 나타난다.[10]

3) 신생혈관(neovascularization) 및 혈관신생(Angiogenesis) 과정

Munce 등은 토끼 말초동맥 CTO 연구에서 미세혈관(microvessel)의 2가지 유형을 관찰하였다.[11] 첫째로는 미세혈관망(vasa vasorum)발달이다. 이는 주로 혈관의 외막에 위치하면서 그물망 형태로 혈관을 둘러싸고 있는데, 저산소증에 노출되거나 동맥경화가 진행, 중재시술시에 발생하는 혈관손상에 대한 반응으로 형성된다.[12, 13] 간혹 이러한 혈관들이 잘 발달되면 가교 측부혈관(bridging collaterals)으로 나타나 병변의 원위부 내강으로 재관류 되기도 하고, 말단부 막힌 혈관의 형태로 나타나기도 한다. 2주경에 CTO 병변의 전장을 통해 가장 발달되어 이후로는 감소하는데 12주 경에는 퇴화에 이른다. 둘째로는 폐색된 죽상동맥경화반의 내막에서 발생하는 미세혈관으로, 주로 만성 염증반응의 일환으로 나타난다.[14] 이런 모세혈관의 크기는 대개 100-200 μm 안팎으로 측정되며, 간혹 500μm가 넘기도 한다. 하지만 혈관의 방사상으로 존재하는 미세혈관망(vasa vasorum)과는 다르게 이러한 내막의 모세혈관들은 기존의 폐색된 혈관과 평행한 주행을 보여, 중재시술시에 유도철선이 CTO병변을 가로지를 수 있는 경로를 제공하게 된다. 내막에서의 미세혈관 발생은 좀 더 늦게 시작되어 6주 경에 가장 발달하고 시간에 따라 천천히 퇴화하므로, 외막의 미세혈관 형성이 아마도 내막의 미세혈관 형성을 촉발시킬 것이라는 의견이 지배적이다. 두 미세혈관은 모든 시기에 서로 연결되어 교통하고 있지만, 6주 경에 가장 좋은 연계를 보이므로, 성공적인 CTO 중재시술에 있어서 CTO의 기간도 하나의 예측인자임을 시사하는 바이다.

CTO 병변 내에서의 혈관신생(angiogenesis)은 혈전의 재관류에서 시작되어 혈중의 단핵구세포(circulating mononuclear cells)의 단백분해능(proteolytic activity)와 내피 간세포(endothelial progenitor cells)의 생착(engraftment)에 의존한, 기전이 매우 복잡한 과정이다. 혈전에서의 혈관신생은 주로 세포외기질에 존재하는 pro-angiogenic 분자들, 즉 perlecan, hyaluronan, I 형 콜라겐과 decorin과 같은 anti-angiogenic agent 등에 의해 조절된다. 이러한 혈관신생 과정은 혈관 이완과 모세혈관의 삼투성 증가에 의해 시작되고, 단백분해(proteolysis)가 진행되면서 혈관벽의 불안정화 및 내피세포의 이동 및 분화를 가져와 미분화된 내피세포 관(primitive endothelial tubes)을 형성하기에 이른다. 이러한 관은 혈관주위세포(pericytes)와 평활근세포(smooth muscle cells)를 모집하고 세포외 기질의 축적함으로써 완성된다. 다양한 양상의 혈관신생은 vascular endothelial growth factor (VEGF)와 그의 수용체인 VEGFR2, platelet derived growth factor (PDGF)와 그의 수용체인 PDGFR-β, angiopoietin-1, angiopoietin-2, TIE-2 receptor, fibroblast growth factor-2(FGF-2), TGFβ 등의 여러 성장인자들과 내피세포에서 기원한 일산화 질소(nitric oxide)에 의해 조절된다.

4) 석회화(calcification)

CTO가 아닌 죽상동맥경화반의 석회화는 만성 신부전, 당뇨 및 노화등과 관련이 있다고 알려져 있으나 CTO 병변에서의 석회화에 대한 정보는 더욱 제한적이다. 대부분의 CTO 병변에서 석회화가 관찰되는데, 그 기간에 따라 극소량에서 과량에 이르기까지 다양하게 나타난다.[15] 내막 동맥경화반의 석회화는 3개월에서 5년 사이의 CTO 병변에서 54%에서 동반되었고, 5년 이상의 병변에서는 100%에서 확인되었다. 반면에, 인슐린을 사용하는 당뇨환자에서는 섬유석회화 양상의 CTO 보다는 콜레스테롤이 풍부하거나 혼합된 형태의 CTO가 자주 관찰되었다. CTO 병변의 석회화의 정도는 성공적인 중재시술에 있어 음성 예측인자로 알려져 있는데,[16] 그 기전은 크게 두 가지로 설명된다.[17, 18]

수동적(passive)과정 : 사멸된 세포의 조각과 콜레스테롤 결정이 석회 결정화의 핵 역할을 하고, 칼슘 및 인 농축물은 수산화인회석 결정(hydroxyapatite crystals)을 형성하는데, 고농도의 인은 혈관 평활근세포를 조골세포 표현형(osteoblastic phenotype)으로 분화시켜 석회화를 조장한다.

능동적 골조직 형성(Active osseous process) : 골 형성 단백질(Bone morphogenic protein) 및 골형성 전사인자(osteogenic transcription factor) 등의 cytokines 이 조골세포(osteoblasts)와 유사 조골세포(osteoblast-like cells)을 모집하는 방식으로, 골격(Skeletal bone)과 마찬가지로 유사 파골세포(osteoclast-like cells)에 의해 흡수되기도 한다.

5) CTO의 동물 모델

실제 자연상태에서는 동물은 동맥경화를 겪지 않으므로, CTO 동물 모델을 개발하는 것 또한 CTO 연구에 있어서 도전의 일환이다. 혈관 외부에서 압박, 온도 손상, gas-drying of the artery, 협착부의에 자가 수혈을 하거나, 구리 스텐트시술, 유출로가 폐쇄된 스텐트 시술, 알코올 주사 및 polymer plug 의 삽입 등 다양한 실험이 이루어 졌지만, 연재까지 완벽하게 인간의 CTO 병변을 재현한 모델은 없었다.[19] 또한 Suzuki 등은 인회(apatite)가 코팅된 생체분해 폴리머 스폰지를 사용하여 토끼와 돼지의 관상동맥 및 말초동맥에 CTO 모델을 개발하여, 미세혈관 채널과 미세 석회화는 재현했으나, 명확한 화골성 변화(osseous transformation)는 발현하지 못해 세부적인 연구가 필요한 상황이다.[20]

2. 근거중심의 치료

CTO 병변은 중재시술 시 비폐쇄성 병변에 비해 비교적 낮은 성공률과 높은 재협착률로 인해 관상동맥우회술을 실시하게 되는 큰 원인 병변 중 하나이다. 그러나 최근 시술도구와 방법이 발달하면서 CTO 시술건수가 높은 몇몇 센터에서는 성공률이 90% 이상으로 보고하고 있어 과거에 비해 많이 향상되고 있음을 알 수 있겠다. 현재까지의 데이터는 재관류 시술에 성공한 환자와 실패한 환자들을 대상으로 한 등록 연구에 근거를 두었으나, 향후 CTO 치료 가이드라인 확립을 위해 대규모 무작위 임상 연구가 반드시 요구되는 시점이다.

1) 증상의 완화

성공적인 중재시술은 폐쇄부위를 개통시켜 심근관류를 증가시키므로 허혈로 인한 증상완화에 있어서 약물치료보다 우월한 증상개선 효과를 보인다. TOAST - GISE (Total Occlusion Angioplasty Study-SocietaItaliana di CardiologiaInvasiva)연구는 CTO 시술에 성공한 289명의 환자들이 실패한 87명의 환자들에 비해 유의한 증상완화를 보였고(88.7% vs 75%, p=0.008)[21], 125명을 대상으로 한 FACTOR (FlowCardia's Approach to Chronic Total Occlusion Recanalization)연구에서는 Seattle Angina Questionnaire (SAQ)를 통해 성공적인 중재시술이 유의한 증상 완화(p=0.019) 및 생활의 질 향상(p〈0.001)이 관찰된다고 보고하였다.[22] 최근 발표된 다기관 전향적 코호트 연구는 387명의 환자를 대상으로 약물치료, 비폐쇄성병변에 대한 중재시술, CTO병변에 대한 중재시술, 그리고 관상동맥우회술 네 군의 생활의 질 향상을 1년간 관찰하였고, CTO병변의 중재시술 및 관상동맥우회술은 신체활동 개선, 증상의 빈도 및 질환의 자각도 모든 방면에서 약물치료 보다 우월한 성적을 보였다. 반면 비폐쇄성병변의 중재시술은 생활의 질 향상에는 큰 영향을 미치지 못했다.[23]

2) 좌심실 기능의 개선

Sirnes 등은 증상이 있거나 스트레스로 유발되는 심근 허혈 소견이 있는 CTO 병변에 대해, 중재시술에 성공한 95명의 환자를 대상으로 6개월 뒤 좌심실 기능 개선 여부를 평가하였는데, 좌심실 구혈율이 8.1%(62%에서 67%로 개선)의 유의한 증가(p〈0.001)를 보였고 특히 좌전하행지 병변에 대해서는 10% 의 증가를 관찰하였다.[24] 아울러 심장 자기공명영상을 통해 비생존(non-viable)심근과 관련 CTO 병변에 대해 중재시술(17명)과 약물치료(30명)의 효과를 비교해 보았더니, 성공적인 중재시술 이후 6개월 시점에서 국소벽운동 이상의 호전, 좌심실 구혈율의 1.9% 상승 및 좌심실 이완기말 용적의 최소한의 3mL 증가를 관찰할 수 있었다. 반면 약물치료군에서는 좌심실 구혈율의 3.7% 감소 및 좌심실 이완기말 용적의 8mL 증가가 관찰되어 축소성 재형성(negative remodeling)을 시사하는 소견을 보였다.[25] 여러 연구에서 중재시술은 좌심실 구혈율의 개선을 보였는데, 최근 좌전하행지의 성공적인 중재시술을 보인 CTO 병변을 대상으로, 심근의 허혈 부담 정도에 따라 중재시술의 이득을 평가한 재미있는 연구가 있었다. 시술 전 핵의학 검사에서 가역석(reversible)관류결손(40명), 비가역성(fixed) 관류결손(50명)을 보인 경우 1년뒤 유의한 관류결손의 개선(각각 −20%, p=0.001, −15%, p=0.041) 및 좌심실 구혈율 호전(각각 6%, p=0.002, 4.1%, p=0.006)을 보였지만, 처음부터 관류결손이 없었던 병변(9명)에서는 중재시술은 큰 이득이 없었다.[26] 좌심실 기능의 개선여부는 결국 심근의 허혈 부담(ischemic burden) 및 생존여부(viability) 등과 밀접한 관계를 가진다고 할 수 있겠다.[27]

3) 관상동맥우회술의 요구도 감소

Ivanhoe et al. 의 연구에 따르면, 중재시술에 성공한 환자군은 실패한 환자군보다 4년의 추적기간동안 이차적인 관상동맥우회술을 받은 빈도가 유의하게 낮았으며(13% vs 36%, p〈0.0001), TOAST−GISE 연구에서도 중재시술 성공군은 1년의 추적기간 동안 매우 낮은 빈도의(2.5% vs 15.7%, p〈0.0001) 이차적 관상동맥우회술을 보였다.[28] 우리나라, 미국, 이탈리아 환자군을 대상으로 한 다국적 연구에서도 시술 성공군이 유의하게 낮은 이차적 관상동맥우회술 빈도를 보였고(3.2% vs 13.3%, p〈0.001), 수술에 비교적 소극적인 우리나라에서도 K−CTO (Korean Chronic Total Occlusion) 다기관 등록 연구에서 성공적인 중재시술이 이차적인 수술로의 이행을 낮추는 이득이 있음을 확인할 수 있었다.(0.2% vs 2.5%, p〈0.001)[29]

4) 장기간 생존률 향상

표 1−1의 여러 연구들을 종합해볼 때 CTO의 시술에 성공한 환자들은 실패한 환자들에 비해 장기사망율이 낮았다. 최근 발표된 U.K Central Cardiac Audit Database 에서 발표된 13,443명의 CTO 환자 중재시술 연구에 의하면, 불완전 재관류, 즉 다혈관 CTO 병변일지라도 최소 1혈관 CTO 시술이 성공적이라면 생존률의 이득이 있으며(위험비 0.72, 신뢰구간 0.62−0.83, p〈0.001), 완전 재관류의 성적은 더욱 우월하다는 것이 보고되었다.(위험비 0.61, 신뢰구간 0.50−0.74, p〈0.001) 아울러 CTO

표 1-1. CTO 시술 성공 여부에 따른 사망률 비교

저자	환자 수	중재시술 성공률(%)	추적기간 (년)	성공군의 생존율(%)	실패군의 생존율(%)	유의확률 p
Prasad 등[30]	1,262	64.6	10	76.3	71.7	0.025
Suero 등[31]	2,007	74.4	10	73.5	65.1	0.001
Hoye 등[32]	874	65.1	5	93.5	88.0	0.002
Valenti 등[33]	486	74.3	4	91.6	87.4	0.025
Mehran 등[34]	1,791	68.0	5	94.0	91.4	0.01
Kim 등	2,568	79.6	2	98.8	97.3	0.02

의 해부학적인 위치는 생존률에 영향을 미치지 않음을 보였다.[35] 23개 연구, 12,970명의 환자를 메타 분석한 연구에서도 중재시술 성공군은 실패군보다 총사망률(상대위험도 0.54, 95% 신뢰구간 0.45−0.65, p〈0.001)및 주요 심장 사건(상대위험도 0.70, 95% 신뢰구간 0.60−0.83, p〈0.001)이 유의하게 낮았다.[36] 이러한 결과들은 CTO의 중재시술에 있어서 고무적인 연구들이지만, 아직 표준 치료 권고안에서 중재시술의 입지는 크지 않은 실정이다.

5) 표준 치료 권고안

지금까지의 선행연구를 보았을 때, CTO 병변은 일반적인 비폐쇄성 관상동맥 협착 병변 보다 재관류 치료율이 낮은 양상을 보이는데, 불과 35% 정도만이 관상동맥 우회술 혹은 중재시술을 받는다고 하며, 다혈관 질환 소견이 보일 경우 69%~89%는 수술을 진행한다. 반면 비폐쇄성 병변의 경우 60%에서 재관류 치료를 받고 중재시술이 수술의 2배 정도 시행되고 있다. 아마도 CTO 병변에 대한 부족한 이해와 치료 근거의 부재가 차이를 가져온 것으로 사료된다. 최근 관상동맥 치료 표준 치료 권고안(Appropriate Use Criteria, AUC)이 개정 되었는데, 그 근거는 중재시술 및 수술로 인한 증상과 생활의 질 개선 및 생존률 향상에 두고 있으며 명확히 CTO 병변과 비폐쇄성 병변에 대해 구분하여 기술하고 있다(표 1−2)[37]. 다혈관 질환에 있어서 CTO의 중재시술의 근거는 아직 미약한 상황이며, 확실히 CTO 병변은 비폐쇄성 병변보다 치료 적응증에 있어 보수적인 경향을 보이고 있다.(표 1−3) 현재 중재시술과 최

표 1-2. 관상동맥우회술의 기왕력이 없고 다른 혈관에 협착이 없는 1 혈관에 국한된 병변에 대한 관상동맥 표준치료 권고안(AUC)

충분한 약물치료 병행	비침습적 검사 심장사망 예측도					
	저위험도(1% 미만/년)		중등도 위험도(1-3%/년)		고위험도(3% 초과/년)	
무증상	부적합	부적합	불확실	불확실	불확실	적합
CCS Ⅰ 혹은 Ⅱ	불확실	불확실	불확실	적합	적합	적합
CCS Ⅲ 혹은 Ⅳ	불확실	적합	적합	적합	적합	적합
	CTO	Non-CTO	CTO	Non-CTO	CTO	Non-CTO

(Canadian Cardiovascular Society, CCS)

표 1-3. 다혈관 질환에서의 CTO 병변에 대한 치료 방법에 대한 권고안

적응증	관상동맥 중재시술	관상동맥우회술
CTO 병변을 포함한 3 혈관 질환	불확실	적합
CTO 병변을 포함한 좌주간부 질환	부적절	적합

적의 약물치료(optimal medical treatment)를 비교하는 무작위 임상시험이 우리나라(DECISON-CTO)를 포함, 전세계적으로(EXPLORE, EuroCTO) 진행 중인 상태로 그 결과가 기대되는 바이다.[38~40]

참고문헌

1. Savage R, Hollman J, Gruentzig AR, King S III, Douglas J, Tankersley R. Can percutaneous transluminal coronary angioplasty be performed in patients with total occlusion? [Abstract] Circulation 1982;66: II-330
2. Fefer, P. Knudtson ML, Cheema AN, et al. Current perspectives on coronary chronic total occlusions: the Canadian Multicenter Chronic Total Occlusions Registry. J Am Coll Cardiol 2012;59: 991-7
3. Stone GW, Kandzari DE, Mehran R, et al. Percutaneous recanalization of chronically occluded coronary arteries: a consensus document: part I. Circulation 2005;112:2364-72.
4. DeWood MA, Spores J, Notske R, et al. Prevalence of total coronary occlusion during the early hours of transmural myocardial infarction. N Engl J Med 1980;303:897-902.
5. Betriu A, Castañer A, Sanz GA, et al. Angiographic findings 1 month after myocardial infarction: a prospective study of 259 survivors. Circulation 1982;65:1099-105.
6. Veen G, Meyer A, Verheugt FW, et al. Culprit lesion morphology and stenosis severity in the prediction of reocclusion after coronary thrombolysis: angiographic results of the APRICOT study. Antithrombotics in the Prevention of Reocclusion in Coronary Thrombolysis. J Am Coll Cardiol 1993;22:1755-62.
7. Stone GW, Grines CL, Cox DA, et al. Comparison of angioplasty with stenting, with or without abciximab, in acute myocardial infarction. N Engl J Med 2002;346:957-66.
8. Jaffe R, Leung G, Munce NR, et al. Natural history of experimental arterial chronic total occlusions. J Am Coll Cardiol 2009;53:1148-58.
9. Katsuda S, Okada Y, Minamoto T, et al. Collagens in human atherosclerosis. Immunohistochemical analysis using collagen type-specific antibodies. Arterioscler Thromb 1992;12:494-502.
10. Waksman R, Saito S. Chronic total occlusions : a guide to recanalization, second edition, Wiley-Blackwell, 2013
11 Munce NR, Strauss BH, Qi X et al. Intravascular and extravascular microvessel formation in chronic total occlusions a micro-CT imaging study. JACC Cardiovasc Imaging 2010;3: 797-80.
12. Srivatsa SS, Edwards WD, Boos CM et al. Histologic correlates of angiographic chronic total coronary artery occlusions: influence of occlusion duration on neovascular channel patterns and intimal plaque composition. J Am Coll Cardiol 1997; 29: 955-63.
13. Kwon HM, Sangiorgi G, Ritman EL et al. Adventitial vasa vasorum in balloon-injured coronary arteries: visualization and quantitation by a microscopic three-dimensional computed tomography technique. J Am Coll Cardiol 1998; 32: 2072-9.
14. De Martin R, Hoeth M, Hofer-Warbinek R, Schmid JA. The transcription factor NF-kappa B and the regulation of vascular cell function. Arterioscler Thromb Vasc Biol 2000; 20: E83-8.
15. Srivatsa S, Holmes D Jr. The histopathology of angiographic chronic total coronary artery occlusions - changes in neovascular pattern and intimal plaque composition associated with progressive occlusion duration. J Invasive Cardiol 1997; 9: 294-301.
16. García-García HM, van Mieghem CA, Gonzalo N et al. Computed tomography in total coronary occlusions (CTTO registry): radiation exposure and predictors of successful

percutaneous intervention. EuroIntervention 2009; 4: 607 – 16.

17. Doherty TM, Asotra K, Fitzpatrick LA et al. Calcification in atherosclerosis: bone biology and chronic inflammation at the arterial crossroads. Proc Natl Acad Sci USA 2003; 100: 11201 – 6.
18. Johnson RC, Leopold JA, Loscalzo J. Vascular calcification: pathobiological mechanisms and clinical implications. Circ Res 2006; 99: 1044 – 59.
19. Strauss BH, Goldman L, Qiang B et al. Collagenase plaque digestion for facilitating guide wire crossing in chronic total occlusions. Circulation 2003; 108: 1259 – 62.
20. Suzuki Y, Oyane A, Ikeno F et al. Development of animal model for calcified chronic total occlusion. Catheter Cardiovasc Interv 2009; 74: 468 – 75.
21. Olivari Z, Rubartelli P, Piscione F, et al. Immediate results and one-year clinical outcome after percutaneous coronary interventions in chronic total occlusions: data from a multicenter, prospective, observational study (TOAST-GISE). J Am Coll Cardiol 2003;41:16728
22. Grantham JA, Jones PG, Cannon L, Spertus JA. Quantifying the early health status benefits of successful chronic total occlusion recanalization: Results from the FlowCardia's Approach to Chronic Total Occlusion Recanalization (FACTOR) Trial. Circ Cardiovasc Qual Outcomes 2010;3:284–90.
23. Wijeysundera HC, Norris C, Fefer P, et al. Relationship between initial treatment strategy and quality of life in patients with coronary chronic total occlusions. EuroIntervention 2014;9: 1165 – 72.
24. Sirnes PA, Myreng Y, Molstad P, Bonarjee V, Golf S. Improvement in left ventricular ejection fraction and wall motion after successful recanalization of chronic coronary occlusions. Eur Heart J 1998;19:273–81
25. Nii, H, Waqatsuma K, Kabuki T, et al. Significance of percutaneous transluminal coronary intervention for chronic total occlusions assessed as non-viable by myocardial scintigraphy [Japanese]. J Cardiol 2007;50:363 – 70.
26. Sun D, Wang J, Tian Y, et al. Multimodality imaging evaluation of functional and clinical benefits of percutaneous coronary intervention in patients with chronic total occlusion lesion. Theranostics 2012;2:788 – 800.
27. Kirschbaum, SW, Baks T, van den Ent M, et al. Evaluation of left ventricular function three years after percutaneous recanalization of chronic total coronary occlusions. Am J Cardiol 2008;101: 179 – 85.
28. Ivanhoe RJ, Weintraub WS, Douglas JS Jr, et al. Percutaneous transluminal coronary angioplasty of chronic total occlusions. Primary success, restenosis, and long-term clinical follow-up. Circulation 1992;85:106 – 15.
29. Kim BK, Shin S, Shin DH, et al. Clinical Outcome of Successful Percutaneous Coronary Intervention for Chronic Total Occlusion: Results From the Multicenter Korean Chronic Total Occlusion (K-CTO) Registry. J Invasive Cardiol 2014;26:255–9.
30. Prasad A, Rihal CS, Lennon RJ, Wiste HJ, Singh M, Holmes DR Jr. Trends in outcomes after percutaneous coronary intervention for chronic total occlusions: a 25-year experience from the Mayo Clinic. J Am Coll Cardiol 2007; 49:1611 – 8.
31. Suero JA, Marso SP, Jones PG, et al. Procedural outcomes and long-term survival among patients undergoing percutaneous coronary intervention of a chronic total occlusion in native coronary arteries: a 20-year experience. J Am Coll Cardiol

2001;38:409 - 14.
32. Hoye A, van Domburg RT, Sonnenschein K, et al. Percutaneous coronary intervention for chronic total occlusions: the Thoraxcenter experience 1992 - 2002. Eur Heart J 2005;26:2630 - 6.
33. Valenti, R, Migliorini A, Signorini U, et al. Impact of complete revascularization with percutaneous coronary intervention on survival in patients with at least one chronic total occlusion. Eur Heart J 2008;29:2336 - 42.
34. Mehran R, Claessen BE, Godino C, et al. Long-term outcome of percutaneous coronary intervention for chronic total occlusions. J Am Coll Cardiol Intv 2011;4:952 - 61.
35. George S, Cockburn J, Clayton TC, et al. Long-Term Follow-Up of Elective Chronic Total Coronary Occlusion Angioplasty : Analysis From the U.K. Central Cardiac Audit Database. J Am Coll Cardiol 2014;64:235 - 43.
36. Khan MF, Wendel CS, Thai HM, Movahed MR. Effects of percutaneous revascularization of chronic total occlusions on clinical outcomes: a meta-analysis comparing successful versus failed percutaneous intervention for chronic total occlusion. Catheter Cardiovasc Interv. 2013;82:95-107.
37. Patel MR, Dehmer GJ, Hirshfeld JW, et al. ACCF/SCAI/STS/AATS/AHA/ASNC/HFSA/SCCT 2012 appropriate use criteria for coronary revascularzation focused update: a report of the American College of Cardiology Foundation Appropriate Use Criteria Task Force, Society for Cardiovascular Angiography and Interventions, Society of Thoracic Surgeons, American Association for Thoracic Surgery, American Heart Association, American Society of Nuclear Cardiology, and the Society of Cardiovascular Computed Tomography. J Am Coll Cardiol 2012;59:857 - 81.
38. US National Library of Medicine. ClinicalTrials.gov [online]. http://clinicaltrials.gov/ct2/show/NCT01078051(2012).
39. van der Schaaf, RJ, Claessen BE, Hoebers LP, et al. Rationale and design of EXPLORE: a randomized, prospective, multicenter trial investigating the impact of recanalization of a chronic total occlusion on left ventricular function in patients after primary percutaneous coronary intervention for acute ST-elevation myocardial infarction. Trials 2010;11:89.
40. US National Library of Medicine. ClinicalTrials.gov [online]. http://clinicaltrials.gov/ct2/show/NCT01760083(2013).

Chapter 2

만성폐색병변 시술 전 관동맥조영술의 평가

이종영(강북삼성병원), 홍범기(강남세브란스병원), 최동훈(신촌세브란스병원)

1. 서론

만성완전폐색(chronic total occlusion, 이하 CTO) 병변 치료에서 진단적 관상동맥조영술은 시술 적응증 여부 및 시술 전 병변이 가지는 문제점을 파악하여 치료 전략을 결정하는 데 매우 중요한 역할을 한다. 하지만, CTO 병변 시술 시 시행하는 관상동맥조영술은 일반적인 병변과는 다른 몇 가지 점을 고려해야 한다. 물론 최근 컴퓨터단층촬영(CT)의 발전으로 시술 전후 많은 도움을 받고 있긴 하지만, 관상동맥조영술을 통해 얻어진 전후 혈관 영상을 통해 CTO 병변 주행을 추측하여 유도철사를 다루어야 하기 때문이다. 또한 같은 관상동맥조영술 영상이라도 숙련도에 따라 시술자가 얻을 수 있는 정보에도 많은 차이가 있다. 따라서 CTO 병변 시술에 앞서 아래 기술된 사항들을 고려하여, 미리 촬영된 조영 영상을 상세히 파악하고, CTO 병변의 특성과 입체적인 주행을 고려 후 치료전략을 세워야 한다. 따라서, 충분한 시간 동안, 상당한 횟수동안 잘 검사된 혈관조영술을 파악해야 하며, 이는 CTO시술 성공 여부 및 시술 시간 등의 결정에 매우 중요한 역할을 할 수 있다. 실제 경험 많은 시술자들이나 해외 유명 시술자들의 경우, 시술 전 혈관조영술 파악에 상당한 노력을 기울이는 것을 쉽게 볼 수 있다.

1) 폐색기간 추정

폐색기간에 따라 CTO 시술 성공율이 크게 좌우된다는 것(그림 1)은 잘 알려진 사실이다. 진단적 관상동맥조영에서 병변 폐색기간을 정확하게 추정하기 어려우며, 대부분 흉통이나 심근경색증 등의 병력을 감안하여 폐색 시점을 예측할 수 있다. 때로는 검진 등에서 시행한 과거 심전도가 실마리가 되기도 한다. 어떤 경우라도 상세한 병력 청취가 치료전략 결정에 매우 중요하다. 관상동맥조영술을 실시한 적이 있다면, 이전 조영 영상을 파악해야, 폐색기간 및 폐색병변 주행을 추정하는 데 도움이 된다. 다만, bridge collateral가 많이 존재하면 보통 장기간 폐색을 의미하며, 가이드 와이어 선택 시에 특히 주의해야 한다.

2) 관상동맥 입구부 분기형태

가이딩 카테터 선택을 위해 관동맥 입구의 분지부 형태를 파악하는 것이 중요하다. 통상적인 관동맥중재술과는 달리 CTO 병변 중재술에서는 가이딩 카테터가 확실한 'BACK-UP' 역할을 해야만 가이드 와이어를 안정적으로 다룰 수 있기 때문이다.

혈관조영술의 병변 모양에 따라서 성공 확률이 달라질 수도 있기 때문에 여러가지 분류가 언급되고 있으나 가장 많이 언급되는 것이 바로 아래 그림이다.

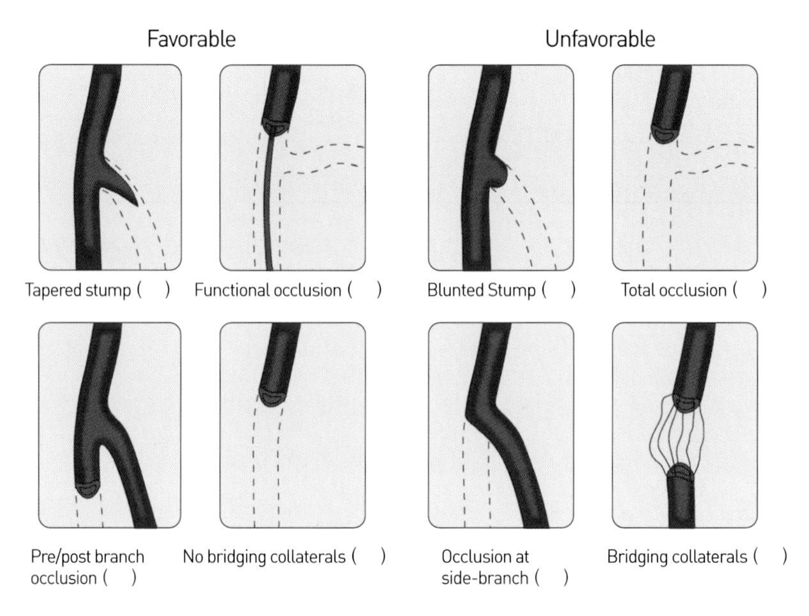

그림 2-1. Favorable vs. Unfavorable Morphology of CTO Lesion

(1) 좌관상동맥

좌관상동맥은 입구부 기시 이상으로 뒤쪽으로 치우친 경우가 많고, 이 경우 좌주간부(left main trunk, LMT)가 급격한 각도로 앞쪽으로 주행하게 되므로, 가이딩 카테터로 'Back-Up'이 좋은 Amplatz 카테터를 선택하는 게 좋다. 또한 상행대동맥 주행이 수직이면 문제가 없지만, 수평에 가까운 경우 Judkins left로는 충분한 'Back-Up'을 얻기 어려워 'Back-Up'이 좋은 Amplatz, EBU (extra back-up) 등을 선택해야 한다. 또한 상행 대동맥 직경을 미리 파악해두는 것이 역시 가이딩 카테터 선택에 중요한 역할을 한다.

(2) 우관상동맥

관상동맥 기시 이상은 보통 우관상동맥에 많다. 그 중 우관상동맥이 앞쪽을 나오는 경우가 비교적 자주 보이는 기시 이상이다. 이 경우 우관상동맥이 대동맥에서 나온 후 즉시 오른쪽으로 휘어져 대동맥벽을 따라 주행한다. 따라서 가이딩 카테터를 깊이 삽입하기 어려워 통상적인 Judkins right에서는 충분한 'Back-Up'을 얻기가 어렵기 때문에 'Back-Up'이 강한 Amplatz을 선택하는 게 좋다. 또한 상행대동맥 주행이 수직이면 문제 없지만, 수평에 가까운 경우 상행대동맥과 우관상동맥 근위부가 만드는 각도가 예각이 되어 Judkins right로는 충분히 삽입할 수 없으므로 Amplatz, Ikari-R 등을 선택해야 한다. 또 'Shepherd's crook' 우관상동맥, 그리고 입구부 수평부분이 긴 경우에서도 통상적인 Judkins right에서는 CTO 병변에 대해서 충분한 'back-up'을 얻을 수 없는 경우가 많다. 상행대동맥 직경 역시 가이딩 카테터 선택 시에 좌관상동맥과 동일하게 고려해야 한다.

표 2-1. Guideline for Chronic Total Occlusion

	Class 1	Class 2	Class 3		Class 4
폐색기간	1~3개월	3개월 이상	3개월 이상	3개월 이상	3개월 이상
폐색병변길이	전부	2㎝ 이하	2㎝ 이하	2㎝ 이상	2㎝ 이상
병변형태	전부	tapered	abrupt	전부	abrupt
병변 굴곡	없음	없음	없음	없음	없음
성공율(%)	70~90	50~80	40~70	40~70	25~50

3) CTO 근위부 병변 및 혈관 굴곡과 사행

앞서 서술한 대로 관상동맥 입구부 분기형태(입구부 위치, 분기방향, 주행)는 가이딩 카테터 선택에 중요한 의미를 가지는데, 근위부 병변 내에 입구부를 포함한 경우 가이딩 카테터에 의해 허혈, 관상동맥 박리 등이 일어날 수 있으므로 사전에 충분히 파악해야 한다. 특히 우관상동맥에서는 가이딩 카테터를 깊게 삽입해야 하는 경우가 있으므로, 상황에 따라서 입구부와 근위부 병변을 먼저 확장시켜 스텐트 삽입을 해두는 것이 관상동맥 박리 등 합병증을 사전 예방할 뿐만 아니라, 이후 가이드 와이어 조작을 쉽게 할 수 있게 한다. 또한 CTO 근위부 혈관이 구불구불하거나 굴곡이 있는 경우 CTO 병변에서 가이드 와이어 조작이 어렵게 되므로, 가이드 와이어를 쉽게 다루기 위한 대책(OTW [over the wire] 풍선, TRANSIT, FINECROSS, Corsair 등 병변 관통용 마이크로카테터 사용 등)을 미리 검토해야 한다.

4) CTO 병변 조영 해석

(1) CTO 병변 말단 폐색 형태

CTO 병변 말단 폐색 형태는 CTO 시술 성공율과 큰 관련이 있다. 근위부 말단 폐색 형태에 따라 끝이 점점 가늘어지는 형(이하 tapered type)과 끝이 뭉뚝한 형(이하 abrupt type) 2가지로 나눌 수 있다. Tapered type (그림 2-1)에서는 CTO 입구점(entry point)을 찾기 쉽지만, abrupt type (그림 2-2)에서는 입구점을 찾기 어려울 때가 많다. 하지만 여러 방향에서 조영 영상을 주의 깊게 반복하여 관찰하면, 입구점으로써 움푹한 부위(entry point dimple)을 발견할 수도 있다. 따라서 여러 방향에서 조영 영상을 1 프레임씩 자세히 관찰해야 한다.

경우에 따라서는 관상동맥 조영 영상을 꼼꼼히 관찰하면 CTO 병변 내에 'recanalization channel (microchannel)이 발견되기도 한다.(그림 2-3) 이때는 처음부터 딱딱한 가이드 와이어를 사용하지 않고 비교적 부드럽고 잘 미끄러지는 가이드 와이어로 병변을 통과할 수 있다. 또한, bridge collateral이 발달된 경우에는 bridge collateral와 연결된 vaso vasorum이 확장된 혈관 내강과 recanalization channel을 구별하기 어려울 수 있으므로, 이 역시 미리 감별해 두어야 한다. 잘못하여 bridge collateral에 가이드 와이어가 진행되면 와이어에 의한 천공 및 출혈 등의 발생 가능성이 커지기 때문이다.

보통 abrupt type 입구부는 단단한 경우가 많아 관통하려면 끝이 딱딱한 가이드 와이어를 사용해야 하며 'back-up' 역시 좋아야 한다. 분지(side branch)를 동반한 abrupt type CTO 병변 시술이 가장 어려운 데, CTO 입구점을 확인하기 어렵고 가이드 와이어가 분지로 잘 빠져 와이어 조작이 어렵기 때문이다.

이 경우 최근에 IVUS-유도하 시술이 많이 애용되고 있는데, IVUS를 이용하여 천

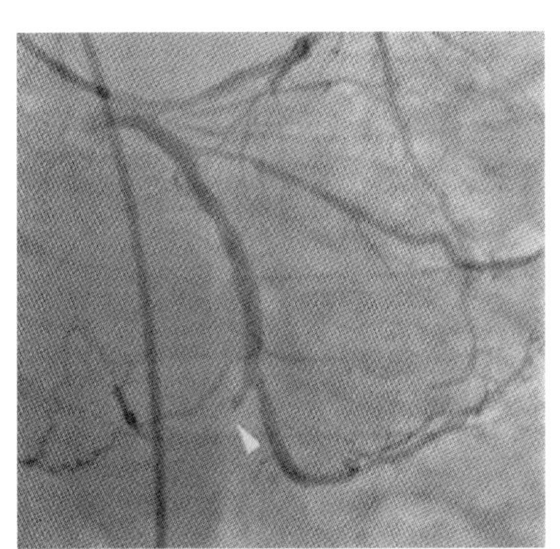
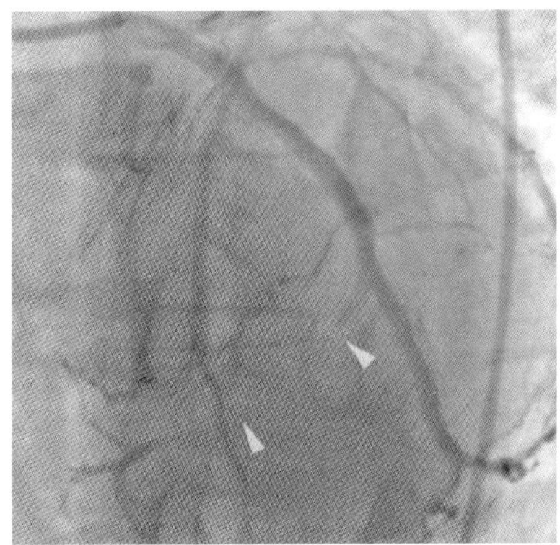

그림 2-2. **좌회선지(구간 15) CTO 병변** 근위부, 원위부 말단: tapered type.

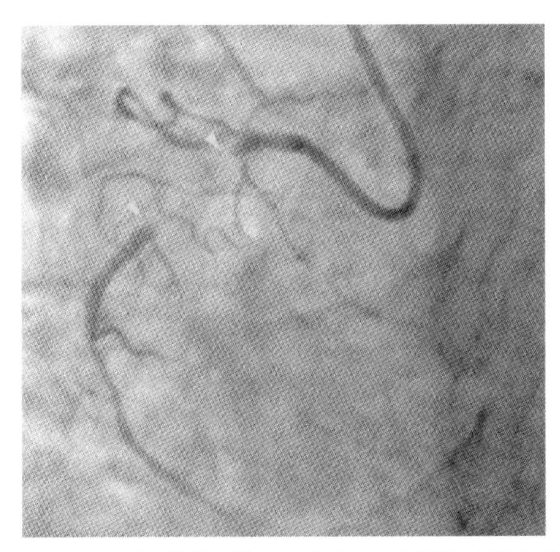
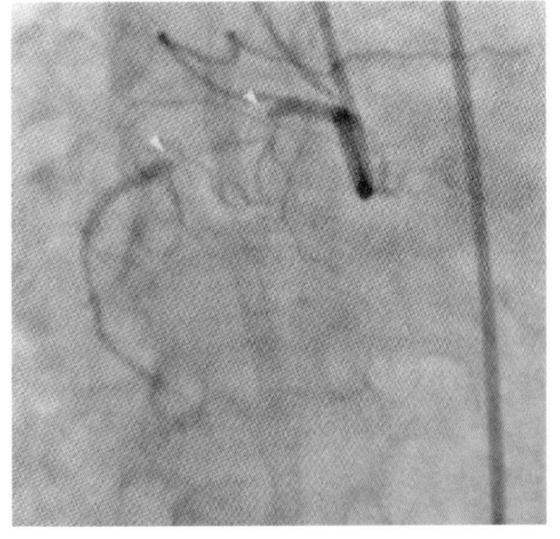

그림 2-3. **우관상동맥(Seg. 1)의 CTO 병변** 근위부 말단: abrupt type, 원위부 말단: convex type.

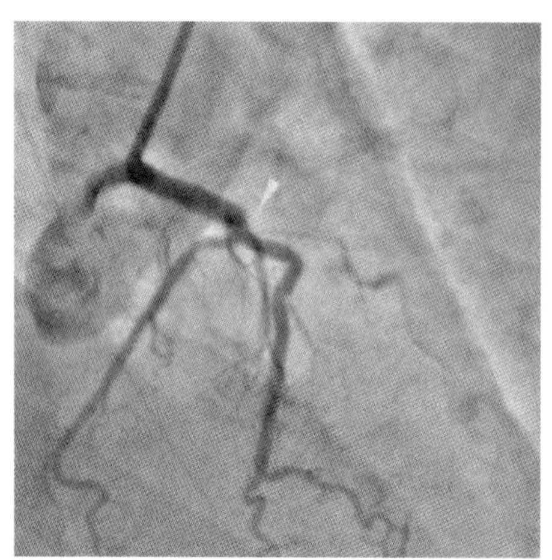
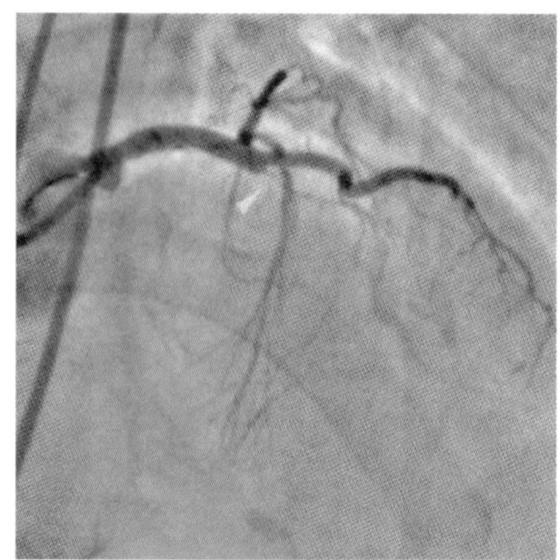

그림 2-4. **좌관상동맥(구간 6) CTO 병변** 상세히 관찰하면 recanalization channel (micro channel)을 볼 수 있다.

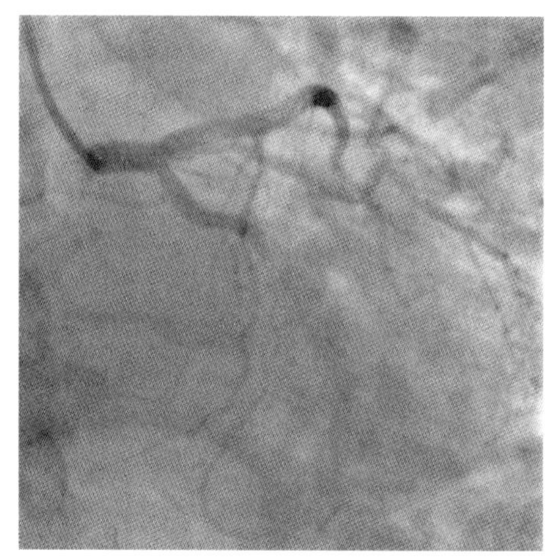
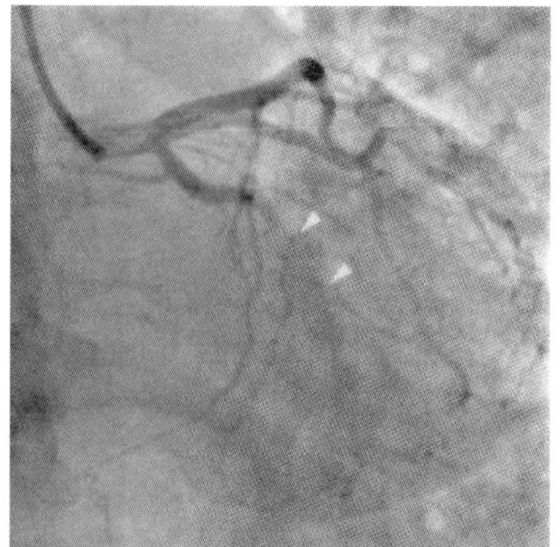

그림 2-5. **좌회선지(구간 13) CTO 병변** 조영 후반이 되면 측부혈류에서 조영제가 섬 모양(contrast island)으로 모이는 것이 관찰된다.

자 부위나 해부학적 구조를 파악하고 난 후 시술을 진행하는 것으로 시술 성공율을 많이 증가시킬 수 있다.

(2) CTO 병변 내 혈관 굴곡

CTO 병변 내 혈관 굴곡에 대해서도 미리 고려해야 한다. 우관상동맥이나 좌회선지의 긴 CTO에서는 굴곡된 주행을 예상하기 매우 어려운 경우도 있다. 우관상동맥 구간 1의 굴곡, 구간 3의 S자 굴곡, 좌회선지 구간 11에서 13까지 굴곡, 좌전하행지 구간 7의 말초 굴곡에 대해 항상 염두에 두고 조영 영상을 관찰해야 한다. 또한 심박동에 따라 CTO 병변 근위부 말단과 원위부 말단 사이에 주행이 어긋나게 보이는 경우, 그 사이에 혈관이 구불구불하게 주행하므로 주의 깊게 조영 영상을 관찰해야 한다.

(3) CTO 병변 내 석회화

석회화 소견이 혈관주행 추정에 도움이 되는 경우가 있다. 석회화는 일반적으로 관상동맥 주가지에서 보이는 경우가 많으며 분지(옆가지)에서 보이는 경우는 별로 없다. 석회화 유무를 알기 위해 조영 영상 촬영 시에 조영제 주입을 조금 늦추는 것이 도움이 된다. 석회화가 보이면 대부분 주가지 내에 있다고 판단하지만, 석회화 부위가 혈관 어느 위치에 해당하는 지까지 판단하기는 어렵다. 따라서 석회화가 주행경로 예측에 도움이 되기도 하지만, 때로는 혼란을 야기할 수도 있으므로 이에 대한 주의가 필요하다.

(4) 원위부 말단 형태

CTO 근위부 말단 뿐만 아니라 원위부 말단 형태 파악 역시 중요하다. 따라서 관상동맥 조영 촬영시에는 평소보다 오랫동안 촬영하여 CTO 원위부 말단까지 조영제가 확실히 차게 해야 한다. 이는 폐색된 병변 길이를 정확히 파악하기 위해서도 중요하다. CTO 원위부 말단 형태는 tapered type과 convex type으로 나눈다. 보통 convex type (그림 2-3)에서는 병변이 딱딱하고 말초 섬유성 피막도 두껍고 딱딱하다고 여겨진다. 반대로 tapered type (그림 2-2)에서는 비교적 관통하기 쉽다고 생각되지만, 원위부 말단 주변에 유도철사로 한번 위강(false lumen)이 만들어지면 진강(true lumen)이 형태가 쉽게 변하고 막혀버려 유도철사가 뚫어야 할 점이 좁아져 버리므로 원위부 말단 부위에서 가이드 와이어를 주의하여 다루어야 한다. CTO 원위부 말단 직후에 혈관이 굴곡되어 있는 경우, 분지가 있는 경우에도 마찬가지로 주의가 필요하다.

(5) 섬 모양(island) 조영 소견

측부혈류가 복잡한 네트워크를 형성하고 있는 경우, CTO 병변 내에서 섬 모양으로 조영제가 모여 있는 소견(그림 2-5)을 볼 수 있다. 이 소견은 특히 긴 CTO 병변에서 가이드 와이어를 조작할 때 우선적으로 주의할 점을 보여주는 이정표 역할을 하므로, 반드시 미리 파악해야 한다.

(6) 분지 조영 소견

주가지 주행을 추정할 때 분지 조영 소견이 효과적일 수 있다. CTO 병변 내에서 조영제가 섬 모양으로 모여있진 않더라도 분지 기시 부근까지 조영제가 보이는 경우가 있다. 이 역시 조영제 섬 모양 소견과 마찬가지로 가이드 와이어를 진행시킬 때 실마리가 될 수 있다.

(7) 'To and Fro'와 'Negative jet'

'To and Fro'는 조영제가 관상동맥 내에서 앞뒤로 왔다갔다 하는 소견으로, 그 위치에 조영된 혈관 외에 다른 길로 해서 혈액이 들어온다는 간접적인 증거가 된다. 'Negative jet'은 혈관 내에서 조영제가 일부분 엷게 조영되는 소견으로 이 역시 별도 통로를 통해 혈액이 들어온다는 것을 의미한다. 위 두 가지 경우 반대쪽 촬영(CTO가 좌관상동맥에 있는 경우 우관상동맥 촬영)을 주의깊게 관찰해야 한다. 특히, 우(右)원추가지에서 좌전하행가지의 Seg. 7의 일부가 조영되는 경우가 있으며, 병변 길이의 정확한 판단과 혈행주행의 파악에 매우 효과가 있는 경우가 있다. 최근 CTO시술시 간편화가 추세이긴 하지만, 불편하더라도 양측 동시 조영술을 하는 것이 여러모로 도움이 될 수 있다.

5) 측부혈류(반대측 조영)

CTO 병변 파악을 위해서는 측부혈류를 상세히 관찰하는 것이 중요하다. 특히 측부혈류 공급혈관(donor artery)이 원추 동맥이나, 심방가지, 우관동맥 기시부 가까이에서(또는 독립하여 대동맥에서) 나오는 경우 측부혈류를 통해 CTO 원위부 말단이 충분히 조영되지 않을 수 있다. 이는 좌전하행지 CTO에서 보이는 경우가 많은 데,

CTO 말단이 원추동맥에서 조영되거나, 우관동맥 후행하행지 또는 우심실 분지를 거쳐 조영되기 때문이다.

측부혈류에 의한 CTO 원위부 진강 관찰 역시 매우 중요하다. CTO 원위부 말단에서 분지 유무 및 형태를 파악하는 것은 'side branch 법'을 시행할 때 중요하다. 또한 가이드 와이어가 CTO 병변을 통과한 이후 조작을 위해서도 미리 원위부 혈관 주행을 파악해야 한다.

Retrograde approach에 의한 CTO 치료 시에는 공급혈관(donor artery)의 주행과 형태가 중요하여 측부혈류를 통한 시술이 성공 여부의 가장 중요한 인자 중의 하나이므로, 측부혈류를 포함하여 보다 길게 관상동맥조영 영상을 관찰해야 한다.

측부혈류를 조영되는 정도에 따라서 Rentrop 분류를 이용하기도 한다.

Grade 0 – 측부혈행이 전혀 보이지 않는 경우

Grade 1 – 희미하게(Faintly) 조영이 되기는 하나 recipient혈관이 거의 보이지 않을 경우

Grade 2 – 부분적으로(partially) recipient혈관이 보이는 경우

Grade 3 – 모든 주행이 측부혈행을 통해서 관찰되는 경우

6) 조영방향

CTO 병변 관상동맥조영에서는 다방면 조영이 요구된다는 것은 말할 필요도 없다. CTO 병변 근위부말단이 잘 보이는 방향과 완전히 동일 각도에서 반대쪽 혈관 조영이 유용하며, 보다 정확한 CTO 병면 길이를 파악하는 데도 중요한 역할을 한다. 또한 입체적인 위치 관계를 알기위해 조영하는 rota-tional angiography 혹은 biplane angiogram도 때때로 유효한 수단이 된다.

(1) 좌우관상동맥 동시 조영(Bilateral angiography, 동시 조영)

반대쪽 관상동맥에서 측부혈류을 받고 있는 환자에게는 기본적으로 PCI 시술시 동시조영을 실시하도록 하고 있다. 그 목적은 ① 폐색부위 주변의 해부학적 관계를 명확히 해두고, ② 협착과 폐색이 없는지 등 폐색부 원위혈관 상태를 정확히 파악해

두는 것이다. 순행성 혈류가 존재해도 그들의 파악을 충분히 할 수 없을 때에는 반드시 동시조영을 실시한다. 시술 전 관상동맥조영을 통해 정보는 최대한 얻는 것이 성공율을 향상시킨다. 이런 동시 조영술을 시행할 때 지켜야 하는 몇가지 기본적인 사항들을 지켜보면,

- 영상을 너무 확대하지 말 것
- Donor artery를 먼저 조영할 것
- 1~2초 후에 CTO혈관을 조영할 것
- Panning을 하지 말 것
- 조영제가 모두 사라질 때까지 cine 를 실시할 것 등으로 알려져 있다.

(2) 측부 혈류 조영(Collateral angiography, 반대쪽 조영)

동시 조영을 실시하는 경우에는 필연적으로 반대쪽 관상동맥에 카테터가 삽입되게 되는데, 때로는 관상동맥 원위부가 순행성 조영에서 보이지 않음에도 불구하고 반대쪽 조영을 하지 않는 시술자가 있다. 이 경우 시술자는 가이드 와이어가 진행되어야 할 방향을 이전 반대쪽 조영을 마음에 두고, 폐색부 통과 여부는 가이드 와이어에서 느껴지는 마찰저항으로 판단하고 있을지 모르지만, 반드시 반대쪽 조영을 하여 확인해야 한다. 마이크로채널(microchannel)이 보이는 경우에도 마이크로채널에 유도철사이 진행되어 순행성 혈류가 없어졌다면 반대쪽 천자를 실시하여 반대쪽 조영을 실시한다. 마이크로채널이 외막층을 통과하여 그대로 진행하면 순행성 혈류가 소실될 경우 반대쪽 조영을 이용하여 방향이 올바른지를 확인하면서 진행하여야 한다.

(3) 양방향 혈관촬영장치(Biplane cine equipment)

양방향 혈관촬영장치는 CTO PCI에 있어서 필수적이라 할 수 있다. 한쪽 방향으로 올바른 길을 가고 있는 것처럼 보여도 다른 방향에서 잘못된 방향이라고 판정되면 그 방향은 잘못한 방향인 것이다. 이 사실을 아주 정확하고 순간적으로 판정할 수 있는 점이 양방향 혈관촬영장치가 가지는 최대능력이다. 역행성 접근법에서 근위부, 원위부 양쪽 방향에서 가이드 와이어가 폐색부위 안으로 진행한 이후 조영제는 매우 소량이 필요하지만, 순행성 접근법에서는 반대쪽 조영 필요 빈도가 높기 때문에 양

방향 조영을 한번으로 끝내는 양방향 혈관촬영장치는 한 방향 혈관촬영장치에 비해 조영제 사용량을 줄일 수 있다.

(4) 방향각도 선택

양방향 혈관촬영장치가 선택해야 할 양방향 각도는 우선 폐색부위 입구부(entry point)에서 혈관 장축 방향으로 수직(단축면 내)이며 그 부분에서의 심표면에도 수직 방향(방향각도①)과 장축에 직각으로 교차하는 면내(단축면 내)에서 방향각도 ①과 직각으로 교차하는 방향(단축면 내에서 심표면에 평행=방향각도②)을 선택하는 것이 원칙이다.

이들 방향각도는 폐색부위에 따라서 다른데, 부위별 보편적인 실제 방향각도의 선택 예를 표에 정리하였다.(표 2-2) 폐색 길이가 긴 RCA에서는 폐색부위 근위부와 원위부에서 장축 방향이 상당히 다르기 때문에 단축면도 크게 달라진다. 가이드 와이어가 진행됨에 따라서 방향각도 조합을 변화시키는 것이 유용하다. 방향각도를 바꾸는 것은 피부표면선량을 분산시킴으로써 피부장애의 예방대책이 되기도 한다.

표 2-2. CTO 폐색입구부 관찰에 적합한 촬영방향각도

폐쇄 부위	가장 보편적인 각도	그 수직 각도
#1,Ostium	LAO+CA	AP+CR
#1, RVB 분지부	AP+CR, LAO+CA	LAO~LAO+CR
#4, AV, PD 분지부	LAO+CR (LL)	AP+CR
#5,0stium	AP+CR, AP+CA	Spider
#6,0stium	RAO+CR	Spider
#6~7, Diagonal 분지부	LAO+CR AP+CR	RAO+CR LL+CR
#11, 0stium	RAO (AP)+CA	Spider (LL+CA)
LCX, PL 분지부	AP+CA	LL+CA

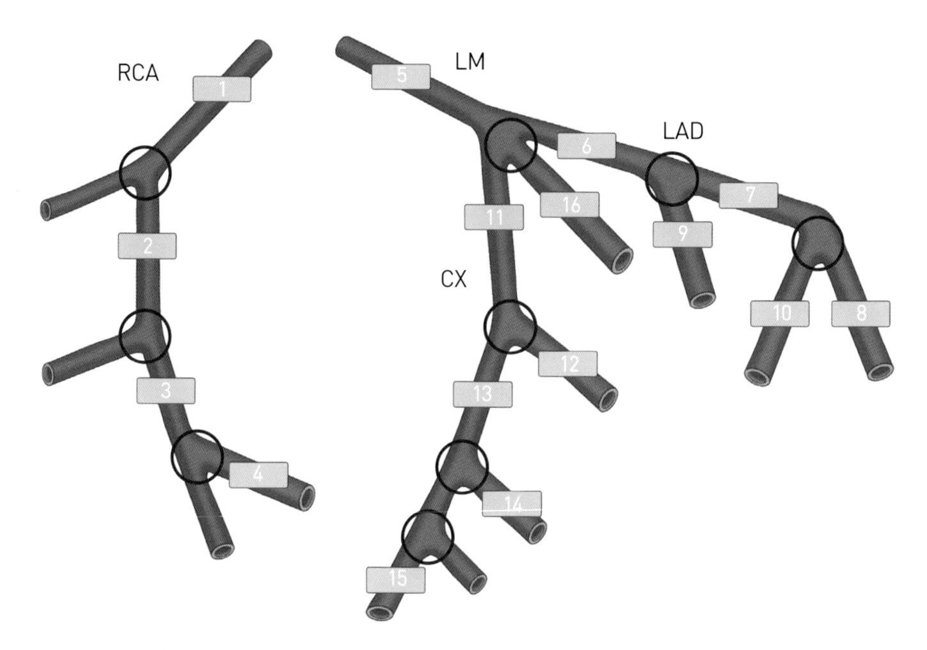

그림 2-6. **관상동맥 구간 구분도**

2. 실제 시술 전 혈관조영술을 보면서 고려해야 할 요소들

최근 해부학적 구조를 고려한 CTO 시술, 즉 Hybrid Approach가 제기되고 있는데, 크게 4가지 정도의 질문을 통해서, 시술을 antegrade, retrograde, dissection 혹은 re-entry등을 이용할지 결정한다.

1. Proximal cap이 혈관조영술이나 IVUS상에서 명확하게 보이느냐?
2. 병변의 길이가 20mm 이상이냐?
3. Distal target이 명확하냐?
4. 측부혈행이 시술하기에 적절하냐?

따라서, 시술 전 혈관조영술을 충분히 검토하면서 위의 질문들에 대한 답변을 고려하다보면, 보다 분명한 접근전략이 수립될 수 있을 것이다.

CTO score

최근 일본에서 494개의 CTO병변을 이용하여 시술 성공율을 예측하기 위한 scoring system을 개발하여 임상에 적용함으로써 이에 대한 고민도 시술 전 준비에 도움이 될 수 있을 것으로 보인다.

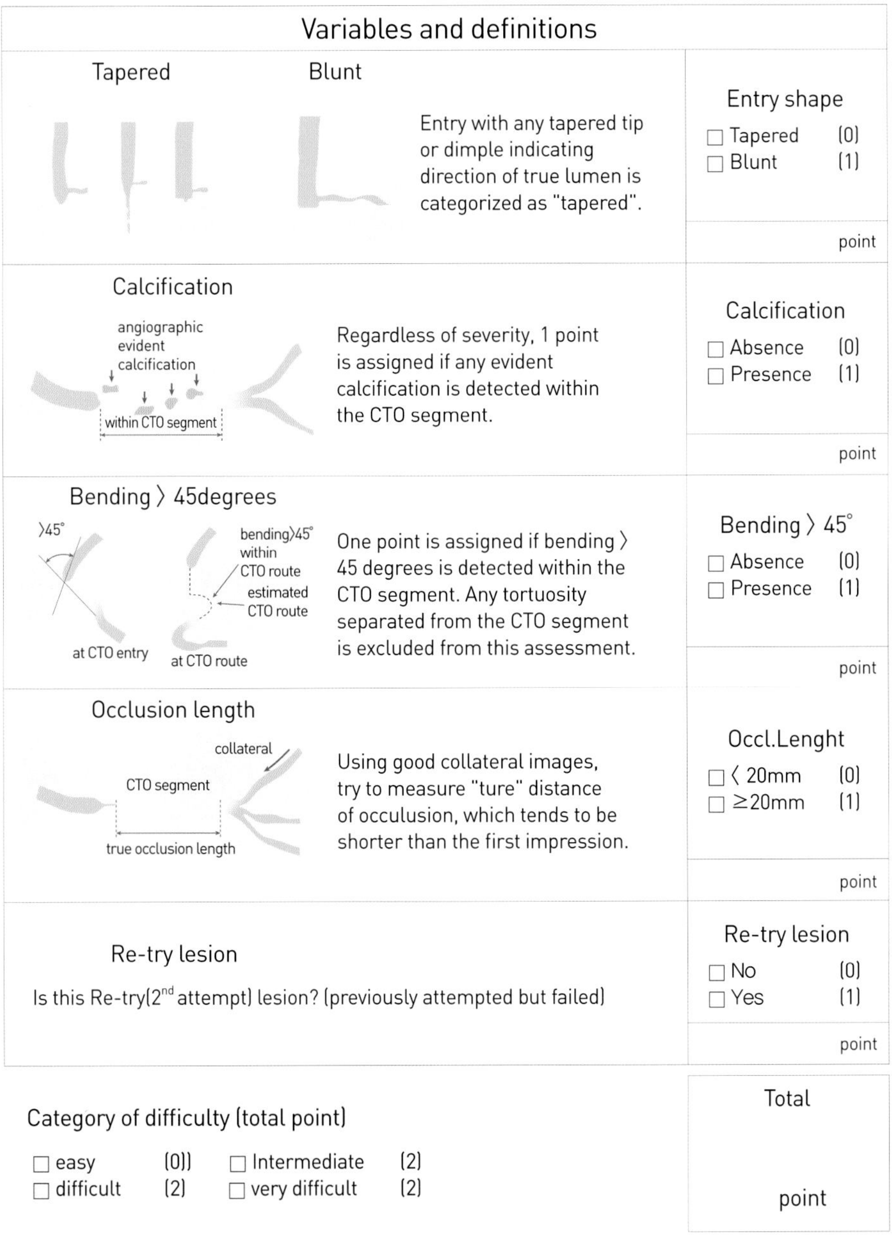

Variables and definitions	
Tapered / Blunt Entry with any tapered tip or dimple indicating direction of true lumen is categorized as "tapered".	Entry shape □ Tapered (0) □ Blunt (1) point
Calcification angiographic evident calcification within CTO segment Regardless of severity, 1 point is assigned if any evident calcification is detected within the CTO segment.	Calcification □ Absence (0) □ Presence (1) point
Bending 〉 45degrees 〉45° at CTO entry bending〉45° within CTO route estimated CTO route at CTO route One point is assigned if bending 〉 45 degrees is detected within the CTO segment. Any tortuosity separated from the CTO segment is excluded from this assessment.	Bending 〉 45° □ Absence (0) □ Presence (1) point
Occlusion length collateral CTO segment true occlusion length Using good collateral images, try to measure "ture" distance of occulusion, which tends to be shorter than the first impression.	Occl.Lenght □ 〈 20mm (0) □ ≥20mm (1) point
Re-try lesion Is this Re-try(2nd attempt) lesion? (previously attempted but failed)	Re-try lesion □ No (0) □ Yes (1) point

Category of difficulty (total point)

□ easy (0)) □ Intermediate (2)
□ difficult (2) □ very difficult (2)

Total
point

그림 2-7. **J-CTO Score Sheet**

Morino Y 등. JACC Intv 2011:4:213-221

3. 결론

관상동맥조영은 CTO 병변의 분석과 치료를 위한 가장 중요한 정보를 준다. 조영 소견에서 알 수 있는 모든 정보를 동원하여 가장 좋은 조건에서 중재술을 시행해야만 성공율을 올릴 수 있을 것이다. 여러 중재술 기술들이 화려하게 거론되지만, CTO 병변을 치료하는 최고의 실력가도 시술 전 상당한 시간과 정성을 들여 관상동맥조영 영상을 관찰하고 있다. 충분히 관상동맥조영 영상을 관찰하고, 이를 바탕으로 적절하게 치료 방침을 정하고, 가이딩 카테터와 가이드 와이어를 맞게 선택한다면 더욱더 성공율을 올릴 수 있을 것이다.

Chapter 3

만성폐색병변 시술 전 비침습적 영상의학 검사

신상훈(보험공단 일산병원), 최진호(삼성서울병원), 김병극(신촌세브란스병원)

1. 서론

관상동맥 중재시술의 기술적인 발전에도 불구하고 아직 만성폐색병변(chronic total occlusion, CTO)의 시술 성공률은 70−80% 로 높지 않다. 만성폐색병변에 대한 시술이 실패한 경우 성공한 경우에 비하여 조영제 사용, 방사선 노출 및 합병증의 빈도가 높을 뿐 아니라 장기적인 예후가 좋지 않다. CTO의 존재는 관상동맥질환 환자가 중재시술 대신 관상동맥우회수술을 시행받는 가장 큰 원인이다.

성공적인 CTO시술에 가장 중요한 것은 시술에 적합한 증례의 선택이며 이를 위해서는 정확한 병변 모양과 혈관주행을 이해하는 것이 중요하다. 그러나 CTO는 일반적인 관상동맥 협착병변과 달리 관상동맥조영술로 병변의 모양이나 혈관 주행을 직접 볼 수 없다. 이를 비침습적 검사로 사전에 볼 수 있는 관상동맥 컴퓨터단층촬영(coronary computed tomography angiography, CCTA)을 시술 전 시행하는 전략이 근래 시도되고 있으며, 조영제가 가지 못하는 폐색병변을 포함한 관상동맥의 전체 주행과 혈관의 크기 및 폐색병변의 칼슘 분포를 관상동맥조영술과 같은 2차원 평면이 아닌 3차원 공간에서 직접 볼 수 있어 폐색병변의 중재시술에 큰 도움이 된다.

또한 CTO가 있는 환자는 폐색병변 외 다른 부위의 관상동맥질환이 현저한 경우가 많다. CTO 그 자체 말고도 폐색병변까지 혈관 내 장비가 진입할 수 있는 경로의 평가, 측부혈관(collateral vessel)의 발달 정도, 측부혈류를 공여하는 혈관의 건강한 정도(donor vessel), 시술 대상 혈관이 지배하는 심근영역의 생존여부(myocardial viability) 등의 평가가 진료 및 중재시술에 중요하다. CCTA는 관상동맥을 포함한 심장 전체를 원하는 방향과 단면에서 자유롭게 볼 수 있어 이러한 심장의 종합적인 평가에 큰 도움이 된다. 중재시술 의료진이 CCTA를 적극적으로 활용하여 CTO 시술성적을 높일 수 있을 뿐 아니라 임상성적을 향상시킬 수 있을 것으로 기대된다.

2. 관상동맥 컴퓨터단층촬영으로 알 수 있는 정보

CCTA로 알 수 있는 정보는 아래 그림(그림 3-1)과 같이 3가지로 요약될 수 있다.(1) 관상동맥 입구로부터 CTO병변으로 진입하는 관상동맥 근위부,(2) CTO 병변의 모양과 성질,(3) CTO이하 원위부 혈관이 지배하는 심근영역의 관류와 측부 부행혈류의 정도이다.

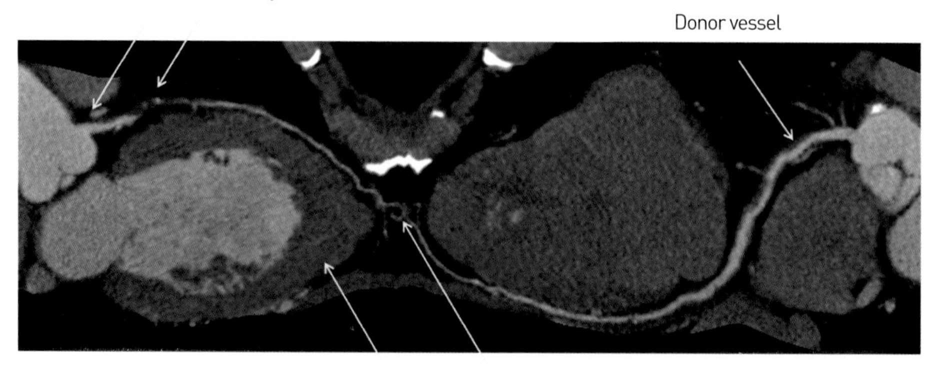

그림 3-1. 만성폐색병변이 있는 관상동맥질환에서 관상동맥 컴퓨터단층촬영으로 얻을 수 있는 정보

1) 만성폐색 근위부 혈관

가이드 와이어(guiding wire)와 풍선 등 시술장비를 CTO에 통과시키기 위해서는 가이딩카테터(guiding catheter)가 뒷받침하는 힘(back-up power)이 충분히 강해야 하며, 유도카테터로 7Fr 나 8Fr 이상 굵기를 사용하거나 Amplatz 또는 extra back-up 타입이 흔히 사용된다. Coronary CTA로 관상동맥 입구(ostium)의 위치와 크기가 이러한 카테터가 삽입 가능한가 사전에 확인하는 것이 바람직하다. 특히 우관상동맥 입구가 대동맥동의 전방 또는 상방에 위치하거나 관상동맥 입구에 현저한 병변이 있어 굵은 가이딩 카테터 삽입이 어려운 경우를 미리 알고 이에 대한 전략을 세우는 데 도움이 된다.

관상동맥 입구가 완전폐색된 경우(aorto-ostial total occlusion) 관상동맥 조영술로 관상동맥 입구를 찾기 어려우며 이러한 경우 CCTA가 시술에 큰 도움이 된다.

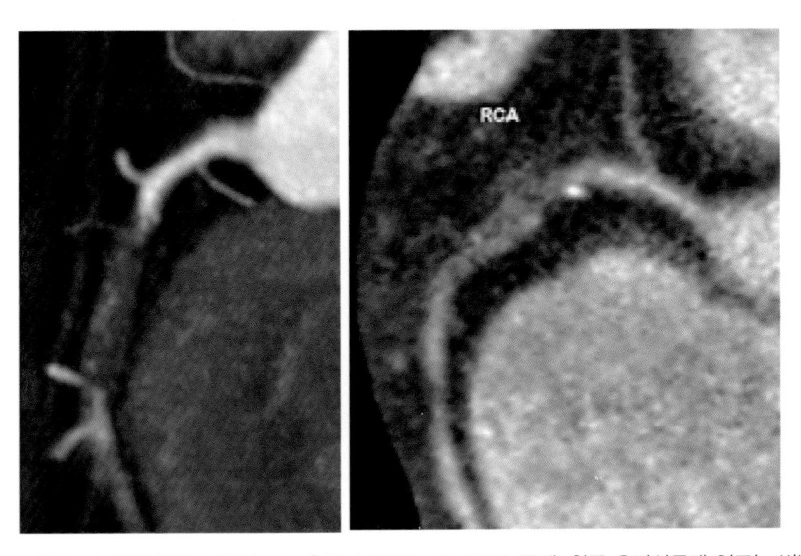

그림 3-2. 우관상동맥 입구(ostium) 를 보여주는 두 CCTA 증례. 왼쪽 우관상동맥 입구는 병변이 없고 내경이 넓어 대구경 가이딩 카테터가 적용될 수 있으나, 우측 우관상동맥 입구는 현저한 협착병변이 있고 아래를 향하고 있어 대구경 카테터를 적용하기 어렵다.

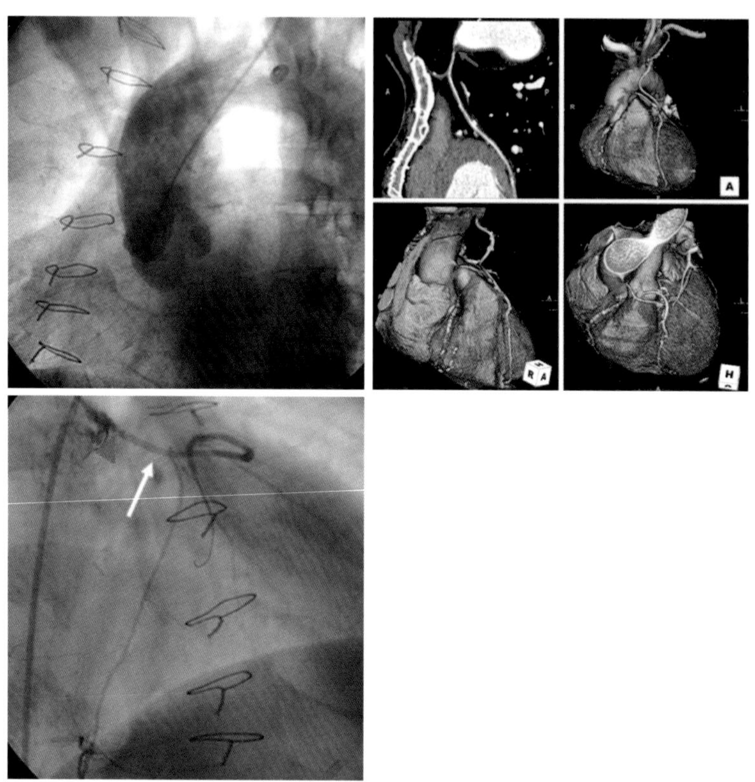

그림 3-3. 여러 가이딩 카테터를 시도하고 대동맥조영술을 하여도 찾을 수 없었던 우회도관 입구의 CTO를 CCTA로 확인하고 이미지 가이드 하에 카테터를 유도하여 관상동맥중재시술에 성공한 증례이다.[1]

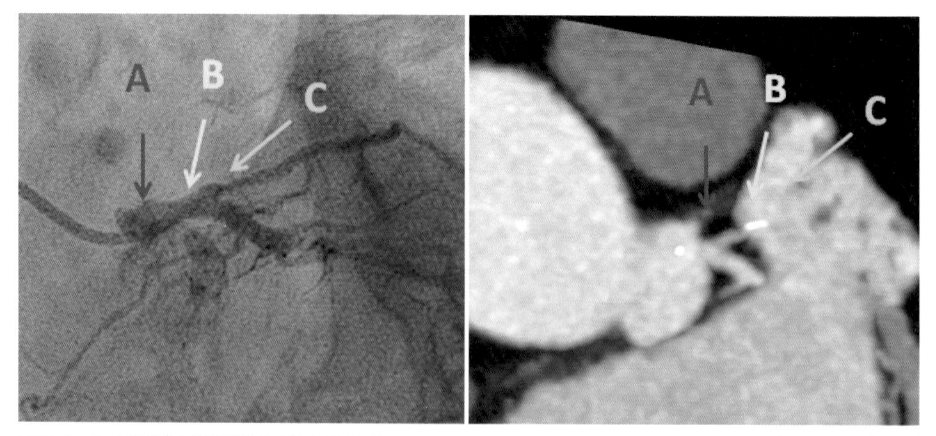

그림 3-4. 분리된 좌전하행지 입구 CTO (aorto-ostial total occlusion of separated LAD). 좌주간지가 따로 없이 좌전하행지와 좌선회지에 별도의 입구가 있다. 관상동맥조영술으로는 point A 를 좌주간지, point C 를 좌전하행지 입구에 CTO가 있는 것으로 생각하기 쉬우나, CCTA로 point A 의 분리된 좌전하행지 입구의 CTO를 확인할 수 있다.

2) 만성폐색병변

(1) 만성폐색병변의 병태생리에 근거한 폐색병변의 모양 분석

병리학적으로 CTO는 관상동맥의 동맥경화가 점진적으로 진행된 것이 아닌 과거 심근경색의 흔적으로 추정된다. CTO가 있는 환자에서 과거 심근경색의 증상이나 심전도 상 Q 파는 반 수 이하에 있으나 심장 MRI에서는 과거 심근손상의 흔적이 대부분의 환자에서 보인다. 따라서 만성폐색병변의 병태생리는 관상동맥 내 형성된 혈전이 자연용해되지 않고 곁가지 혈류가 들어오는 분지혈관이 있는 부위까지 앞뒤로 성장하면서 기질화되는 것으로 생각된다. 병변 앞에 콜라겐 농도가 높은 섬유성 뚜껑(fibrous cap)이 형성된다. 폐색병변 내부는 점차 단단한 결체조직과 석회화 조직으로 치환됨에 따라서 혈관이 전반적으로 수축하여 처음에 보였던 양성 리모델링(positive remodeling)은 점차 음성 리모델링(negative remodeling) 양상을 보이게 된다.[2~4]

이러한 과정에서 CTO는 폐색병변 전후에 곁가지가 있는 전형적인 "분지간 병변"(inter−bifurcation disease) 양상을 보이게 된다. 관상동맥조영술 상 거의 폐색되어 있으나 미약한 전향혈류(TIMI 1)가 보이는 아폐색병변(subtotal occlusion)은 만성 완전폐색병변과 달리 폐색구간이 짧고 앞부분이 뭉툭하지 않고 점차 좁아지는 tapered stump 모양을 보이며 병변 직전이나 직후에 분지가 없는 것으로 구별할 수 있다. 아폐색병병은 만성폐색병변으로 진행하는 중간과정으로 추정되며 시술성공율이 CTO

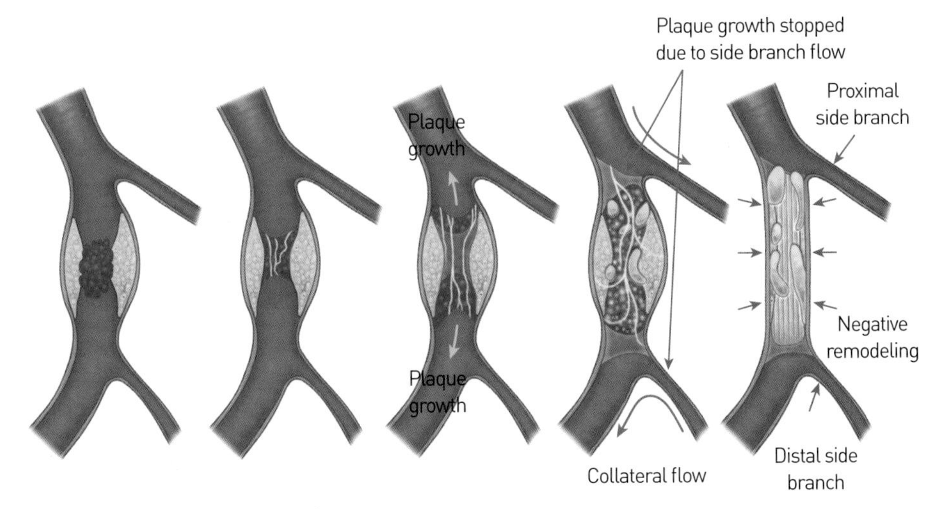

그림 3-5. 만성폐색병변의 발생 모식도.

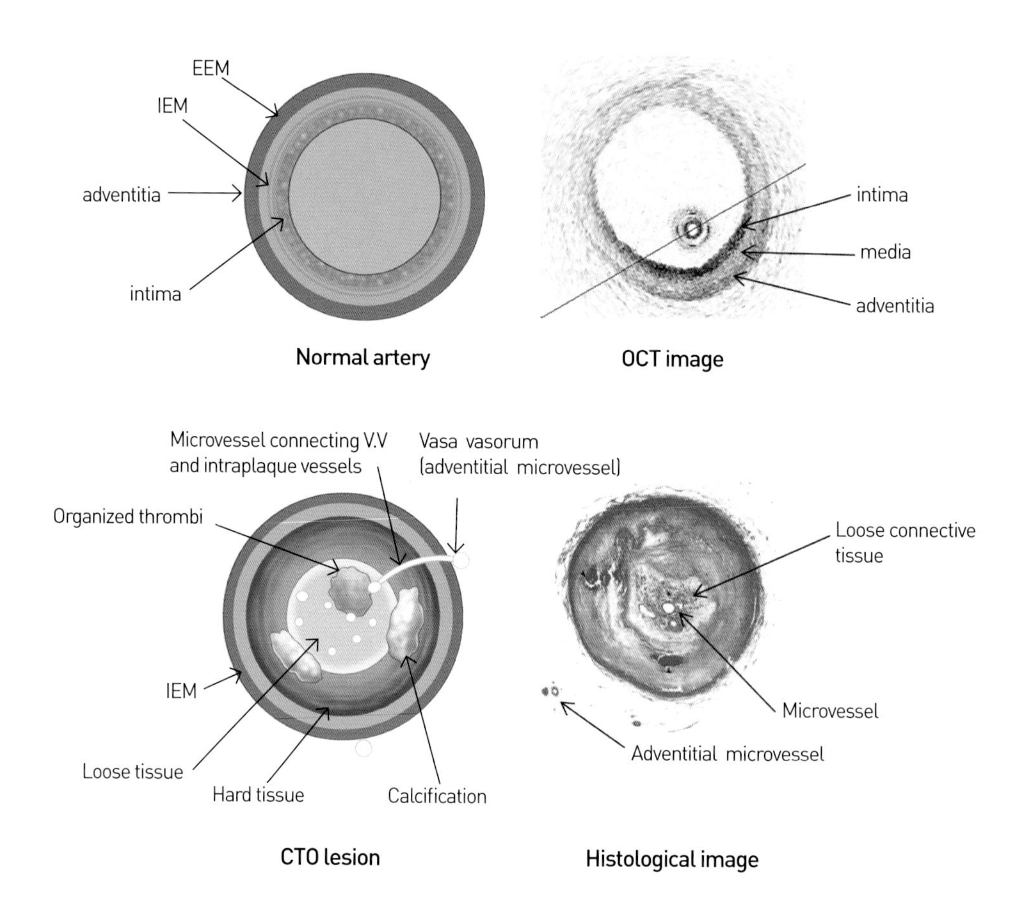

그림 3-6. 정상혈관과 만성폐색병변 혈관 단면의 모식도.

와 달리 훨씬 높아 일반 중재시술과 유사하다. CTO와 subtotal occlusion은 시술 전 CCTA로 미리 구별이 가능하다.[5]

실제 CT의 공간해상도에는 적지 않은 제한점이 있어 폐색병변 내부를 상세히 알기 어려우나, 위와 같은 만성폐색병변의 병태생리를 염두에 두고 CCTA 이미지를 보는 것은 성공적 유도철사의 관통과 중재시술의 성공에 많은 도움이 된다. CTO 시술 실패의 많은 원인이 아래 그림과 같이 가이드와이어가 시술자가 원하는 경로를 통과하지 못하고 폐색병변 내부의 단단한 조직이나 석회화 조직에 의하여 방해받거나 또는 매우 연한 내막하 경로(subintimal course)로 가면서 내막하 박리(subintimal dissection)나 천공(perforation)을 만드는 것이므로, 이를 시술과정에서 염두에 두고 시술

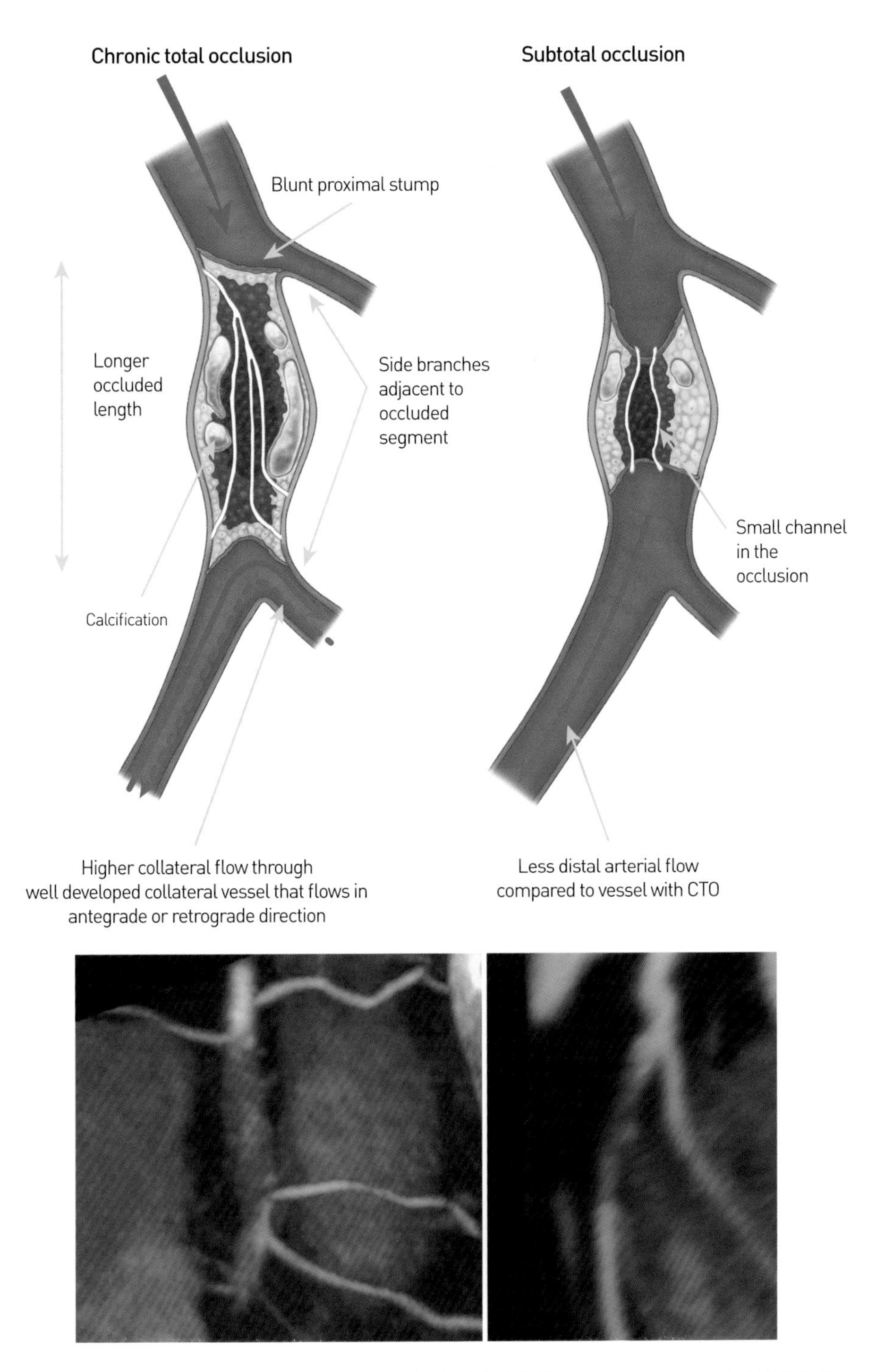

그림 3-7. 전형적인 분지간 폐색 패턴을 보여주는 만성완전폐색병변(chronic total occlusion)과 전후에 곁가지가 없는 아폐색병변(subtotal occlusion)

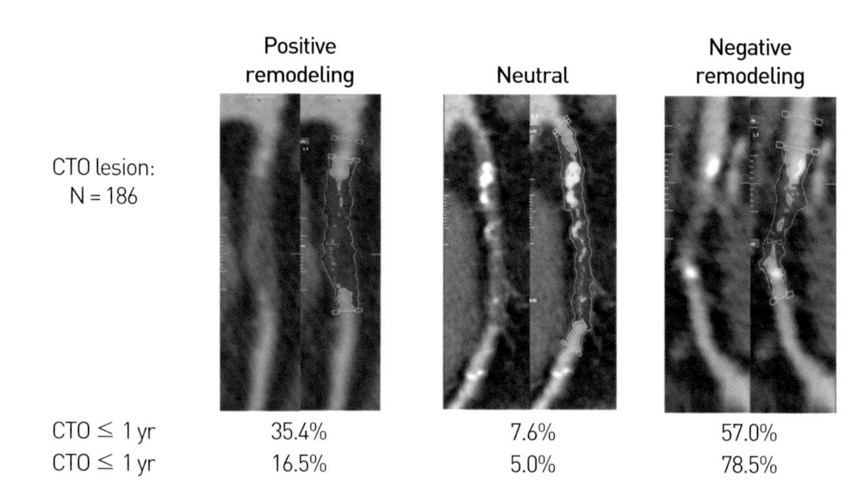

그림 3-8. CTO 혈관 리모델링 양상. 발병 1년 이내로 임상적으로 추정된 병변에서는 positive remodeling 이 주로 관찰되나 1년 이상 지난 병변에서는 negative remodeling 이 더 흔하다.[6]

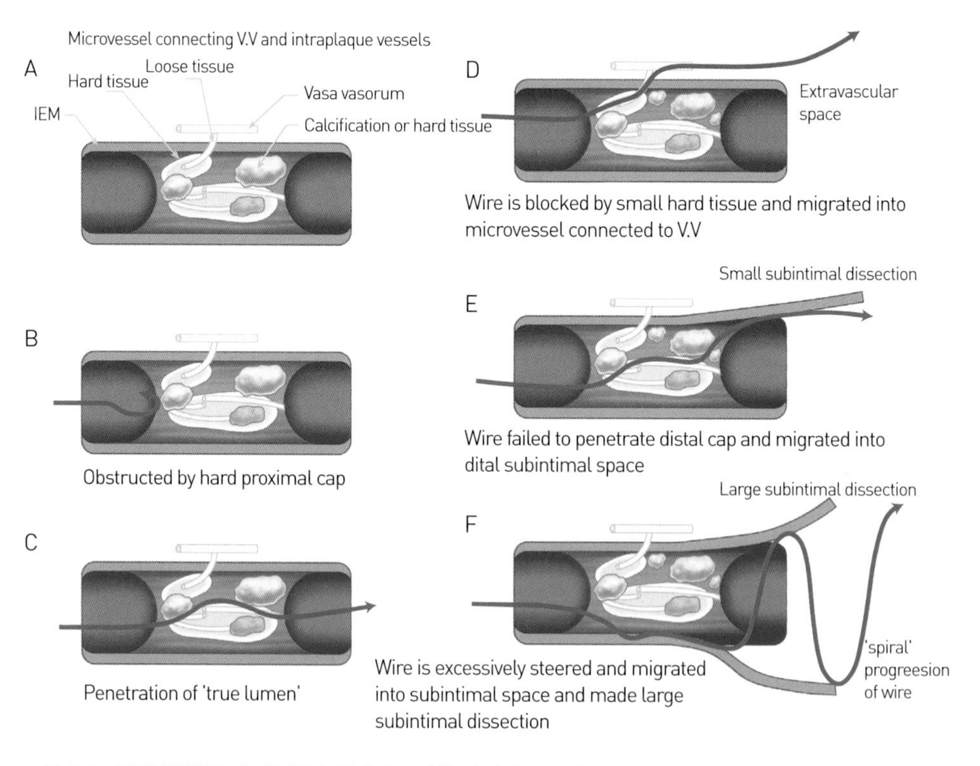

그림 3-9. 만성폐색병변의 해부학적 형태에 근거한 와이어 통과양상의 분석. A. 만성폐색병변의 모식도. B. 와이어가 단단한 근위부 뚜껑(proximal cap)을 통과하지 못한다. C. 와이어가 단단한 석회화부위를 지나 성공적으로 통과하였다. D. 와이어가 vasa vasorum과 연결된 혈관이나 또는 연부조직을 따라 혈관벽을 관통하였다. E. 와이어가 원위부 뚜껑(distal cap)을 통과하지 못하고 원위부 혈관의 내막하 박리 내부로 진입하였다. F. 와이어가 병변의 근위부에서 내막하로 진입하여 매우 큰 내막하박리를 형성하였다.

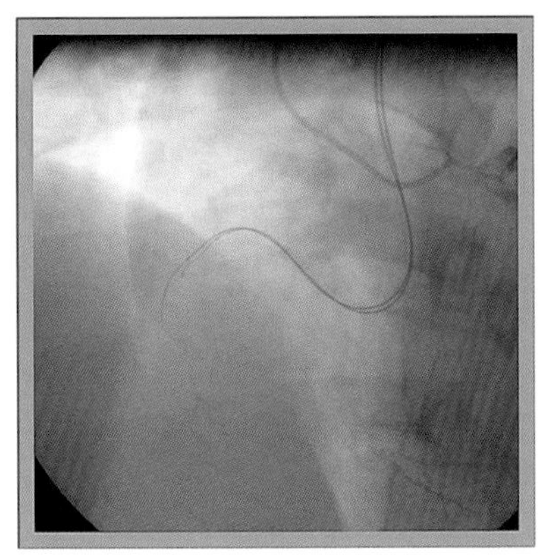

Guiding catheter : XB 2.0 6Fr

Parallel wire technique - the outer guidewire could enter distal true lumen

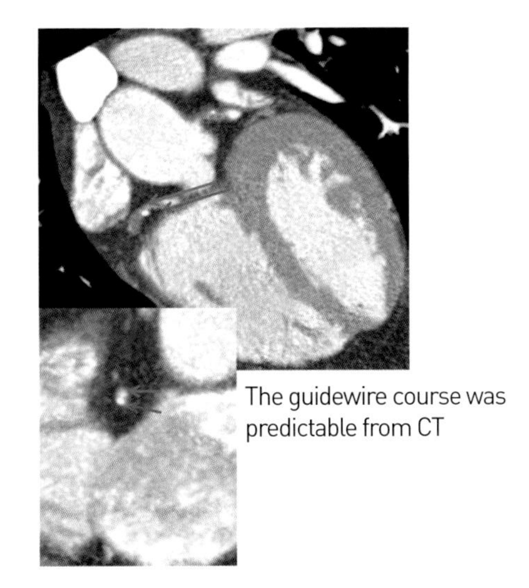

그림 3-10. CCTA이미지 분석에 바탕을 둔 parallel wire technique. 우관상동맥 근위부 CTO내부의 석회화 병변이 심근측에 위치함을 알 수 있고 이를 근거로 바깥쪽 가이드와이어를 성공적으로 통과시킨 증례이다.

이 잘 되지 않으면 중간에 CCTA를 관상동맥조영술과 같은 각도에 고정하여 혈관주행을 판단하거나 CCTA의 단면적 이미지를 분석하여 석회화를 피하여 가이드와이어를 진입시키는 것이 도움이 된다. 현재 개발 중인 심도자와 CT의 융합 영상장비가 실용화되면 이와 같이 와이어가 통과하지 못하는 상황을 보다 잘 이해하고 극복할 수 있어 시술성적 향상에 큰 도움이 될 것으로 생각된다.

(2) 관상동맥 만성폐색병변의 석회화

CTO환자의 폐색병변 및 비폐색병변 내부에 석회화가 흔히 관찰되는데 CT 이미지의 특성상 석회화병변은 블러링(blurring)이 심하여 이미지의 Hounsfield Unit 윈도우와 수준 및 이미지의 슬라이스 두께를 조절하여 보는 것이 중요하다.

폐색부위의 석회화는 CTO 중재시술의 성공여부를 좌우하는 대표적인 요소이다. 그러나 CTO 병변 내부의 석회화를 자세히 보면 대부분 혈관의 벽측에 치우쳐 있으며 혈관의 단면적 전체를 차지하는 full-moon 타입의 석회화병변은 많지 않다. 석회화가 현저하여도 통계적으로 시술성공율이 감소하기는 하나 폐색부위 원위부 혈관의 크기가 작지 않은 경우 통과 가능한 경우가 많다.

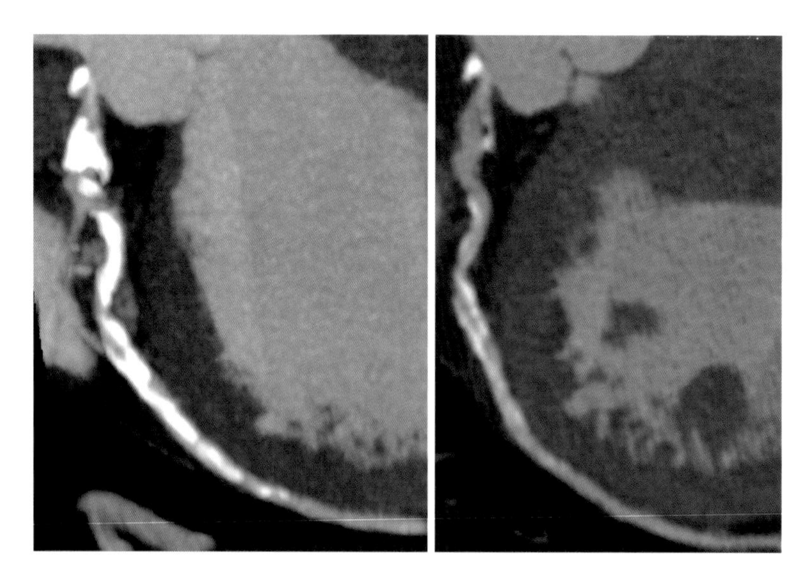

그림 3-11. 석회화 병변 평가에서 이미지 리뷰의 중요성을 보여주는 비 만성폐색병변 증례. 좌선회지에 전반적으로 매우 심한 석회화가 있고 현저한 협착이 의심되나, 이미지의 Hounsfield 윈도우 및 슬라이스 조절 후 협착이 현저하지 않음을 알 수 있다. 석회화병변의 대부분은 혈관벽에 있었으며 CPR 이미지을 잘 만들고 슬라이스 두께를 조절하면 혈관내부와 명확히 분리된다.

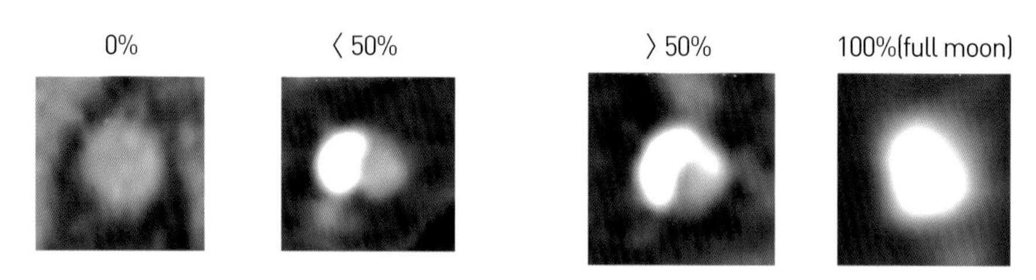

그림 3-12. 각종 관상동맥 석회화 단면

(3) 관상동맥 만성폐색병변을 포함한 전체 혈관의 3차원 주행

CTO 시술에 폐색구간이 긴 경우 역행성조영술을 하여도 혈관주행을 알기 매우 어렵다. 이러한 경우 CCTA의 3차원 이미지를 심도자실과 같은 각도로 놓고 혈관을 보면 주행방향을 정확히 알 수 있다.

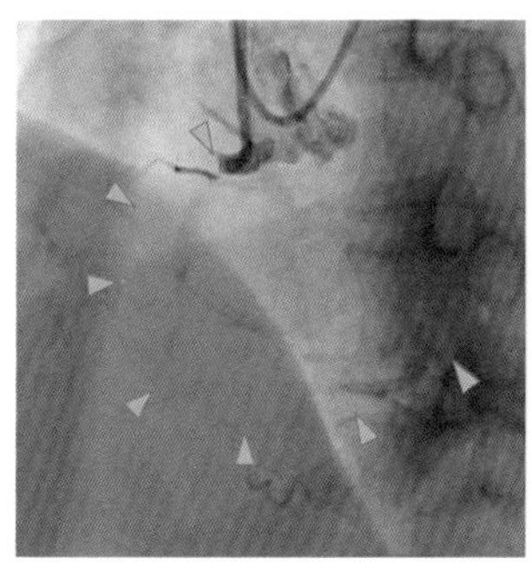
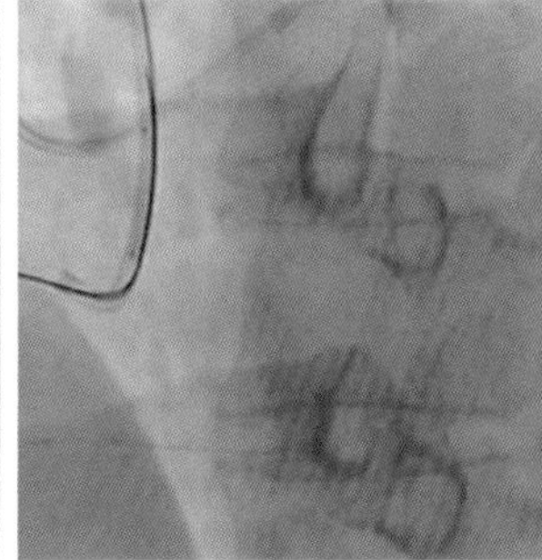
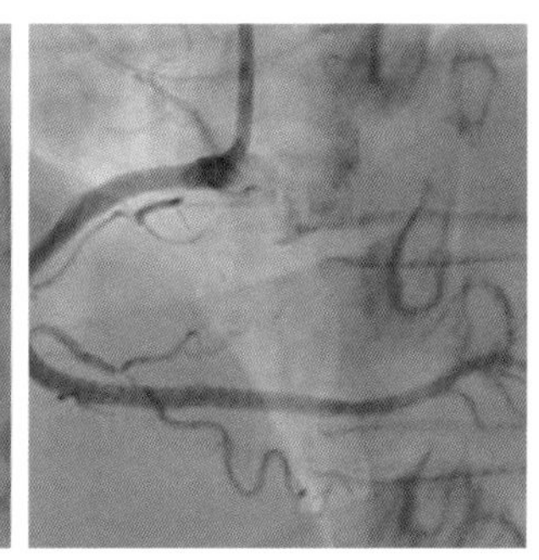

그림 3-13.

(4) 시술 부위의 길이와 확장될 크기의 결정

CCTA는 혈관내강 외에 혈관벽 병변을 볼 수 있어 진단적 관상동맥조영술과 혈관 내 초음파을 함께 비침습적으로 검사한 것과 같은 역할을 한다. CTO는 병변이 비교적 길고 폐색구간 전후에도 비폐색병변이 적지 않으며, CCTA를 시행하여 사용할 스텐트의 지름과 길이 및 숫자를 예상하고 시술을 시작할 수 있다.

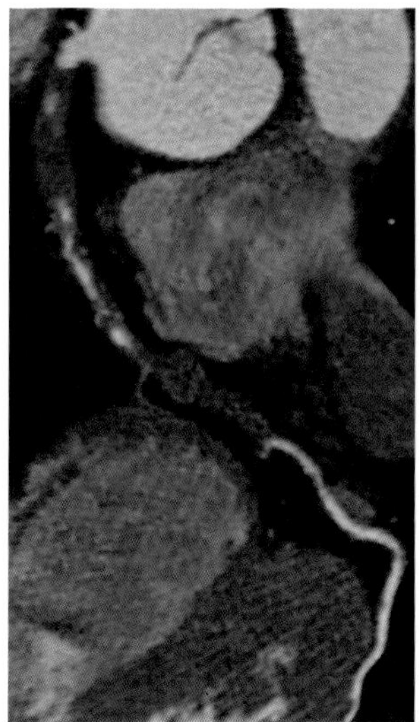
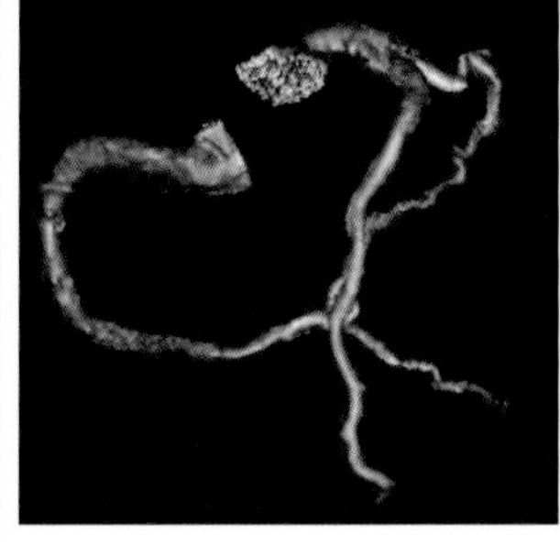
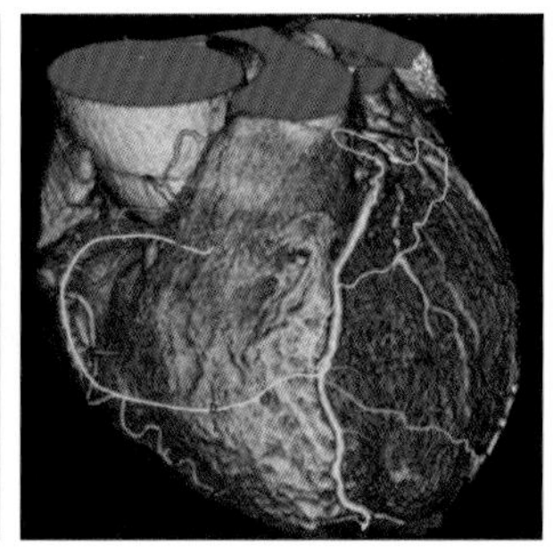

그림 3-14. 매우 긴 우관상동맥 CTO로서 관상동맥조영술로는 혈관주행을 알기 어렵다. CCTA의 3차원 이미지에서 혈관주행경로를 보고 가이드와이어를 진행시켰으며, 좌선회지에서 posterolateral branch로 이어지는 측부순환로를 따라서 역행성접근법으로 두번째 가이드와이어를 사용하여 시술에 성공한 증례이다.

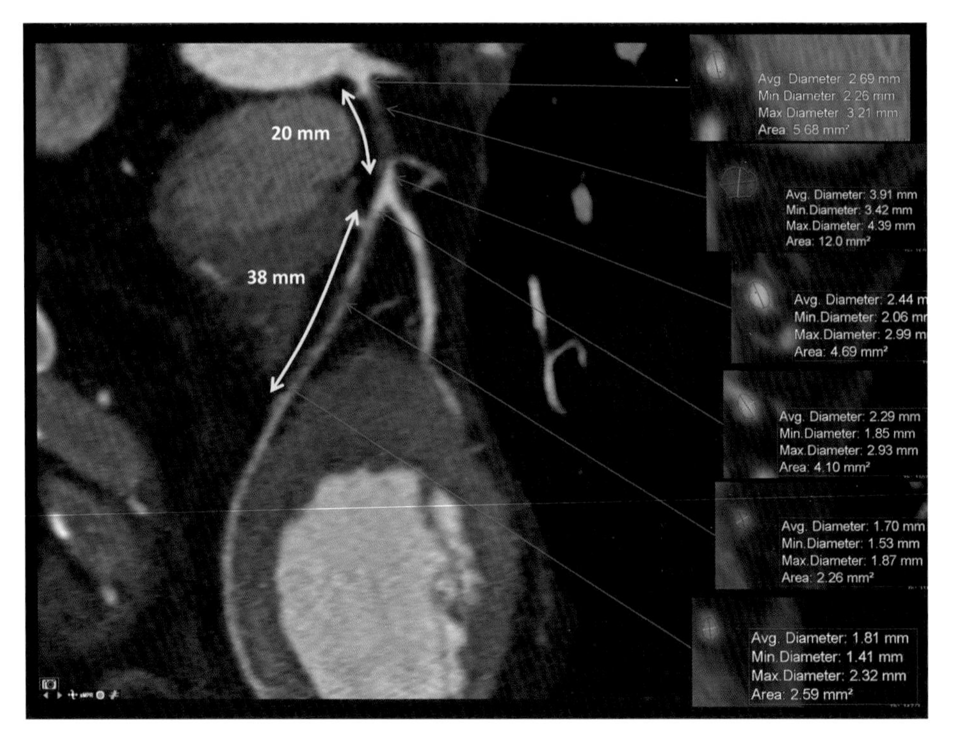

그림 3-15. 좌전하행지 근위부의 CTO 및 중간부위의 subtotal occlusion 을 보이는 CCTA. 혈관벽의동맥경화가 심하지 않은 부위를 제외한 스텐트 시술이 필요한 부위의 혈관지름과 병변길이를 시술 전에 미리 알 수 있다.

3) 만성폐색 원위부 혈관 및 측부혈류

(1) 비침습적 측부혈류의 평가

잘 발달된 측부혈류는 생존심근을 의미하며[7, 8] 또한 역행성 접근법이 적용될 수 있음을 의미하므로 측부혈류의 평가는 중요하다. CCTA는 관상동맥 전체에 조영제가 흐르므로 CTO 원위부의 조영제 농도를 평가하여 측부혈류의 정도를 어느 정도 추정할 수 있다.(reversed attenuation gradient)[9~11]

(2) 비침습적 측부혈류의 시각화

CCTA의 공간적 및 시간적 해상도에 제한을 많이 받으나 측부혈류가 매우 잘 발달된 경우 CCTA로 측부혈류가 흐르는 혈관을 볼 수 있으며, 관상동맥조영술로는 판

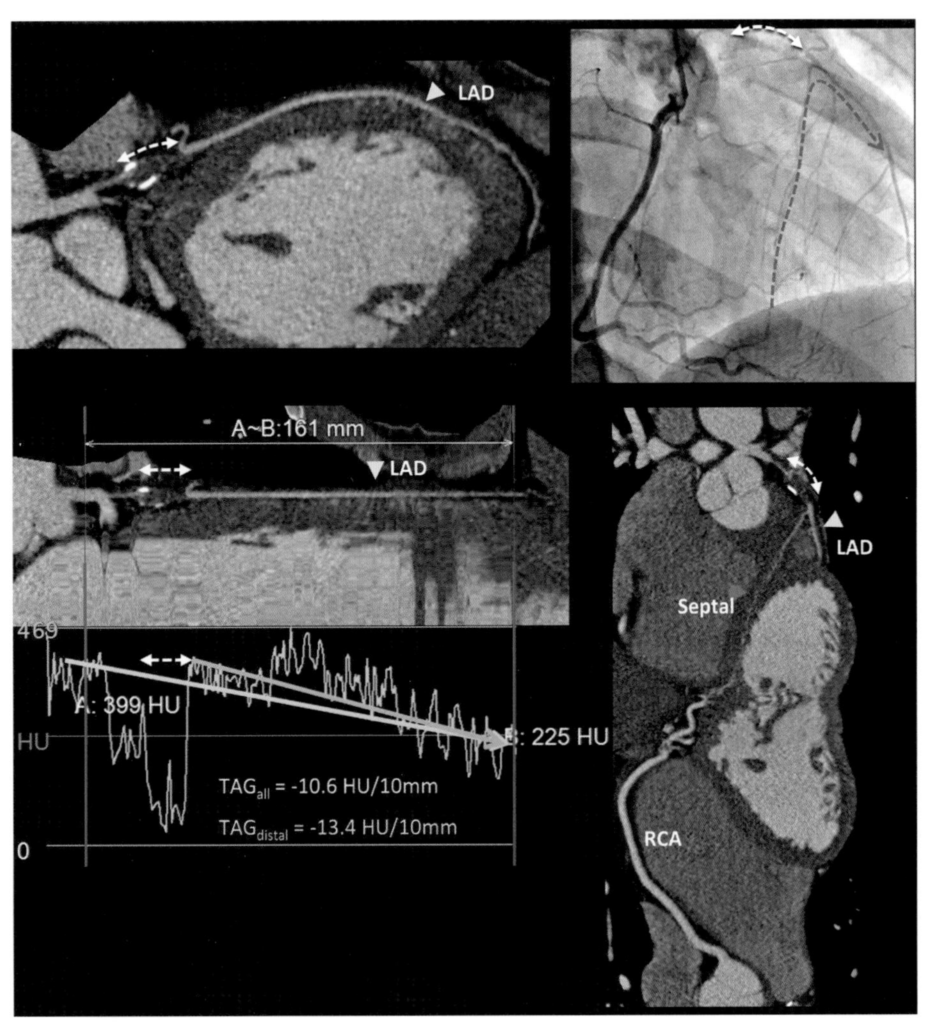

그림 3-16. CCTA Images of CTO segment

단하기 어려운 측부혈류의 해부학적 위치를 정확히 알 수 있고 역행성 접근법에 응용할 수 있다.

3. 관상동맥 컴퓨터단층촬영의 의한 시술성공의 예측

현재의 CTO 시술 성공률을 예측하는데 가장 널리 쓰이는 모델은 J-CTO score이

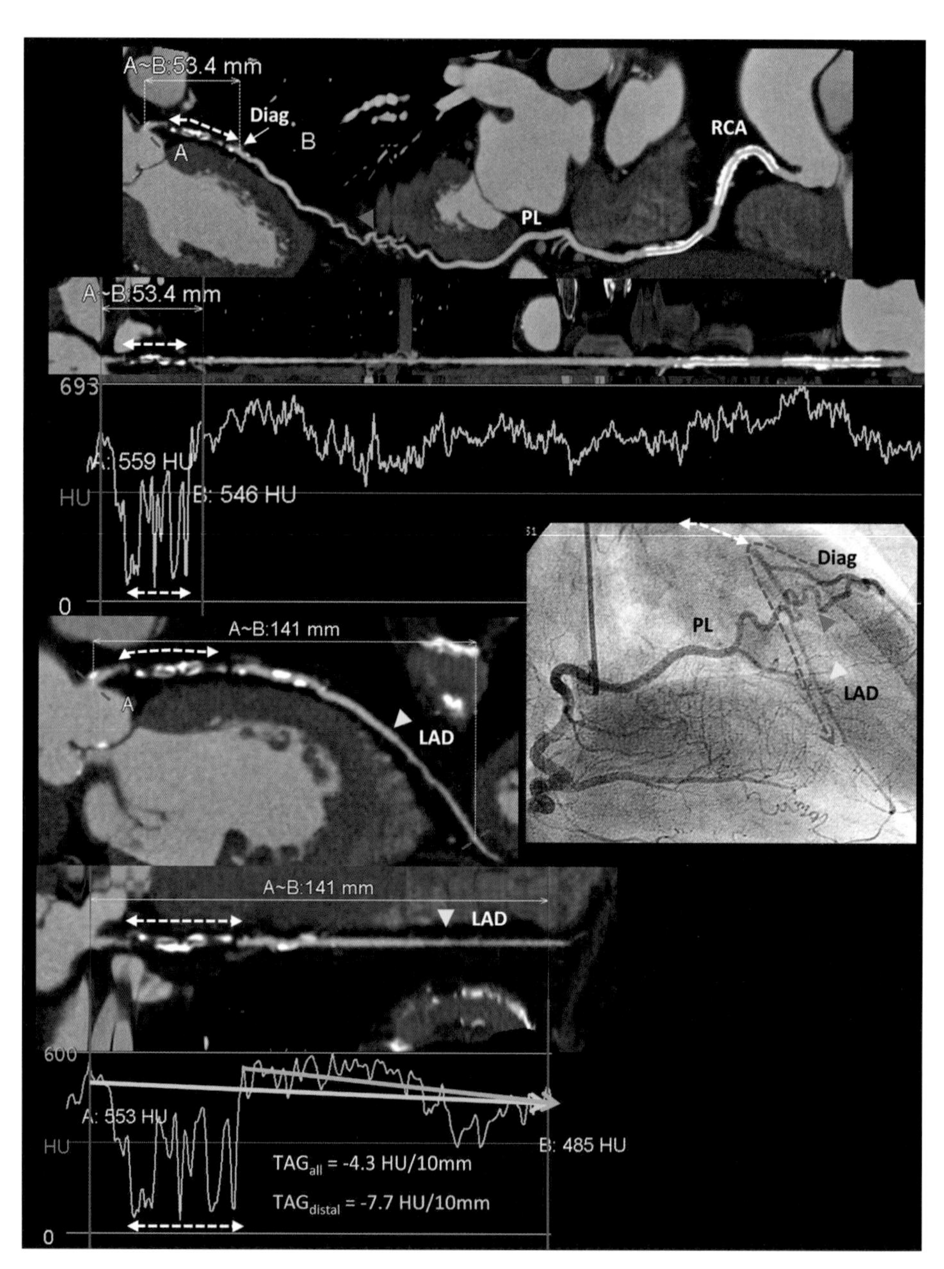

그림 3-17. 좌전하행지 CTO 환자의 CCTA 에서 원위부 혈관의 조영제 농도경사(gradient) 를 측정하여 측부혈류를 반정량적으로 평가할 수 있다. 첫번째 증례에 비하여 두번째 증례의 측부혈류가 훨씬 양호하다.

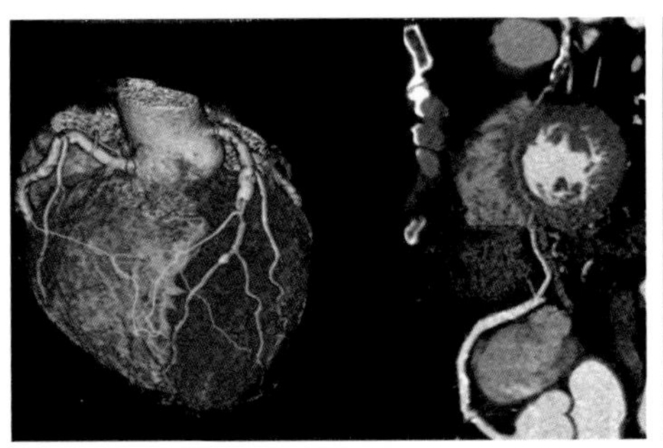
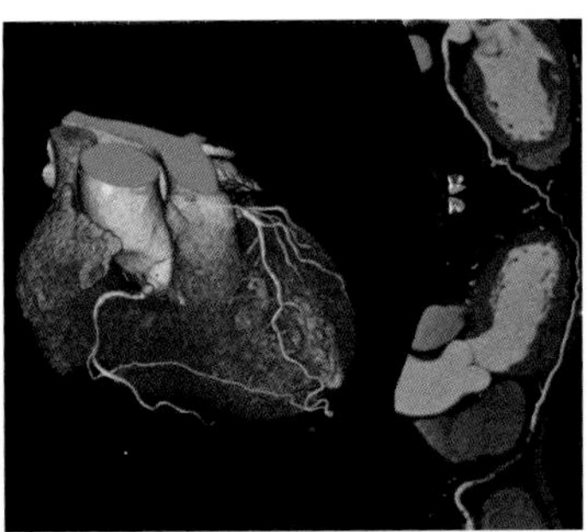

그림 3-18. A. 좌전하행지 CTO에서 좌전하행지 원위붕 혈류를 공급하는 septal collateral. B. 우관상동맥 CTO 에서 우관상동맥 원위부에 혈류를 공급하는 apical collateral.

다. 이는 폐색구간의 길이, 폐색근위부의 모양, 폐색부위가 굽힌 정도, 석회화, 재시술 여부 등을 포함한 혈관조영에서 얻어진 요소로 시술의 난이도를 결정하고 성공률을 예측하는 모델이다. CCTA의 강점은 폐색구간을 보다 정확히 알 수 있고 혈관조영술로 알기 어려운 1개 이상의 폐색구간을 직접 볼 수 있어, 보다 예측력이 높을 것으로 기대된다. 근래에 발표된 CT-RECTOR score는 아래와 같다.[12] 그러나 CCTA를 사전에 시행하는 것이 시술성공율을 높이거나 예후를 호전시킨다는 임상적 증거는 아직 없으며 이에 대한 향후 전향적 대조군 연구가 필요한 상황이다.

<table>
<tr><td colspan="2">CT-RECTOR Score Calculator
Predictors Definitions</td></tr>
<tr><td>Multiple Occlusion 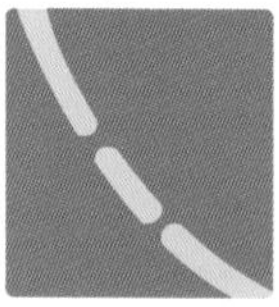
Presence of ≥2 complete interruptions of the contrast opacification separated by contrast-enhanced segment of ≥5mm.</td><td>Multiple Occlusion
□ Presence (1)
□ Absence (0)</td></tr>
<tr><td>Blunt Stump 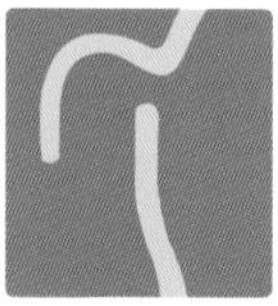
Absence of any tapered stump at the entry or exit site.</td><td>Blunt Stump
□ Presence (1)
□ Absence (0)</td></tr>
<tr><td>Severe Calcification
Presence of any calcium involving ≥50% of the vessel cross-sectional area at the entry or exit site or within the occlusion route.</td><td>Severe Calcification
□ Presence (1)
□ Absence (0)</td></tr>
<tr><td>Bending ≥45° 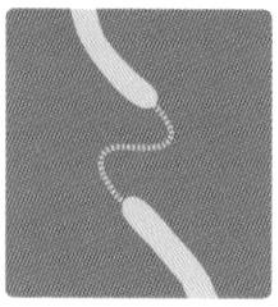
Presence of any bending ≥50° at the entry or exit site or within the occlusion route.</td><td>Bending ≥45°
□ Presence (1)
□ Absence (0)</td></tr>
<tr><td>Second Attempt
Previously failed PCI at CTO</td><td>Second Attempt
□ Yes (1)
□ No (0)</td></tr>
<tr><td>Duration of CTO
Duration of CTO ≥12 months or unknown</td><td>Duration of CTO
□ Yes (1)
□ No (0)</td></tr>
<tr><td>Difficulty Group
□ easy (0) □ difficult (2)
□ Intermediate (1) □ very difficult (≥3)</td><td>Total Score</td></tr>
</table>

그림 3-19. CT-RECTOR score

참고문헌

1 Song BG, Choi JH, Choi SM, Park JH, Park YH and Choe YH. Coronary artery graft dilatation aided by multidetector computed tomography. Asian Cardiovasc Thorac Ann. 2010;18:177–9.
2 Katsuragawa M, Fujiwara H, Miyamae M and Sasayama S. Histologic studies in percutaneous transluminal coronary angioplasty for chronic total occlusion: comparison of tapering and abrupt types of occlusion and short and long occluded segments. Journal of the American College of Cardiology. 1993;21:604–11.
3 Srivatsa SS, Edwards WD, Boos CM, Grill DE, Sangiorgi GM, Garratt KN, Schwartz RS and Holmes DR, Jr. Histologic correlates of angiographic chronic total coronary artery occlusions: influence of occlusion duration on neovascular channel patterns and intimal plaque composition. Journal of the American College of Cardiology. 1997;29:955–63.
4 Sumitsuji S, Inoue K, Ochiai M, Tsuchikane E and Ikeno F. Fundamental Wire Technique and Current Standard Strategy of Percutaneous Intervention for Chronic Total Occlusion With Histopathological Insights. JACC Cardiovascular interventions. 2011;4:941–951.
5 Choi JH, Kim EK, Kim SM, Song YB, Hahn JY, Choi SH, Gwon HC, Lee SH, Choe YH and Oh JK. Non-invasive discrimination of coronary chronic total occlusion and subtotal occlusion by coronary computed tomography angiography. JACC Cardiovascular interventions. 2015.(in press)
6 Choi JH, Song YB, Hahn JY, Choi SH, Gwon HC, Cho JR, Jang Y and Choe Y. Three-dimensional quantitative volumetry of chronic total occlusion plaque using coronary multidetector computed tomography. Circ J. 2011;75:366–75.
7 Zhang J, Li Y, Li M, Pan J and Lu Z. Collateral Vessel Opacification with CT in Patients with Coronary Total Occlusion and Its Relationship with Downstream Myocardial Infarction. Radiology. 2014:131637.
8 Choi JH, Chang SA, Choi JO, Song YB, Hahn JY, Choi SH, Lee SC, Lee SH, Oh JK, Choe Y and Gwon HC. Frequency of myocardial infarction and its relationship to angiographic collateral flow in territories supplied by chronically occluded coronary arteries. Circulation. 2013;127:703–9.
9 Choi JH, Kim EK, Kim SM, Song YB, Hahn JY, Choi SH, Gwon HC, Lee SH, Choe YH and Oh JK. Noninvasive evaluation of coronary collateral arterial flow by coronary computed tomographic angiography. Circulation Cardiovascular imaging. 2014;7:482–90.
10 Li M, Zhang J, Pan J and Lu Z. Obstructive coronary artery disease: reverse attenuation gradient sign at CT indicates distal retrograde flow—a useful sign for differentiating chronic total occlusion from subtotal occlusion. Radiology. 2013;266:766–72.
11 Choi JH, Min JK, Labounty TM, Lin FY, Mendoza DD, Shin DH, Ariaratnam NS, Koduru S, Granada JF, Gerber TC, Oh JK, Gwon HC and Choe YH. Intracoronary transluminal attenuation gradient in coronary CT angiography for determining coronary artery stenosis. JACC Cardiovascular imaging. 2011;4:1149–57.
12 Opolski MP, Achenbach S, Schuhback A, Rolf A, Mollmann H, Nef H, Rixe J, Renker M, Witkowski A, Kepka C, Walther C, Schlundt C, Debski A, Jakubczyk M and Hamm CW. Coronary Computed Tomographic Prediction Rule for Time-Efficient Guidewire

Crossing Through Chronic Total Occlusion: Insights From the CT-RECTOR Multicenter Registry (Computed Tomography Registry of Chronic Total Occlusion Revascularization). JACC Cardiovascular interventions. 2015;8:257-67.

Chapter 4

만성폐색병변 시술시 전반적 고려사항

김동기(인제의대 해운대백병원), 최락경(부천세종병원), 안태훈(가천의대 길병원)

1. 올바른 혈관 접근법

만성폐색병변(chronic total occlusion, CTO)에 대해 경피적 중재시술을 할 경우 통상적인 중재시술 때보다 더 신중하게 혈관 접근로를 선택해야 한다. 병변의 모양이나 특징, 석회화 정도, 그리고 측부 순환의 유무 및 종류에 따라 단일 혈관으로 접근할지 양측 혈관으로 접근할지를 결정해야 하고, 시술과 관련한 합병증이 생겼을 경우 응급조치 할 수 있는 접근로를 남겨두는 것이 좋을지도 고려해야 하기 때문이다.

1) 대퇴동맥 접근법

대퇴동맥은 중재시술 시 가장 보편적으로 선택하는 접근로이다. 비교적 쉽게 천자할 수 있기 때문이기도 하지만 만성폐색병변의 경우 그 병변의 길이가 길고, 병변 주위의 석회화 침착이 있는 경우가 많아서 충분한 지지력을 얻을 수 있는 큰 직경의 가이딩 카테터를 사용 할 수 있기 때문이다. 또한 큰 직경의 가이딩 카테터를 사용하면 시술 도중 혈관내 초음파 카테터와 여러 개의 가이드 와이어를 동시에 사용 할 수 있는 장점이 있어 선호된다.

그러나, 만성폐색병변을 가진 환자들이 또한 만성적 하지동맥 부전을 동반하거나 하지의 맥박이 잘 촉지되지 않는 경우가 있을 수 있으므로 이 경우는 대퇴동맥 접근

법을 신중히 선택해야 하며, 요골동맥이나 상완동맥 등의 다른 접근로가 가능한지 살펴봐야 한다.[1]

대동맥의 천자는 일단 천자 부위가 정해지면 천자 자체는 그리 어렵지 않기 때문에 정확한 천자 부위를 정하는 것이 중요하다. 천자 부위가 중요한 이유는 혈관 유도초(sheath)의 진입을 용이하게 할 수 있을 뿐만 아니라 무엇보다도 시술 이후 효과적으로 지혈 할 수 있기 때문이다. 천자 부위가 낮으면 원위부 혈관 합병증이나 가성동맥류가 생기기 쉽고, 천자 부위가 높으면 복막뒤 출혈(retroperitoneal hemorrhage)의 위험이 증가한다.

적절한 천자 부위는 총대퇴동맥(common femoral artery, CFA)의 중간 지점이 가장 적당한데, 시술자의 편의를 위해 주로 오른쪽 총대퇴동맥을 선택하는 경우가 많다. 총대퇴동맥은 서혜인대(inguinal ligament)의 2~3 cm 하방에 위치하는데, 서혜인대가 잘 촉지되지 않는 환자도 많으므로 보통의 경우 서혜부 피부주름선(iliac crease)을 기준으로 1cm 정도 하방이 적당하다. 그러나 비만한 경우 서혜부 피부주름선이 서혜인대보다 훨씬 아래에 있기 때문에 이 경우는 피부주름선을 기준으로 삼기 어렵다.

따라서, 정확한 천자 부위를 정할 때는 투시검사를 이용한 표지자(fluoroscopic landmark)를 확인하거나 초음파 유도(ultrasound guidance)로 정할 것을 권하며 비만한 환자나 박동이 잘 만져지지 않는 대퇴동맥을 천자해야 할 경우에도 아주 유용하다.(그림 4-1)

이 때 한가지 주의 할 점은 가능하면 동맥의 전벽만을 천자하도록 한다. 후벽을 관통 할 경우 혈종이나 출혈성 합병증의 위험이 있기 때문이다.

대퇴동맥에 인조 이식편(synthetic graft) 수술을 한 경우 이식편이 수 개월 정도 지난 후라면 이식편을 직접 천자하더라도 합병증 위험은 증가하지 않는다고 알려져 있으므로 이식편이 있는 환자라도 대퇴동맥 천자는 가능하다.[2]

2) 요골동맥 접근법

요골동맥을 이용한 중재시술은 그 안전성과 효율성이 지난 10여년 간 지속적으로 알려져 왔고 최근에는 그 적응증이 점차 확대되고 있다. 아직은 만성폐색병변에 대

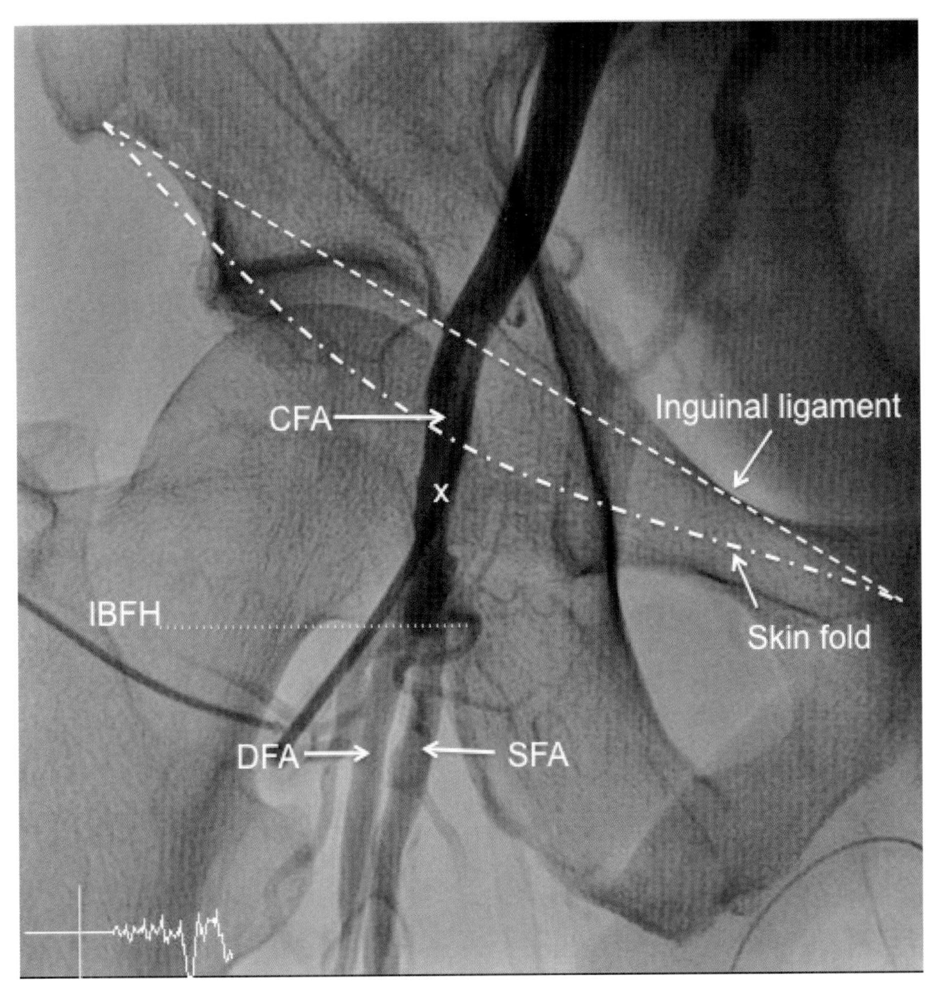

그림 4-1. 대퇴동맥의 주행과 투시검사를 이용한 표지자 위치. 적절한 총대퇴동맥(CFA, common femoral artery) 천자 부위는 보통 서혜인대의 3cm 하방, 피부주름의 1 cm 하방, 대퇴골두의 내측 1/3 지점(x 표시)이 적당하다. 대퇴골두의 하방 경계선(IBFH, inferior border of the femoral head)에서 표재성 대퇴동맥(SFA, superficial femoral artery)과 심부 대퇴동맥(DFA, deep femoral artery)이 분지하므로 천자는 이 경계선 아래로는 내려가지 않도록 한다.

한 요골동맥 접근법의 자료가 충분하지는 않지만, 대퇴동맥을 통한 시술에 비해 출혈의 위험성이 적고, 조기 환자 보행이 가능하다는 장점이 있어서 세계적으로 그 시행 빈도가 증가하고 있다.[3] 또한 지지력이 향상된 가이딩 카테터나 얇은 약물용출 스텐트의 개발 등 다양한 시술 기구의 발전으로 만성폐색병변을 포함한 복잡한 병변의 중재시술에서도 대퇴동맥을 이용한 중재시술에 못지 않은 성적을 보고하고 있다.[3, 4]

요골동맥 접근법은 특히 응고장애가 있는 환자나 와파린 복용으로 INR이 상승되어 있는 환자 또는 심한 비만 환자에서 특히 더 장점이 있고, 만성폐색병변을 시술할 때 동시에 여러 부위의 혈관 접근이 필요한 경우가 많으므로 반드시 술기를 익히는 것이 좋겠다.

일반적으로 요골동맥으로 접근하여 복잡한 병변에 대해 성공적으로 시술을 하기 위해서는 어느 정도의 학습곡선(learning curve)이 필요하고 시술 시간과 방사선 노출량에 있어서 대퇴동맥 접근에 비해 불리한 면이 있다.[4] 그러나 무엇보다도 가장 큰 문제점으로 지적되고 있는 것은 큰 가이딩 카테터를 사용할 수 없다는 것인데, 큰 가이딩 카테터를 이용할 수 없을 경우 충분한 지지력을 얻지 못하고 여러 가지의 시술기구, 즉 여러 개의 철선과 혈관내 초음파, 풍선이나 스텐트 등을 동시에 사용하지 못한다는 단점이 있을 수 있다.

대부분의 일직선 방향의 짧은 만성폐색병변은 6 Fr 카테터 정도면 시술하는데 큰 어려움은 없다. 간혹 지지력이 부족할 경우 큰 구경의 5 Fr나 6 Fr 카테터를 병변 입구까지 깊게 거치시켜 부족한 지지력을 극복 할 수 있다.

요골동맥 박동이 좋고 비교적 젊은 환자라면 7 Fr 이상의 유도초 삽입이 가능하므로 이러한 경우 처음부터 7 Fr 이상의 가이딩 카테터를 이용하는 것이 좋다. 만성폐색병변의 길이가 길고, 석회화가 동반되어 있는 등 좀 더 복잡한 병변의 경우 2개 이상의 유도철선을 이용하여 평행 와이어 기법(parallel wire technique)을 이용한다든지 2개 이상의 풍선 카테터가 필요할 수 있기 때문이다. 만성폐색병변의 진강(true lumen)을 찾기 위해 혈관내 초음파 유도가 필요한 경우는 8 Fr 가이딩 카테터를 이용해야 기타 보조 기구들을 같이 쓰기가 편하다. 이러한 경우는 요골동맥을 접근 통로로 선택하기에 제한이 있을 수 있으므로 사전에 병변을 잘 분석하여 시술 계획을 세울 필요가 있다.

가이딩 카테터의 크기를 선택할 때 한 가지 간과해서는 안 될 점은 큰 카테터를 이용할 수록 사용되는 조영제의 양이 많을 수 밖에 없다는 것이다. 만성폐색병변 시술의 특징상 조영제 테스트 영상이 필요 할 수 있으므로 사용하는 조영제의 양도 항상 염두에 두어야 한다. 따라서 큰 가이딩 카테터가 시술에 필요하더라도 요골동맥 접근으로5 Fr나 6 Fr의 진단 카테터를 이용해 측부 혈관조영(contralateral injection)을 한다면 조영제의 양을 줄일 수 있어서 용이한 장점이 있다.

이 밖에 요골동맥 중재시술에 관한 기본 술기 및 유용한 정보는 경요골동맥 중재시술 연구회에서 편찬한 TRI Manual (군자출판사, 2010)을 참고하기 바란다.

2. 적절한 항혈소판제 및 항응고제의 사용

만성폐색병변의 시술을 위한 항혈소판제나 항응고제의 사용은 통상적인 경피적 관상동맥 중재시술에서의 원칙을 따른다.

1) 항혈소판제

아스피린은 중재적 혈관시술 이후 허혈성 합병증의 빈도를 줄이는 것으로 알려져 있다. 대개는 시술 전 24시간, 적어도 2시간 이전에 아스피린 300mg을 투여하고 시술 이후에는 매일 100mg을 유지한다. 이미 매일 아스피린을 먹고 있던 환자라 하더라도 시술 전에 100~300mg을 더 투여하는 것이 권고사항이다.[5]

스텐트 시술을 받는 모든 환자는 시술 전에 P2Y12 수용체 억제제를 부하 용량(loading dose)으로 투여 받아야 하는데, clopidogrel은 600mg을 투여한다. 급성관상동맥 증후군 환자의 경우 clopidogrel 이외에 prasugrel 60mg이나 ticagrelor 180mg을 부하 투여 할 수 있다.[6~8] 일반 금속스텐트(bare−metal stent)나 단순 풍선 혈관성형술을 한 경우 시술 이후 최소 4주 이상, 약물용출 스텐트(drug−eluting stent)를 한 경우는 최소 12 개월 이상clopidogrel 75mg을 투여해야 한다. 따라서 출혈 위험이 있거나 12 개월 이내에 예정된 수술이 있다면 신중하게 스텐트 시술 여부를 결정하는 것이 좋겠다.

Prasugrel은 급성 관상동맥 증후군 환자를 대상으로 한 TRITON−TIMI 38연구에서 clopidogrel에 비해 주요 심혈관 합병증에 대해 더 우수한 결과를 보였으나 출혈의 위험은 약간 더 높은 결과를 보였다.[7] 과거에 뇌졸중이나 일과성 뇌허혈의 병력이 있는 환자에게는 prasugrel 투여하지 않는 것이 좋다. 또한 75세 이상의 환자에서는 치명적인 출혈이나 뇌출혈의 위험성이 높으므로 권장되지 않으며, 관상동맥 우회술

(CABG)이 필요 할 것 같은 환자에서도 권장되지 않는다. 그리고 예정된 중재시술(elective PCI)에서의 연구 자료는 아직 부족하므로 이에 대한 치료 권고안은 아직 없는 실정이다. 따라서 대부분의 만성폐색병변이 있는 환자가 고령이고 만성 허혈성 상태이며 예정된 중재시술을 많이 한다는 특성을 고려 할 때 prasugrel을 만성폐색병변에서 쓸 일은 그리 많지 않아 보인다.

Ticagrelor 역시 급성 관상동맥 증후군 환자를 대상으로 한 PLATO 연구에서 clopidogrel에 비해 주요 심혈관 합병증에 대해 더 우수한 결과를 보였고, 특징적으로 혈관 기인성 사망률과 전체 사망률을 의미있게 감소시켰다.[8] P2Y12 수용체에 가역적으로 결합하므로 출혈성 합병증에 유리할 것으로 생각되었지만 실제 CABG를 시행하지 않은 환자에서 주요 출혈성 합병증은 clopidogrel보다 약간 높았고, 하루 두 번 복용해야 하는 용법 때문에 환자의 약물 순응도가 떨어질 수 있다는 지적이 있다. Ticagrelor도 prasugrel과 마찬가지로 예정된 중재시술에서의 연구 자료는 아직 부족하여 이에 대한 치료 권고안은 없는 실정이다.

2) 항응고제

항응고제는 중재시술 할 때 손상된 혈관이나 가이드 와이어, 가이딩 카테터에서의 혈전 예방에 필수적인 요소이다. 시술 전 미분획 헤파린(unfractionated heparin)을 50~70 U/kg 용량으로 정맥 주사하는데, 보통은 2000~5000 U 정도를 투여하여 활성화응고시간(activated clotting time, ACT)이 HemoTec 기구의 경우 250~300초, Hemochron 기구의 경우 300~350초를 유지하도록 한다.[5]

과거에 스텐트 시술을 하지 않았을 때는 ACT와 허혈성 합병증 사이에 상관관계가 있다고 밝혀져서 ACT를 중요하게 생각하였지만, 현재 스텐트 시대에 접어 들면서부터는 ACT와 치료 성적과의 명확한 상관관계는 찾을 없다는 연구 결과가 많아서 ACT의 효용성에 대해 논란의 여지는 있다.[9] 그러나 ACT와 특히 천자 부위의 출혈 합병증과는 어느정도 상관관계가 있다고 보고하고 있으므로, ACT가 150~180초 이내로 감소했을 때 대퇴동맥 유도초를 제거하는 것이 좋겠다. 요골동맥을 이용한 시술을 할 경우 따로 정해진 바는 없지만 전통적인 헤파린 용량과 ACT 기준을 사용하고 있다.[10,11]

만성폐색병변의 시술에서는 시술 시간이 길어질 경우 30분에서 1시간 간격으로

ACT를 확인하여 목표 ACT에 못미칠 경우 추가적으로 헤파린을 더 투여하는 경우가 많다.

3. 시술 후 관리

만성폐색병변의 시술의 경우 그 병변의 특성상 여러 종류의 가이드 와이어를 사용해야 할 확률이 높고, 따라서 시술 중에는 알아채지 못한 관상동맥 천공이 생기기도 한다. 시술 도중에 혈관 조영 사진에서 이러한 합병증이 발견된다면 즉각적인 대처가 가능하겠지만, 시술을 마친 후에 서서히 심낭으로 혈액이 새어나오면서 심낭압전(cardiac tamponade)이 생긴 후에야 발견되는 경우도 있으니 주의가 필요하다. 특히 석회화가 심한 병변이나 긴 병변, 유도 철선을 여러개 바꾸어가면서 시술한 경우는 시술 후에 시간 간격을 두고 이동식 심초음파로 심낭내 출혈 여부를 확인하는 것이 좋다.

시술 이후 갑작스러운 혈압 저하가 있을 경우 심낭압전 여부를 즉시 확인하고 필요하면 심장막천자(pericardiocentesis)를 시행한다. 이 경우 대부분은 항혈소판제가 부하투여 된 경우라도 수일 내로 호전 될 수 있으며 수술적 교정까지는 필요치 않은 경우가 많고, ACT를 확인하여 과도하게 증가되어 있으면 프로타민(protamine sulfate)을 정주하여 교정한다.

큰 직경의 유도초를 대퇴동맥에 삽입한 경우 ACT가 150~180초 이내로 감소했을 때 유도초를 제거하는 것이 천자 부위의 출혈 합병증을 줄일 수 있으며, 유도초 제거 후에 수기로 천자 부위를 20~30분정도 압박하되 압박 부위의 원위부 허혈에 주의해야 한다. 혈관 접근로의 출혈성 합병증이 잘 생길 수 있는 경우는 표 4-1을 참고하기 바란다.

천자부위가 적절했다면 수기 압박만으로 성공적으로 지혈하는데 큰 문제는 없지만, 천자부위가 너무 높거나 낮은 경우, 혹은 천자 부위에 석회화가 심했던 경우는 수기 압박만으로 지혈하기 어려운 경우가 있으며, 이러한 경우 유도초를 제거하기 전에 적절한 지혈 기구를 사용하는 것이 좋다.

현재 국내에서 많이 사용하는 지혈 기구는 세 가지가 있는데 시술자의 경험에 따

표 4-1. 혈관 접근로 출혈의 선행 요인[12]

해부학적 조건	석회화된 혈관 고령의 환자 비만한 환자 여자 환자가 움직임
시술 조건	동맥의 후벽을 관통하여 천자 고위부 천자- 서혜인대 상부 천자 저위부 천자- 심부나 표재부 대퇴동맥 천자 수 차례 천자 직경이 큰 유도초(sheath)의 사용 급한 경사에 의해 유도가 꺾임 장시간의 시술(고용량의 헤파린 사용) 유도초를 장시간 유지 할 경우
혈류역학적 조건	맥압의 증가(대동맥 폐쇄부전이나 비순응성 혈관) 심한 고혈압 혈액 조건 여러 종류의 항혈소판제 항응고제 혈전용해제 혈액 응고 장애나 혈소판 감소증
시술자 조건	경험 부족 유도초 제거 할 때 적당하지 못한 지혈 위치 짧은 시간의 지혈 압박

라서 지혈 성적에 차이가 있을 수 있으므로 지혈 기구의 사용법을 잘 숙지 할 필요가 있다.(그림 4-4) 지혈 기구를 사용했음에도 불구하고 천자 부위의 박리나 혈종으로 지혈되지 않는 경우는 반대편 대퇴동맥을 통해 이식편 스텐트(graft stent)를 삽입하거나 수술적 교정을 고려해야 한다.

성공적으로 지혈되었더라도 수기로 지혈한 경우 6 Fr 유도초일 때 대개는 6시간 이상, 지혈 기구를 사용한 경우라도 2시간 이상 모래 주머니 압박을 한 채 침상 안정하도록 하되, 더 큰 유도초를 사용했을 때는 좀 더 많은 시간의 침상 안정이 필요 할 수 있으니 주의를 요한다.

그 밖에 시술 중 많은 양의 조영제가 사용되었다면 조영제 관련 피부 증상은 없는지, 조영제 유발 신기능 저하는 생기지 않았는지 퇴원 전 확인해 보는 것이 좋겠다.

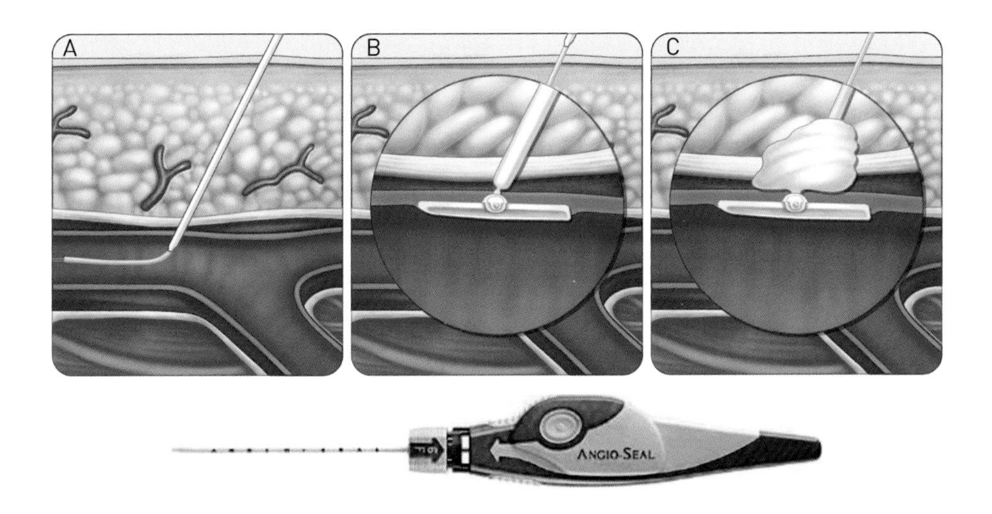

그림 4-2. Angio-SealTM의 지혈 원리. 흡수성의 콜라겐 마개(collagen plug)를 이용하여 지혈하는 방법으로 콜라겐 구성 물질들은 60~90일 후에 흡수된다. 다른 기구에 비해 시술이 간편하고 체내에 이물질을 남기지 않는 장점이 있다.(Courtesy of ST. Jude Medical)

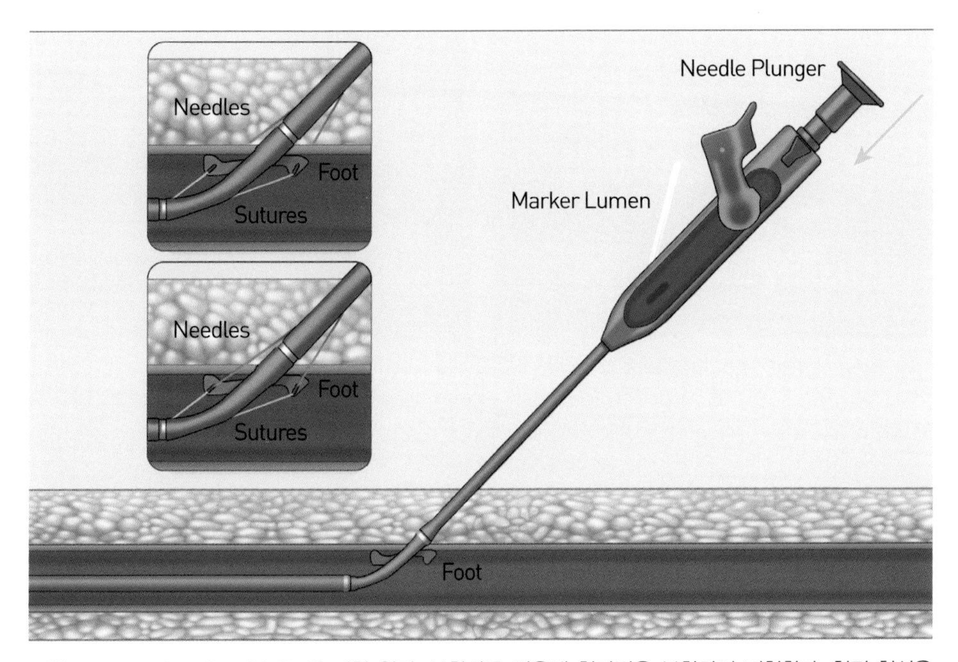

그림 4-3. Perclose ProglideTM의 지혈 원리. 봉합사를 이용해 혈관벽을 봉합하여 지혈한다. 혈전 형성을 주된 지혈 작용으로 이용하지 않으므로 항응고제를 투여하는 환자에서도 비교적 안정적으로 사용 할 수 있나 능숙하게 사용하기 위해서는 약간의 학습 곡선이 필요하다. 천자 부위에 협착성 병변이 있거나 석회가 침착이 있을 경우 제한점이 있다.(Courtesy of Abbott Vascular)

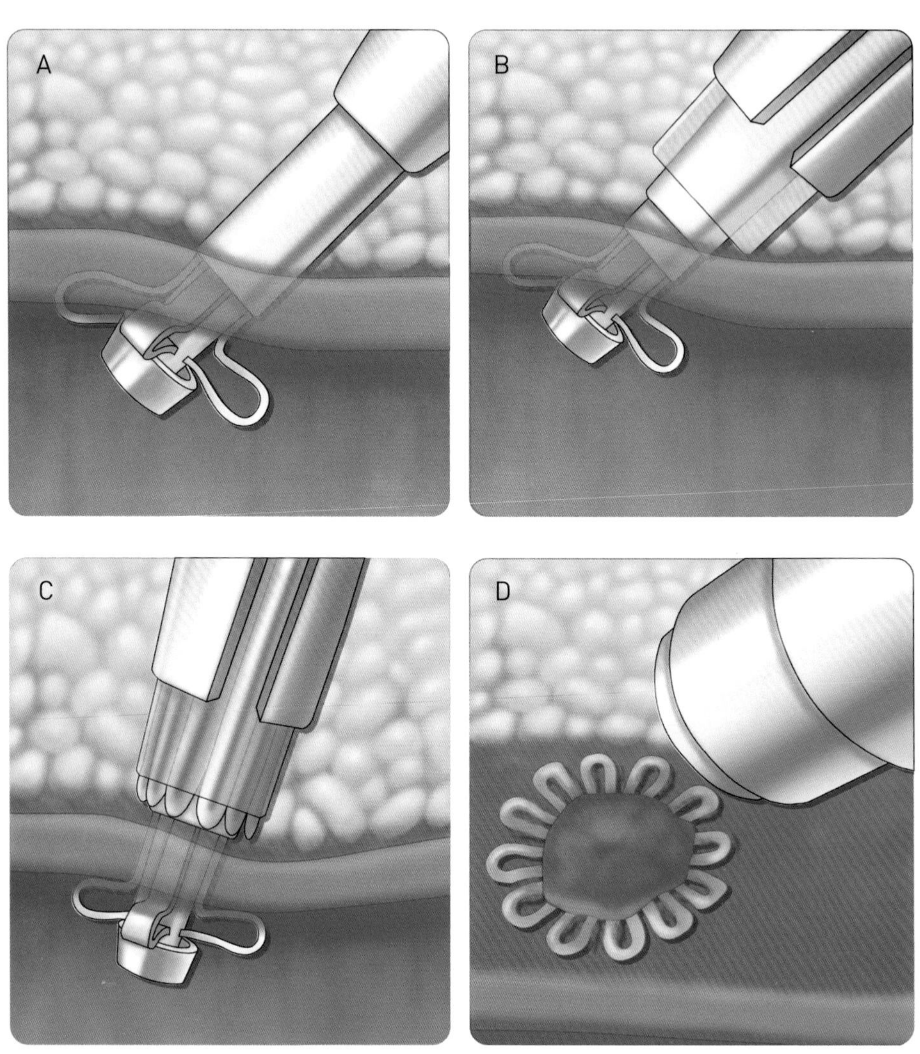

그림 4-4. StarcloseTM의 지혈 원리. 별 모양의 원형 클립을 이용하여 천자 부위의 혈관 벽을 집어주는 방식이다. 사용 전 피부 절개를 5~7mm 정도 시행해야 하는 번거로움이 있으며, 사용 방법이 다소 복잡하나 숙달되면 비교적 손쉽게 지혈할 수 있다.(Courtesy of Abbott Vascular)

참고문헌

1. 중재시술매뉴얼. 2nd ed. 2011.
2. Applegate RJ, Sacrinty MT, Kutcher MA, Kahl FR, Gandhi SK, Santos RM, Little WC. Trends in vascular complications after diagnostic cardiac catheterization and percutaneous coronary intervention via the femoral artery, 1998 to 2007. JACC: Cardiovascular Interventions. 2008;1:317–326.
3. Rao SV, Ou F–S, Wang TY, Roe MT, Brindis R, Rumsfeld JS, Peterson ED. Trends in the prevalence and outcomes of radial and femoral approaches to percutaneous coronary intervention: a report from the National Cardiovascular Data Registry. JACC: Cardiovascular Interventions. 2008;1:379–386.
4. Jolly SS, Amlani S, Hamon M, Yusuf S, Mehta SR. Radial versus femoral access for coronary angiography or intervention and the impact on major bleeding and ischemic events: a systematic review and meta–analysis of randomized trials. American Heart Journal. 2009;157:132–140.
5. Levine GN, Bates ER, Blankenship JC, Bailey SR, Bittl JA, Cercek B, Chambers CE, Ellis SG, Guyton RA, Hollenberg SM, Khot UN, Lange RA, Mauri L, Mehran R, Moussa ID, Mukherjee D, Nallamothu BK, Ting HH. 2011 ACCF/AHA/SCAI Guideline for Percutaneous Coronary Intervention. J Am Coll Cardiol. 2011;58:e44–e122.
6. Gurbel PA, Bliden KP, Zaman KA, Yoho JA, Hayes KM, Tantry US. Clopidogrel Loading With Eptifibatide to Arrest the Reactivity of Platelets Results of the Clopidogrel Loading With Eptifibatide to Arrest the Reactivity of Platelets (CLEAR PLATELETS) Study. Circulation. 2005;111:1153–1159.
7. Wiviott SD, Braunwald E, McCabe CH, Montalescot G, Ruzyllo W, Gottlieb S, Neumann F–J, Ardissino D, De Servi S, Murphy SA, Riesmeyer J, Weerakkody G, Gibson CM, Antman EM, TRITON–TIMI 38 Investigators. Prasugrel versus clopidogrel in patients with acute coronary syndromes. N Engl J Med. 2007;357:2001–2015.
8. Wallentin L, Becker RC, Budaj A, Cannon CP, Emanuelsson H, Held C, Horrow J, Husted S, James S, Katus H, Mahaffey KW, Scirica BM, Skene A, Steg PG, Storey RF, Harrington RA. Ticagrelor versus Clopidogrel in Patients with Acute Coronary Syndromes. N Engl J Med. 2009;361:1045–1057.
9. Brener SJ, Moliterno DJ, Lincoff AM, Steinhubl SR, Wolski KE, Topol EJ. Relationship between activated clotting time and ischemic or hemorrhagic complications: analysis of 4 recent randomized clinical trials of percutaneous coronary intervention. Circulation. 2004;110:994–998.
10. Plante S, Cantor WJ, Goldman L, Miner S, Quesnelle A, Ganapathy A, Popel A, Bertrand OF. Comparison of bivalirudin versus heparin on radial artery occlusion after transradial catheterization. Cathet Cardiovasc Intervent. 2010;76:654–658.
11. Bertrand OF, Rodès–Cabau J, Rinfret S, Larose E, Bagur R, Proulx G, Gleeton O, Costerousse O, De Larochellière R, Roy L. Impact of final activated clotting time after transradial coronary stenting with maximal antiplatelet therapy. The American Journal of Cardiology. 2009;104:1235–1240.
12. Safian RD, Freed M. The manual of interventional cardiology. Physicians Pr; 2001.

Chapter 5

가이딩 카테터의 선별과 이용법

김두일(해운대 백병원), 박종선(영남대병원)

만성 폐쇄성 병변(Chronic Total Occlusion ; CTO)의 시술에 있어서 가장 기본적인 것이 올바른 가이딩 카테터의 선택이다. 특히 폐쇄 병변이 심한 석회화나 섬유화가 진행되어 매우 단단한 병변일 때에는 가이딩 카테터의 선택에 더욱 신중을 기해야 한다. CTO 병변에서 가이딩 카테터의 기본적인 역할은 합병증을 만들지 않으면서 시술자가 원하는 힘을 병변부위까지 잘 전달할 수 있어야 한다. 일반적으로 카테터 선택시에는 여러가지 요소들을 고려해야 하는데 상행대동맥의 크기와 관동맥 개구부의 위치, CTO 근위부의 주행방향 및 혈관의 굴곡, 목표 병변의 특징 등을 고려해야 한다. CTO에서의 카테터는 관동맥 개구부와 동축 정렬을 할 수 있어야 하며, 충분한 배후지지력(back up force)을 얻을 수 있어야 한다. 이러한 조건이 만족될 때 관동맥 개구부에 손상을 줄이며 최대의 지지력을 확보하여 시술에서 유도철선이나 풍선 및 스텐트를 목표하는 병변으로 이동시킬 수 있다. 여기서는 주로 대퇴동맥 시술 시를 기준으로 하여 가이딩 카테터를 선택하는 방법에 대해 먼저 언급하려고 한다. 그러나 대개는 요골동맥을 이용한 시술 시에도 가이딩 카테터를 선택하는 방법은 근본적으로 유사하다.

1. 병변부위에 따른 가이딩 카테터의 선택

이론적으로 가장 좋은 가이딩 카테터는 관동맥 개구부에 손상을 줄이며 최대의 지지력을 확보하여 성공적인 시술이 이루어지게 할 수 있어야 하는데, 이는 좌우 관동맥의 카테터 선택 시에도 근간이 되는 중요한 진리이다. 가장 널리 사용되는 가이딩 카테터는 Judkins, Amplatz, Extra-back up 타입 등이 있으며, 관동맥 개구부의 위치와 주행방향, 상행대동맥과의 관계, 병변의 위치 및 특성에 따라 적합한 모양의 가이딩 카테터를 선택해야 한다.

CTO 병변에 대한 PCI 에서는 가급적 모든 상황에 대응할 수 있도록 대퇴동맥을 이용 시에는 side hole이 있는 7Fr 이상의 직경이 큰 가이딩 카테터를 많이 사용하며 (IVUS를 이용한 시술 시에는 8F 가이딩카테터), 요골동맥 이용 시에는 6Fr 이상의 가이딩 카테터를 사용한다. 기본적으로 가이딩 카테터는 관동맥에 삽입이 용이하며 동축성(alignment)을 유지하고 쉽게 조작할 수 있는 것을 선택하는 것이다. 최근에는 각 병변에 적합한 다양한 가이딩 카테터가 개발되어 있어 이를 적절한 이용하면 시술에 많은 도움이 될 것이다. 병변의 위치 및 특성에 따라 다양한 카테터가 사용되지만 Judkins 타입은 배후지지력이 약하며, CTO 병변 부위에서의 기구 삽입의 어려움이 있고, Amplatz 타입은 가장 강한 지지력를 얻을 수 있으나, 조작에 어려움이 있으며 안전성의 면에서도 주의를 기울여야 한다.(표 5-1)

1) 좌주간부 및 좌전하행지 병변

일반적인 경우 대부분의 카테터의 방향이 위쪽을 향해 있어 관동맥 개구부에 쉽게 삽입되며, 안정적으로 동축정렬이 가능하다. 좌주간부가 위쪽에 있거나, 상행대동맥의 직경이 좁은 경우에는 좀더 작은 가이딩 카테터를 사용하며, 직경이 넓은 경우에는 좀더 큰 가이딩 카테터를 사용한다. 상행 대동맥의 주행이 수평이거나 넓은 경우는 통상적인 카테터로 충분한 지지력을 확보할 수 없어 지지력이 강한 Amplatz형, Extra-back up형을 선택하는 것이 좋다. Judkins나 Multipurpose를 이용한 심좌법(deep seating)시에는 지지력을 확보할 수 있으나 혈관 손상을 줄 수 있어 조심해야 한다. 여성의 경우는 작은 커브의 가이딩 카테터가, 남성의 경우는 큰 커브의 것이 필요하다.

2) 좌회선지 병변

좌회선지 병변의 경우 심한 굴곡 때문에 시술에 어려움이 많다. 그러므로 CTO시술 시에는 지지력이 충분한 카테터를 선택해야 한다. 일반적으로 Amplatz나 extra-backup 카테터를 많이 사용한다.

3) 우관동맥병변

가이딩 카테터 선택시에는 우관동맥의 개구부의 향하는 위치에 따라 결정되는데, 위쪽으로 향하는 경우 Hockey stick, 좌측 Amplatz (AL)를 이용하며, 아래쪽에 향하는 경우에는 multipurpose나 우측 Amplatz (AR)를 이용한다. 수평인 경우에는 우측 Judkins카테터를 이용하지만 보다 적절하고 추가적인 지지력을 얻기 위해서 AL 0.5 또는 0.75 같은 짧은 좌측 Amplatz카테터를 사용한다. 카테터 선택시 상행대동맥의 직경이 고려되어야 하는데 이는 좌관동맥시와 동일하여, 좁은 경우에는 좀더 작은 가이딩 카테터를 사용하며, 직경이 넓은 경우에는 좀더 큰 가이딩 카테터를 사용한다. 상행대동맥 직경이 크면 multipurpose 혹은 Hockey stick을 사용할 수 있다. 우관

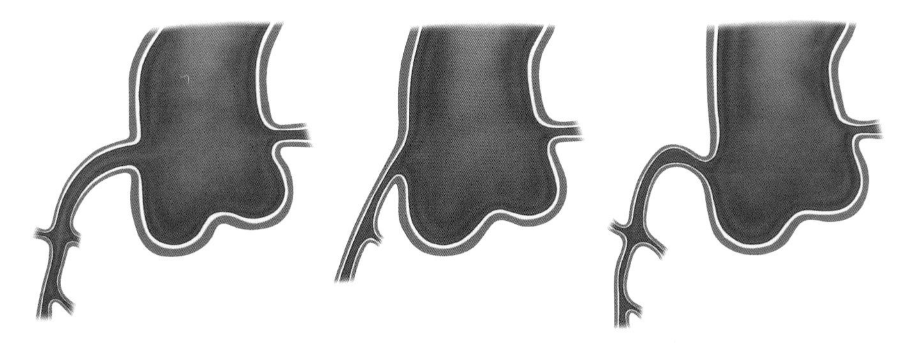

Normal	Downslopingz(inferior)	Upsloping (superior)
JR 4, AL 1, AL 2	JR 4	AL 1,2
Multipurpose	Multipurpose	Hockey-stick
REBU (Medtronic)	XBR (Cordis)	XBRCA (Cordis)
XBRCA, XBR (Cordis)	All Right (Boston)	All Right (Boston)
All Right (Boston)		

그림 5-1. 우관동맥 기시부 형태에 따른 가이딩 카테터의 선택

동맥은 다양한 개구부의 분지이상이 발견되는데 이에 따라 적절한 카테터를 선택해야 한다.(그림 5-1)

2. 카테터 조작법

1) Judkins guide와 그의 조작법

좌관동맥의 병변 시술에 흔히 사용되는 Judkins left (JL) 가이딩 카테터는 크게 두 개의 굴곡(curve)으로 이루어지는데, 일차 굴곡으로 인해 관동맥의 개구에 삽입되며 이차 굴곡으로 대동맥의 반대쪽에서 카테터가 지지된다. JL3.5의 의미는 일차굴곡과 이차굴곡 사이의 거리가 3.5cm라는 것을 뜻한다. 일반적으로 특별한 조작 없이 상행대동맥에서 좌주간부에 쉽게 삽입된다. Judkins 카테터 크기의 선택은 상행대동맥의

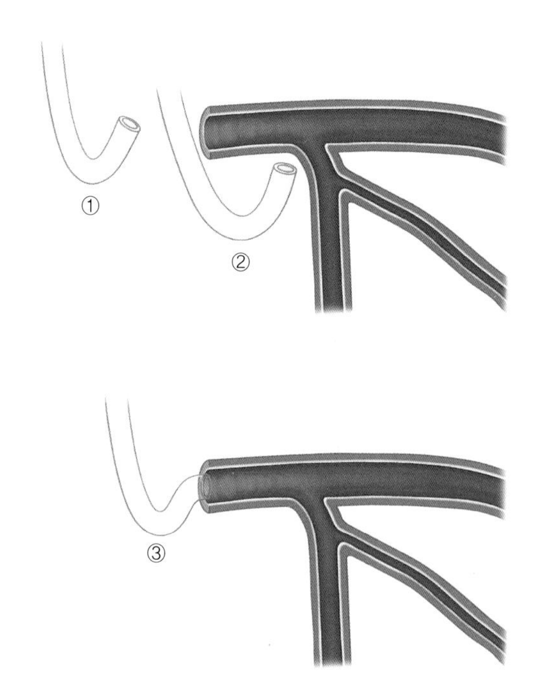

그림 5-2. RAO view에서 좌주간동맥에 가이딩 카테터를 engage하는 방법
①좌주간동맥 입구보다 오른쪽에 위치한 경우, 가이딩 카테터를 반시계방향으로 회전시키면 ③과 같이 위치되고 ②좌주간동맥 입구보다 가이딩 카테터가 좌측에 위치한 경우, 가이딩 카테터를 시계방향으로 회전시키면 ③과 같이 위치시킬 수 있다.

크기와 개구부의 위치 및 원위부 관동맥의 주행에 따라 크기를 선택한다. 일반적으로 JL3.5 내지 4.0이 빈번히 사용되나, CTO에서는 지지력 확보가 어려운 것이 큰 단점이라 하겠다. Fluoroscope AP로 보면서 0.032 와이어를 통해 JL을 상행대동맥을 통해 대동맥 기시부까지 전진시키면 non-coronary cups에 카테터의 끝이 위치하게 된다. 조영제를 조금 주입하여 좌주관지의 위치를 확인 후에 카테터를 뒤로 조금 당기면서 좌주간지입구의 위치와 가이딩카테터의 위치에 따라 시계방향 혹은 반시계방향으로 회전시키면 대개 좌주관부에 위치하게 된다.(그림 5-2) JR의 경우 날카로운 일차굴곡과 완만한 이차굴곡을 가지고 있다. 가이딩 카테터를 대동맥 기시부에 두고, 시계방향으로 회전시키면서 살짝 빼면 가이딩 카테터의 tip이 반시계방향으로 돌면서 우관동맥 개구부로 위치시킬 수 있다.

2) Amplatz guide와 그 조작법

Amplatz 카테터는 대개 과거에 JL 카테터를 좌관동맥을 삽입하여 충부한 지지력을 확보할 수 없을 때 주로 사용되었다. 그러나 최근 다양한 카테터의 개발로 사용빈도는 점점 줄어 아주 강력한 지지력이 필요한 시술에 많이 이용된다. 지지력은 가장 강하나, 조작에 어려움이 있고 혈관손상을 유발할 수 있기 때문에 조심스럽게 사용된다.

짧은 좌주간부나 좌전하행동맥과 좌회선지 동맥이 분리되어 분지할 때, Sheperd's Crook의 우관동맥, 아래로 분지하는 좌전하행지 및 우관동맥에 유용하다. 대동맥 크기에 따라 대동맥 기시부가 작은 경우는 AL1, 정상은 AL2를, 확장된 경우는 AL3 를 선택한다. Fluoroscope을 AP로 보면서 0.032 wire를 이용해 카테터를 대동맥 기시부까지 이동시키고, left coronary cusp에 카테터의 끝이 왼쪽 아래로 위치하게 한 후 카테터를 전진시키면서. 앞쪽 윗쪽을 향하도록 한 다음, 반 시계방향으로 회전시키면서 살짝 빼면 좌주관부에 진입된다. 우관동맥의 경우 똑같은 방법으로 non-coronary cups에 카테터의 끝이 왼쪽 아래로 오게 한 후 Fluoroscope을 LAO로 위치시키고 시계방향으로 회전시켜 우관동맥과 방향을 일치시킨 후 전진시키면 우관동맥에 위치하게 된다. 카테터가 관동맥에 위치하면 loop를 만들고 관동맥 개구부와 동축정렬을 이루게 조절한다.

표 5-1. CTO에 흔히 사용되는 가이딩 카테터의 종류

LAD : EBU(Medtronic) XB, XBLAD(Cordis) Q-Curve, CLS, Kiesz(Boston)
LCX : AL 1.0, 1.5 EBU 3.5, EBU 4.0(Medtronic) XB(Cordis) Voda, CLS, Kiesz, Q-Curve (Boston)
RCA : AL 0.75, 1.0RBU(Medtronic) XBRCA, XBR(Cordis) Kiesz, All Right(Boston)

3) Extra-backup 카테터의 선택 및 조작법(표 5-1)

최근에 개발된 Extra-backup 카테터는 좌우 관동맥 뿐만 아니라 기시부 이상이 있는 관동맥에서도 다양하게 사용된다. 조절이 용이하며 강한 지지력을 가지고 있으며 긴 이차굴곡을 통하여 반대편의 대동맥벽을 이용해 충분한 지지력을 확보하며, 이행부위 각도를 완만히 하여 카테터내의 저항을 최소화하도록 고안되었다. 최근에는 다양한 형태의 Extra-backup 카테터가 개발되어 병변에 따른 충분한 지지를 받을 수 있다. Fluoroscope를 AP로 보면서 0.032 wire를 이용해 카테터를 left coronary cusp 위치시키고 유도철선을 제거 후에 밀면서 시계방향으로 회전하면 관동맥 개구부에 안착된다.

4) 특별한 상황에 따른 카테터 조작법

상황에 따라서는 깊은 삽관이나 카테터 커브를 변형하여 좀 더 강한 후방지지를 받을 수 있으며, 간혹 비정상적인 부위에서 우관동맥이 기시하는 경우에는 AL 카테터가 유용하다.(그림 5-3)

3. 가이드 와이어를 유지 하면서 가이딩 카테터를 교환하는 방법

CTO의 관동맥 중재술을 시작하기 전에 여러가지 요소들을 고려하여 기구들을 준비하는데 대개 상행대동맥의 크기와 관동맥 개구부의 위치, CTO 근위부의 병변 및 혈관의 굴곡과 사행, 목표병변의 성격등을 염두에 두어야 한다. 그러나 예상하지 못한 이유로 인해 시술중인 가이딩 카테터를 교환하게 되는 경우가 있다. 일반적으로

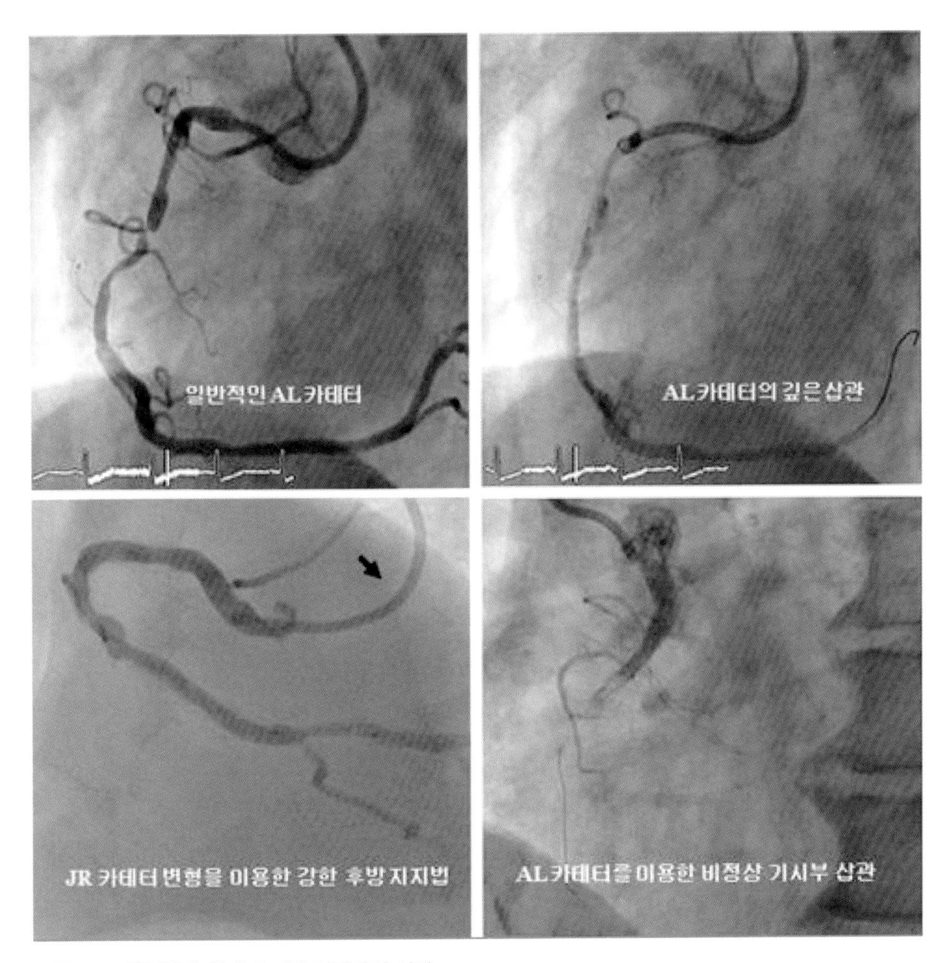

그림 5-3. 우관동맥 형태에 따른 카테터의 선택

가이드 와어어와 카테터를 모두 제거하고 교환하는 것이 쉬우나 가이드 와이어를 반드시 유지해면서 가이딩 카테터를 교환해야 하는 몇 가지 방법이 있다.

1) 0.014 와이어의 연장용 와이어(extension wire)이나 긴 0.014 와이어(long wire)을 이용하는 방법

연장유도철선(extension wire)이나 긴 0.014 와이어(long wire)을 이용해 카테터를 천천히 조심스럽게 관동맥 개구부에서 1-2cm까지 빼면서 동시에 0.014 wire를 진행시켜 상행대동맥에 아래쪽으로 안정된 loop를 형성하고 카테터를 제거한다. 새로운 카테터는 와이어를 통해 관동맥 개구부까지 진행시킨 후 와이어 loop가 없어질 때까지 전진

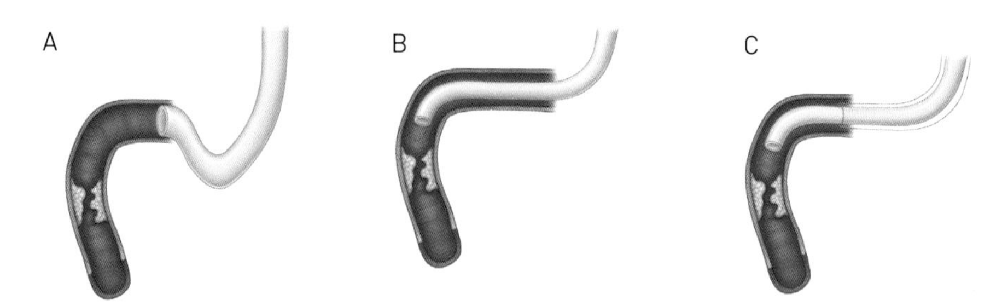

그림 5-4. 우관동맥 시술시 가이딩 카테터의 지지력 확보방법. A, 수동적 지지 : 대구경의 AL 카테터 B, 능동적 지지 : 5 또는 6 F JR, multipurpose 카테터를 깊게 삽입 C, "Mother-Child" 테크닉 : 7 또는 8F 가이딩 카테터 내에 5 또는 6F 소구경 카테터를 삽입

시키는 동시에 와이어 뒤로 당기면서 우관동맥의 경우 가이딩 카테터는 시계방향으로 돌려주면 loop가 사라지면 카테터를 관동맥개구부로 진행하면 된다. 좌관동맥의 경우는 크게 회전을 주지 않아도 0.014 와이어를 따라 쉽게 관동맥개구부로 진행된다.

2) 0.035 와이어를 이용하는 방법

J모양의 긴 0.035 와이어와 일반 0.035 와이어를 이용하는 방법이 있다. 230cm의 긴 0.035 와이어에 tip의 모양을 커다란 U shape로 변형시킨후 카테터를 통해 상행대동맥에 아래쪽 위치시키고 카테터를 빼면서 0.035 와이어를 aortic cusp로 진행시키다. 0.014 와이어와 0.035 와이어를 잘 유지하면서 동시에 잡고 카테터를 제거하는데 0.035 와이어가 충분한 지지력을 제공하여 0.014 와이어가 빠지지 않게 한다. 새로운 카테터는 두 와이어를 통해 전진시켜 관동맥 개구부로 진행시키면 된다. 일반적인 0.035 와이어를 사용시에는 연장되거나 긴 0.014 와이어를 사용한다.

3) 풍선을 이용하는 방법

연장되거나 긴 0.014 와이어를 이용하여 시술 중에 사용된 풍선을 관동맥의 근위부까지 진행시키고 난 뒤 풍선과 함께 카테터를 제거한다. 새로운 카테터에 풍선을 넣은 후 0.014 와이어를 통해서 전진시킨다. 풍선은 안정장치 역할을 하여 카테터를 관동맥 개구부까지 원활하게 이동시킬 수 있다.

4. 후방 지지력을 확보하는 방법(그림 5-4)

새로운 풍선, 와이어의 개발로 관동맥 중재술에 성공율은 많은 향상을 보였다. 그러나 CTO, 굴곡이 심한 원위부의 긴 병변, 석회화 침착이 심한 병변 등의 경우 풍선, 와이어, 그물망을 이용한 관동맥 중재술시 충분한 카테터의 지지력이 필요하므로 가이딩 카테터의 지지력을 높이는 방법이 필요하다. 크게 두 가지 방법이 있는데 수동적 지지(passive support)와 능동적 지지(active support)이다. 수동적 지지란 단순히 크고 단단한 카테터를 목표 관동맥 개구부에 위치함으로써 발생하는 지지력을 말하며, 능동적 지지는 작고 부드러운 카테터를 목표 관동맥의 깊숙한 부분까지 넣어서 생기는 지지력을 말한다. 이런 방법의 선택은 카테터의 모양, 크기와 재질, 시술하고자 하는 병변의 위치, 대동맥의 모양, 관동맥 개구부의 위치에 따라 좌우된다.

1) 수동적 지지: 지름이 큰 가이딩 카테터를 사용

요골동맥을 이용한 시술의 증가와 6Fr 카테터를 이용한 대퇴동맥의 시술의 보편적인 사용으로 인해 큰 직경(7–8Fr) 카테터는 사용이 점점 줄어들고 있다. 그러나 두 개 이상의 스텐트를 동시에 필요로 하는 시술시(kissing stent), burr가 1.75이상의 rotablator를 이용시, 두 개의 OTW 풍선을 동시에 사용시(kissing balloon), CTO 병변 시술 등에는 큰 직경(7–8Fr) 카테터가 유리하다. 큰 직경의 카테터는 젊은 시술자에게 익숙하지 않아 조작이 힘들고 혈관 손상을 초래하기도 하며, 관동맥 개구부의 혈류를 차단하므로 side hole이 있는 것을 선택하는 것이 유용할 것으로 생각된다. CTO에서 큰 카테터는 더 많은 지지력을 제공하여 복잡하고도 힘든 병변의 시술시에 유용하게 사용된다.

2) 능동적 지지

관동맥의 직경이 충분히 큰 경우 작은 직경(5–6Fr)의 카테터는 대부분의 경우 목표혈관의 근위부 및 중간부까지 진입시킬 수 있다. 이때에는 미리 들어가 있는 풍선을 길로 이용해 조심스럽게 카테터를 회전시키면 혈관의 손상없이 깊숙히 진행할 수 있다. 풍선은 카테터를 진행시키는 동안에 저압력으로 확장시켜 두면 시술을 원활히 진행하는데 도움

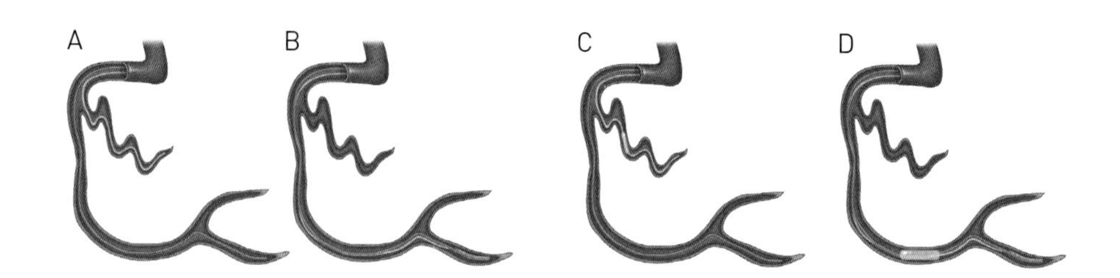

그림 5-5. 가이딩 카테터의 지지력을 향상 시키는 방법들. A: "Anchor" wire : 우관동맥 병변 근위부에 위치한 소혈관에 가이드 와이어를 삽입 B: "Buddy" wire : 우관동맥 병변 후방부의 분지혈관에 가이드 와이어를 위치 C: "Anchoring balloon" technique : 우관동맥 심방 분지혈관에 풍선을 하여 지지력 확보 D: "Anchoring balloon" technique : 우관동맥 병변 후방부 주혈관에 풍선을 하여 지지력 확보

이 된다. 혈관의 손상을 최소화하려면 가이딩카테터 끝에 풍선이 반만 나오게 한 후 부풀린 상태에서 가이딩카테터와 같이 전진시키면 날카로운 가이딩 카테터의 끝을 풍선에 의해 보호할 수 있어 혈관손상이 일어나지 않는다. 우관동맥과 좌회선지의 경우는 카테터를 시계방향으로 회전시키고, 좌전하행지의 경우는 카테터를 반 시계 방향으로 회전시키면서 관동맥 깊숙한 곳까지 진입시킬 수 있다. 이러한 시술의 단점은 혈류를 차단하여 심한 허혈을 초래하는데 side hole이 있어도 예방되지 않는 경우도 있다.

3) 기타 방법

수동적 지지와 능동적 지지도 대부분의 심한 병변에서 시술의 성공을 보장하지 못하는 경우가 많다. 복잡한 CTO, 심한 굴곡 및 석회화 침착이 있는 병변등의 경우에는 위의 두 가지 방법으로 불충분하며 중재적기구(와이어, 풍선, 전용카테터)를 이용하여 더 많은 지지력을 확보해야 한다.

(1) 가이드 와이어를 이용한 지지력 확보(그림 5-5)

심한 병변의 근위부에 길이가 길고 직경이 큰 분지가 있으면 분지혈관에 다른 와이어를 넣어 추가적인 지지력 확보를 한다. 복잡한 병변을 시술 시 보다 강한 지지력이 필요한데 병변 통과용 가이드 와이어와는 별도로 1-2개의 가이드 와이어를 관동맥 내에 삽입하여 가이딩 카테터를 안정시키는 방법으로 일명 " buddy"wire technique 이라 한다.

가이딩 카테터가 불안정할 때는 지지력이 감소되어 중재적기구를 병소에 위치시키기 어렵다. 그러므로 기존의 유도철선 외에 1-2개의 유도철선을 동일한 혈관에 나란히 위치시켜 관동맥의 굴곡을 줄이고 지지력을 확보함으로써 시술기구를 병변에 원활이 위치시킬 수 있다. 또 다른 방법인 " jail "wire technique는 와이어가 스텐트와 혈관 사이에 끼여 강한 지지력을 확보해주며 아주 심한 병변의 시술시 도움이 된다.

(2) 풍선 고정기법(Anchor Balloon Technique)(그림 5-5)

심한 굴곡 및 석회화 침착이 있는 병변, 복잡한 CTO의 경우에는 와이어, 풍선, 스텐트의 전진이 어려워 시술의 성공을 위해서는 보다 강력한 지지력이 필요하다. 혈관의 분지에 풍선을 넣고 확장시켜 강력한 지지력을 얻을 수 있는데 이를 풍선 고정기법(Anchor Balloon Technique) 이라 한다. 고정용 풍선은 혈관내경과 동일하거나 0.25㎜ 정도의 크기가 큰 것을 이용하여 당겨도 움직이지 않을 정도의 최소압(가능하다면 3~6기압 정도의 저압)으로 확장한다. 확장된 풍선으로 강한 지지력이 발생하며, 원하는 풍선과 스텐트를 병변부위를 통과시켜 혈관을 확장 시킬 수 있다. 그러나 고정용 풍선에 의한 혈관 해리ㆍ손상이 발생 할 수 있어 주의가 필요하다. 오버더 와이어(OTW)의 풍선을 병변 앞에 두고 풍선을 확장하여 고정시키면 양호한 지지력을 얻으며, 가이드 와이어의 병변 통과에 유용하다. CTO 병변에서 와이어는 통과하였지만 풍선이나 스텐트가 통과하지 않을 때 작은 혈관 분지에 와이어를 넣고 풍선을 확장시켜 강한 지지력을 얻을 수 있다. 작은 혈관 분지의 와이어는 일반적으로 혈관 손상을 유발하지 않는 와이어를 사용하며, 코팅 와이어는 피하는 것이 좋다.

4) 모자 카테터 기법(Mother-Child catheter technique)

일명 "Double Coaxial Guiding Catheter Technique"으로(그림 5-4) 병변의 근위부에 존재하는 혈관의 손상없이 목표 혈관 안에 수동적 지지 개념의 큰 카테터 넣고 그 안에 능동적 지지를 위해 작은 카테터를 삽입함으로써 가이딩 카테터 자체의 지지력을 증가시키는 방법이다. 대개 바깥쪽 7~8Fr의 큰 가이딩 카테터 안에 5~6Fr의 작은 카테터는 삽입하여 강력한 지지력를 얻는다. 현재 국내에서는 테르모사의 5Fr Heartrail 카테터를 많이 이용하며, 큰 가이딩 카테터 안을 통하여 관동맥 내에 깊이 삽입함으로써 강력한 지지력을 얻을 수 있다. 그러나 혈관의 손상 및 공기에 의한 색전증을 조심해야 한다.

참고문헌

1. Warren SG, Barnett JC: Guiding catheter exchange during coronaryangioplasty. Catheterization and Cardiovascular Diagnosis 20:212-215, 1990.
2. Selig MB. Lesion protection during Fixed-wire Balloon Angioplasty:Use of the "Buddy wire" and access catheters Catheterization and Cardiovascular Diagnosis 25:331-335, 1991.
3. Yazdanfar S, Ledley GS, Alfieri A, Strauss C, Kotler MN: Parallel angioplasty dilatation catheter and guidewire: A new technique for the dilatation of calcified coronary arteries. Catheterization and Cardiovascular Diagnosis 28:72-75, 1993.
4. Newton CM, Lewis SA, Vetrovec GW: Technique for guiding catheter exchange during coronary angioplasty while maintaining guidewire access across a coronary stenosis. Catheterization and Cardiovascular Diagnosis 15:173-175, 1988.
5. Carlo Di Mario, Nandakumar Ramasami: Techniques to Enhance Guide Catheter Support. Catheterization and Cardiovascular Interventions 72:505-512, 2008.
6. 2008 Japan Coronary Intervention 제4권
7. The manual of Interventional cardiology 3rd edition. 2001.
8. Essential concepts in cardiovascular Intervention. 2004.
9. 2004년 중재시술매뉴얼.
10. PTCA테크닉; 만성완전폐색 2004.

Chapter 6

가이드와이어 종류와 테크닉

유철웅(고대안암병원), 이승환(원주기독병원)

1. 가이드와이어 종류

현재까지 사용되는 가이드 와이어는 구성요소에 따라 core diameter, tapering tip, tip load, coating material, radio-opacity 등으로 분류하고 있다. 각 회사별로 각각의 특성에 따라 분류하면 다음과 같다.(표 6-1)

2. 가이드와이어의 선택 및 준비

여러 가지 와이어 중에서 어떤 와이어를 선택하고 어떤 정도의 distal curve를 만들어 진입해야 하는지는 항상 매 증례마다 가이딩 카테터, 완전폐색병변의 위치, 폐색부위까지 도달하는 굴곡, 칼슘의 정도 및 지지를 도와주는 기구의 사용여부를 고려하여 결정하여야 한다.

저자는 와이어 선택에 있어서 기본적으로 두 가지 관점으로 나누어 선택한다. 첫 번째는 다양한 각도로 촬영된 관상동맥 조영술을 세밀히 관찰하여 완전히 폐색되어 있는 곳까지 필요한 와이어가 도달하기까지 가이딩 카테터의 지지도 및 와이어 지지를 도와주는 풍선 카테터나 마이크로 카테터 등의 필요성을 먼저 생각하고, 지지를

표 6-1. 가이드와이어의 종류

company	Type of wire	Core diameter	Tip load (gram)	Length of Radiopacity (cm)	Coating or plastic
Cordis	Shinobi	0.014"	4.5	3	Stainless steel One piece core PTFE coating
	Shinobi Plus	0.014"	6	3	
Boston Scientific	Choice PT	0.014"	1	35	Stainless steel & Nitinol Two piece core Hydrophilic coating
	Choice PT 2	0.014"	1.2	2	
Abbott Vascular	Whisper	0.014"	1.9	3	Stainless steel One piece core Hydrophilic coating
	Pilot 50	0.014"	3.4	3	
	Pilot 150	0.014"	5	3	
	Pilot 200	0.014"	8	3	
	BMW Universal II	0.014"	0.7	3	Nitinol Hydrophilic coating
	BMW Elite	0.014"	0.8	3	
	Progress 40	0.014"/0.012"	4.8	3	Dura stainless steel Hydrophilic coating
	Progress 80	0.014"/0.012"	9.7	3	
	Progress 120	0.014"/0.012"	13.9	3	
	Progress 140T	0.014"/0.010"	12.5	3	
	Progress 200T	0.014"/0.009"	13	3	
Asahi Intec	Sion	0.014"	0.7	3	Stainless steel One piece core Hydrophilic coating
	Sion Blue	0.014"	0.5	3	Stainless steel One piece core Hydrophilic coating Tip Silicone
	Route	0.014"	0.8	3	
	Rinato	0.014"	0.8	3	
	Fielder	0.014"	1	3	Stainless steel One piece core Hydrophilic coating Polymer jacket
	Fielder FC	0.014"	0.8	3	
	Fielder XT	0.014"/0.009"	0.8	16	
	Fielder XT-A	0.014"/0.010"	1	16	
	Fielder XT-R	0.014"/0.010"	0.6	16	
	Sion Black	0.014"	0.8	3	
Asahi Intec	Gaia First	0.014"/0.010"	1.7	15	Stainless steel One piece core Hydrophilic coating Pre-shaping tip (1mm)
	Gaia Second	0.014"/0.011"	3.5	15	
	Gaia Third	0.014"/0.012"	4.5	15	
Asahi Intec Terumo	Miracle 3	0.014"	3	11	Stainless steel One piece core Silicone coating
	Miracle 6	0.014"	6	11	
	Miracle 12	0.014"	12	11	
	Conquest	0.014"/0.009"	9	20	
	Grand Slam	0.014"	0.7	4	
	Conquest Pro	0.014"/0.009"	9	20	Stainless steel One piece core Hydrophilic coating
	Conquest Pro12	0.014"/0.009"	12	20	
	Ultimate Bros3	0.014"	3	11	
	Runthrough NS	0.014"	0.9	3	Directly jointed Ni-Ti & SUS shaft (Dual core) Hydrophilic coating + PTFE coating + Silicone coating
	Runthrough NS -Hypercoat	0.014"	0.9	3	
	Runthrough NS -Extra Floppy	0.014"	0.6	3	
	Runthrough NS -Intermediate	0.014"	3.1	3	

도와주는 기구들이 완전 폐색병변 입구에 기구들이 도달하기까지 용이한 유연한 와이어를 먼저 선택한다.

두 번째는 완전 폐색된 부위 병변의 특성에 따라서 필요한 와이어를 선택한다. 이때 와이어의 선택은 세 가지 관점으로 나누어 선택한다. 첫 번째는 폐색병변이 가늘어지는 모양으로 막혀있는지(tapering end) 혹은 급작스럽게 막혀있는지(abrupt end)에 따라 가늘어지는 모양을 보일 경우에는 친수성 코팅(hydrophilic coating)이 되어있는 Fielder® series의 와이어를 먼저 선택하며, 특히 끝이 가늘어지는 Fielder XT® series는 마이크로 채널 안을 통과하는데 장점이 있다. 진행이 안되면 방향성과 stiffness가 더 좋은 Gaia® series first 혹은 second, 혹은 Miracle® series 3g 혹은 6g 등을 이용하여 폐색부위 내에서 비교적 유연한 부분을 drilling하는 기분으로 반경 0.5mm 내의 각도를 주어 180도 미만의 회전을 주며 조금씩 전진과 후진을 반복하면서 통과를 시도한다. 이때 Gaia® series는 와이어 끝의 각도가 반경 0.5mm길이로 45도 각도로 일차 곡선이 만들어져 있어 다른 조작이 없이 사용하며, 병변의 사행성이 심한 경우 필요 시 이차 곡선을 만들어 사용한다. 끝이 펴져있는 와이어인 경우는 와이어 끝에 각도를 만들어 사용해야 한다. 저자의 경우는 폐색병변이 비교적 직선인 부위를 관통시킬 경우에는 완만한 하나의 곡선을 만들고 병변의 사행성이 많은 부위를 통과시킬 경우에는 일차 및 이차 곡선을 만들어 시작한다.(그림 6-1) 와이어 조작 시 움직임이 없으면 아주 딱딱한 부위에 박혀있거나 내막 하일 가능성이 있다고 생각하여 계속 전진시키기보다는 후진시켜서 다른 방향으로의 전진을 시도한다.

그런 다음에도 와이어의 전진이 어려우면 최소한 두 가지 이상의 측부혈류 조영(collateral angiogram)을 시행하여 시술전과 비교하여 와이어의 방향을 평가한 후, 방향이 괜찮으면 와이어 끝의 곡선을 더 완만하게 펴서 한 쪽 방향으로 계속해서 돌리며 다른 손으로 약간 전진할 수 있는 힘을 주어 drilling 방법을 사용한다. 결과는 제대로 통과하거나, 내막하로 들어가거나 혹은 혈관 밖으로 나가버리는 경우가 있을 수 있다. 제대로 통과한 경우에는 측부혈류 조영으로 확인 후 마이크로 카테터 혹은 OTW (Over The Wire type) 풍선으로 통과 후 유연한 와이어로 바꾸어 중재술을 계속 시행한다. 첫 번째 문제는 내막하인 경우인데 two wire technique을 이용한 두 번째 와이어를 선택해야 하며 이때 병변부위가 짧다면, 내막하에서 진

A. 30도 정도의 완만한 primary curve를 만든다.(완만한 곡선, 굴곡이 심하지 않은 폐색병변에 유리)

B. 45도 정도의 각이 진 primary curve를 만든다.(굴곡이 있는 부분의 폐색병변에 유리)

C. secondary curve를 이용하여 45도 이상의 각을 만든다.(굴곡이 심한 폐색병변에 유리)

그림 6-1. Wire shaping

강내로의 방향성이 우수하고 관통(penetration)이 용이한 선단이 가늘어지는 Conquest-Pro® series 와이어를 선호하고, 폐색부위가 길고 내막하에 있는 와이어의 끝이 진강의 시작부위를 많이 지나쳐서 내려와 있다고 생각되면, 시술 시 저항이 가장 강하게 느꼈던 부위에서부터 같은 종류의 와이어를 이용하여 와이어 끝의 곡선을 첫 번째 와이어의 곡선과 달리하여 진강쪽으로의 drilling 방법을 다시 시도한다. 이때 시술자가 내막하로 나간 부위에 대한 확신이 있고 와이어의 곡선만 조정하면 될 것으로 판단되면 첫 번째 와이어 재진입을 시도하는 것도 시술의 복잡성을 줄일 수 있는 한 방법이라 하겠다. 그러나 와이어가 혈관의 천공을 일으킨 것으로 의심이 되면 와이어 제거 후 관상동맥 조영술의 결과를 보고 상태에 따라 적절한 판단을 해야 할 것으로 보이며, 우선적으로 명심할 것은 환자의 안전이 최우선되어야 한다는 것이다.

두 번째 문제는 폐색병변이 갑자기 막혀있는 병변인(abrupt end) 경우와 병변부위가 LAD ostial 부위나 폐색 병변 부위에서 옆 가지가 나가는 경우인데, 가능하다면 IVUS 관찰 하에 처음부터 방향성과 관통성이 뛰어난 Conquest-Pro® series 와이어

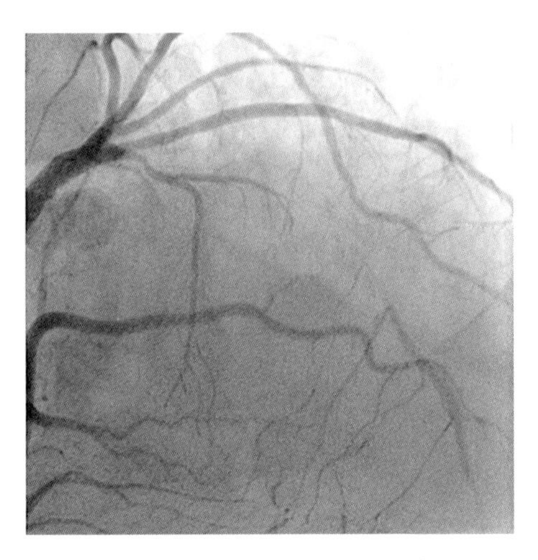

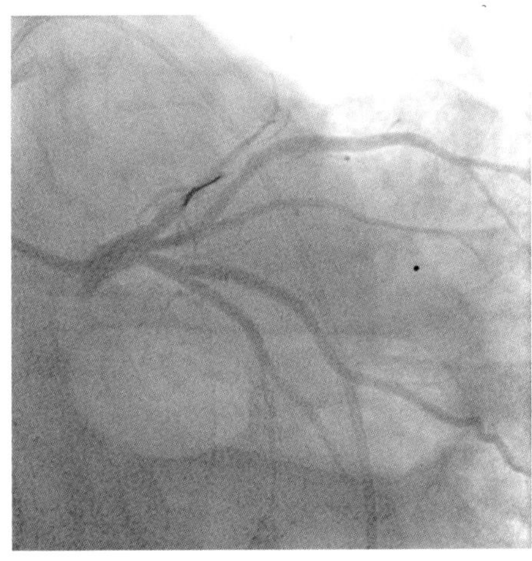

그림 6-2. Bilateral coronary angiogram (RAO 30°and Cranial 30°view) and Lt. Coronary angiogram (AP and caudal 30°view)

A: Bilateral coronary angiograms revealed total occlusion of proximal LAD and good collateral flow (Grade III/III) from RCA

B: 014" Runthrough guide wire was located 1st big septal branch

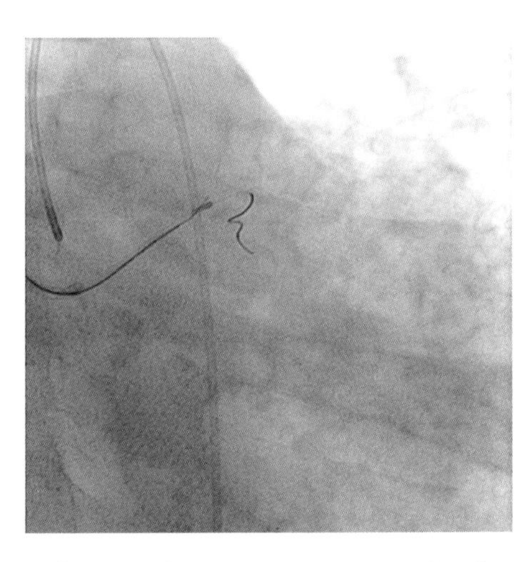

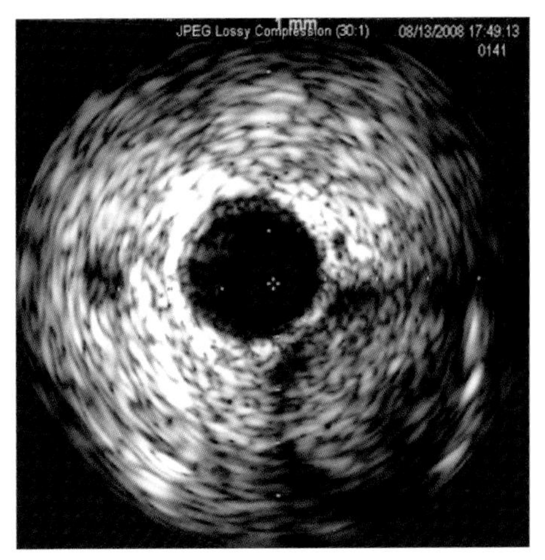

그림 6-3. IVUS guided confirmation of LAD ostium

A: fluoroscopic finding at RAO 16°and Cranial 34°view

B: IVUS is located at 1st septal branch ostium and total occlusion of LAD ostium at 5 o'clock

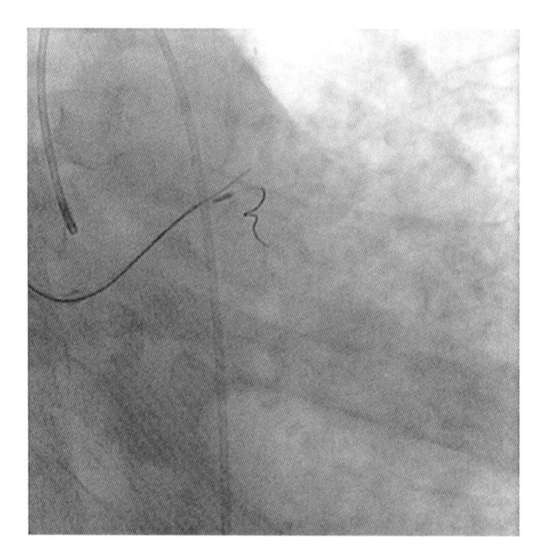
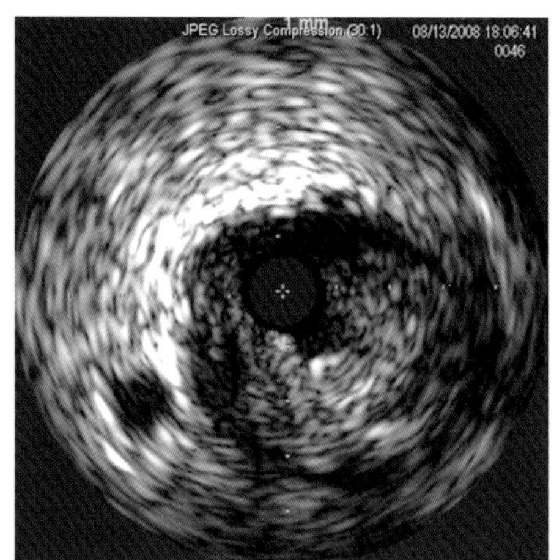

그림 6-4. IVUS guided positioning of the guide wire
A: fluoroscopic finding at RAO 16°and Cranial 34°view
B: IVUS finding of the location of Conquest pro guide wire (12g) in the true lumen at 5 o'clock

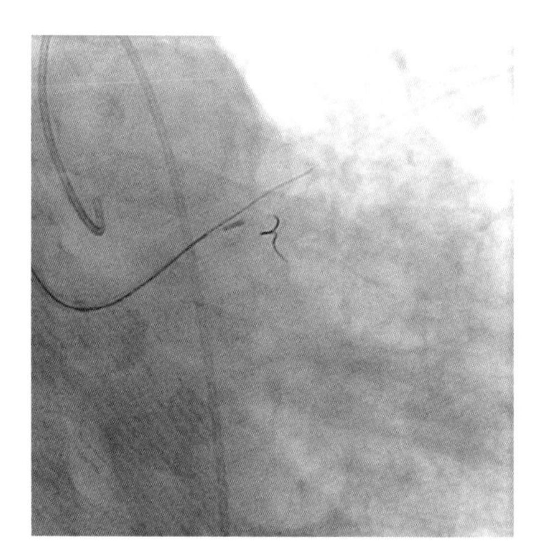
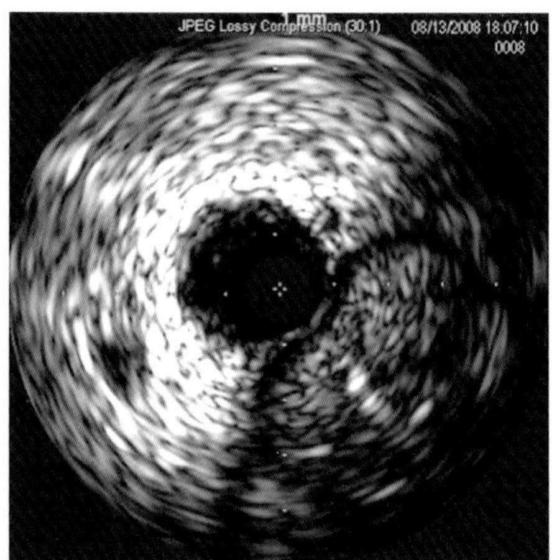

그림 6-5. IVUS guided advancement of the guide wire
A: fluoroscopic finding at RAO 16°and cranial 34°view
B: IVUS finding of the location of Conquest pro guide wire (12g) in the true lumen at 5 o'clock

를 이용하여 와이어를 진강 내에 전진시키고 OTW 풍선보다는 trackability가 좋은 마이크로 카테터를 이용하여 전진시킨 뒤 Miracle® series로 바꾸어 drilling 방법부터 시작하여 앞서 기술한 순서대로 시술을 진행하는 것이 좋겠다.(그림 6-2~6)

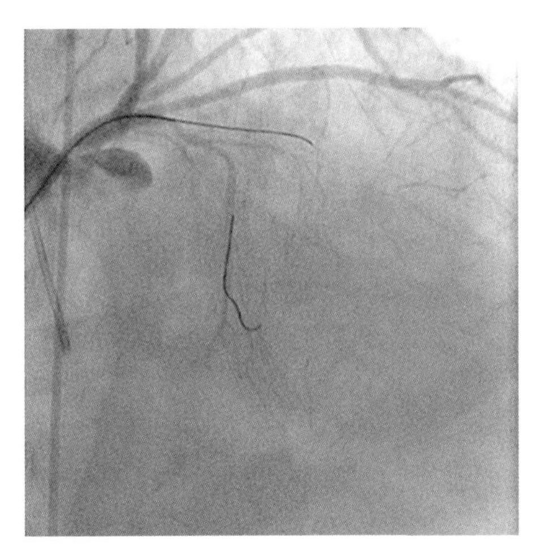
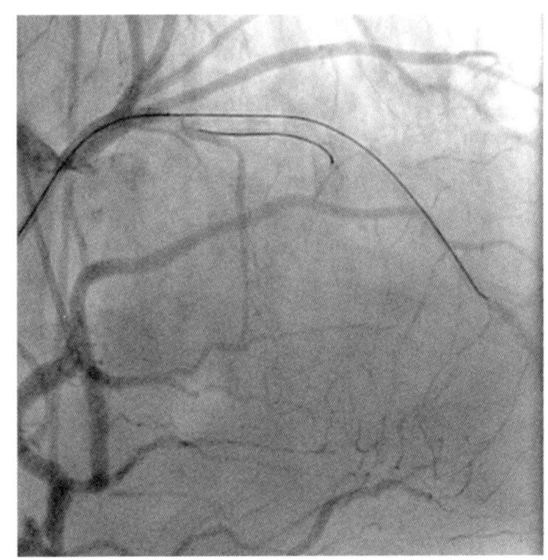

그림 6-6. Drilling advancement of Miracle guide wire (RAO 30°and Cranial 30°view)
A: changing Miracle guide wire to drilling advancement for long CTO lesion
B: Contra-lateral angiogram showed exact location of the guide wire in the distal LAD

세 번째 문제는 bridging collaterals이 있는 경우인데 때때로 구별하기 힘들 때가 많다. 강조하고 싶은 것은 진단적 검사 시행 시 CTO 병변이 있는 경우에는 조영제를 충분히 사용하여 다양한 각도에서 폐색된 부위에 연결된 마이크로 채널 혹은 bridging collaterals flow인지를 확인하는 것이 시술 계획을 세우는데 중요하다. 일단 마이크로 채널로 생각되면, 채널을 통과할 수 있는 조작이 용이한 와이어가 우선적으로 선택되어야 한다. tapering tip을 가진 plastic hydrophilic coating이 되어 있는 Fielder XT® series가 가장 적합하다고 보이며 적당한 배후지지력을 주는 기구를 함께 사용하면 쉽고 안전하게 폐색병변을 통과할 수 있다. 물론 폐색이 언제 이루어진 것인가 하는 임상적 특성에 따라 좌우되기도 하지만 미세한 혈류가 지나가는 부위에 stiff한 와이어가 주변의 동맥경화반을 건드려 혈류장애를 일으키는 것은 시술을 더 어렵게 만드는 요인이 될 수 있다. 반대로 bridging collaterals flow에 의하여 원위부 폐색부위에 연결이 되어 있다면 가능한 collateral lumen을 건드리지 않고 시술을 진행하여야 antegrade collateral flow guide 하에 와이어의 방향과 전진을 확인하면서 시술을 할 수 있는 장점이 있다. 저자의 경우에는 bridging collaterals flow가 있는 경우에는 처음부터 Gaia® series first 혹은 second, Miracle® 3g 혹은 6g, 혹은 Conquest-Pro® 와이어를 이용하여 와이어 끝의 완만한 곡선을 만들어 진강내의 관통(penetration)을 시도한 후 drilling 방법으로 전환하여 앞서 기술한 대로 시술을 시행한다.

1) 올바른 와이어 선택의 필수 조건

만성폐쇄병변(chronic total occlusion, CTO)의 성공적인 시술(percutaneous coronary intervention, PCI)을 위해서는 적절한 와이어의 선택과 사용법이 필수적이다. 이를 위해서는 아래와 같은 정보가 필요하다. 최근에는 영상 기법의 발달로 아래와 같은 여러 정보들을 만성 폐쇄 병변의 시술 전에 coronary angiogram computed tomography (CACT)를 촬영하여 미리 확인하여 적절한 와이어 및 마이크로카테터와 같은 지지기구를 선택하고 시술 전략을 수립한다. 점점 더 많은 시술자들이 CACT를 CTO PCI에 적극 활용하고 있다.

1. CTO segment 의 tissue characterization: amount and distribution of calcium
2. CTO segment의 course: tortuous vs straight
3. CTO segment의 length
4. Identification of entry point: easy identification vs. non-identification
5. Guiding catheter to entry point angle
6. Entry of the blunt ostium of the bifurcation

최근에는 Gaia 1st, 2nd, 3rd 와이어가 CTO PCI에 도입되어 적극적으로 사용되고 있다. 이 와이어는 Conquest pro처럼 tapered tip을 갖고 있고 Gaia 3rd인 경우 high rigidity를 갖고 있어 penetration power가 좋으면서도 Miracles wire처럼 steerability가 좋으며 Sion wire처럼 whip motion이 적고 controllability가 유지된다. Gaia 1st는 Fielder series보다 약간 높은 tip rigidity를 갖고 있으면서도 비슷한 정도의 navigation power와 Sion wire의 control ability을 보유하고 있다. Gaia 2nd는 1st와 3rd의 중간 정도 tip load를 갖고 있으면서 다른 좋은 성질은 공유하고 있다. Gaia series는 CTO PCI에 있어서 antegrade approach의 성공률을 높인 일등 공신이다. 따라서 최근에는 많은 시술자들이 처음부터 적절한 Gaia wire를 선택하여 시술에 이용하고 있고 좋은 결과를 보이고 있다. 이 와이어의 가장 큰 장점은 다양한 와이

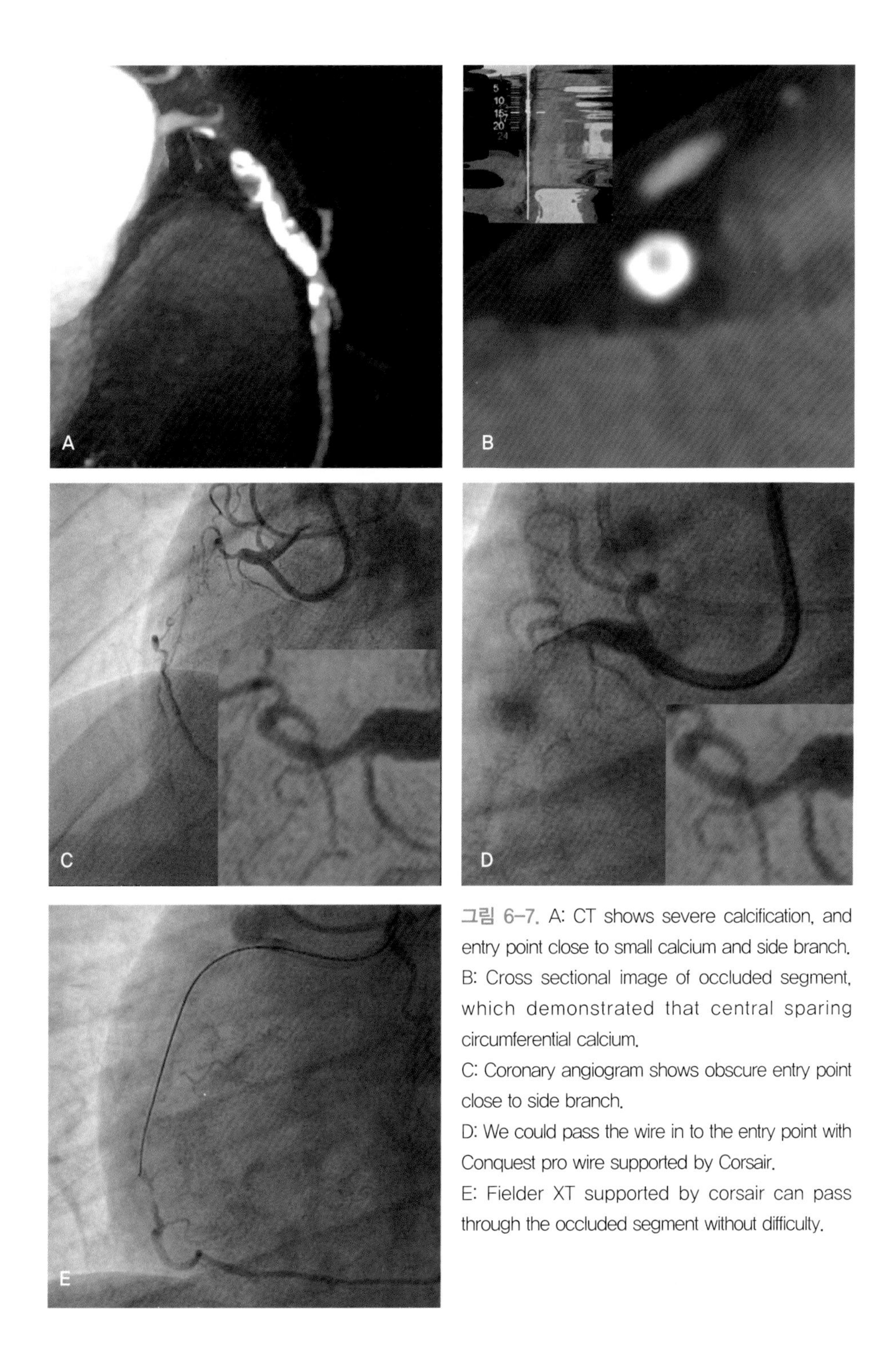

그림 6-7. A: CT shows severe calcification, and entry point close to small calcium and side branch.
B: Cross sectional image of occluded segment, which demonstrated that central sparing circumferential calcium.
C: Coronary angiogram shows obscure entry point close to side branch.
D: We could pass the wire in to the entry point with Conquest pro wire supported by Corsair.
E: Fielder XT supported by corsair can pass through the occluded segment without difficulty.

어의 장점을 두루 갖추고 있으면서 내가 원하는 방향으로 와이어의 control이 매우 용이하다는 점이다. 특히 단단한 proximal cap을 갖고 있으면서 tortuous course의 CTO 병변에서 그 진가를 발휘한다. 이런 병변에서는 좋은 관통력과 좋은 control ability를 동시에 요구하기 때문이다. Gaia 와이어는 폐쇄 병변내에서 deflection과 rotation을 통해 directional control이 가능하다. Deflection은 와이어 전진시에 tip shape에 따라 와이어 tip의 방향으로 전진하는 것이고 반대 방향으로 와이어를 돌리면(rotational control) 반대 방향으로 와이어가 전진하기 때문에 이를 반복하면서 시술자가 원하는 방향으로 와이어를 전진시킬 수 있다. 이는 Gaia 와이어가 whip motion이 없이 잘 조절되기 때문에 가능한 일이다. Gaia 와이어의 tip이 부드러울수록 deflection의 정도는 크고 단단할수록 적다. 예를 들면 석회화가 심한 병변에서는 deflection의 정도가 큰 부드러운 와이어는 적절치 않다. 또한 Gaia 와이어는 tip의 끝이 더 날카롭고 코팅이 안되어 있어 경사진 병변을 파고드는데 유리하고, tip load가 2배 이상인 Conquest pro와 비슷한 정도의 관통력을 갖고 있다. 다만 Gaia 와이어를 사용 시 주의할 점은 180도이상 회전을 주지 않고 전진과 후퇴를 반복하면서 방향을 찾아 와이어를 진입해야 한다. 특히 석회화가 심한 병변에서 drilling 방법으로 와이어를 진입 시 Gaia 와이어는 쉽게 말단부위가 부러질 수 있다. 따라서 이러한 다양한 장점들을 CTO 폐쇄 병변의 course와 조직 성상에 따라 잘 활용하면 antegrade approach의 성공률을 크게 높일 수 있다. 다음은 이러한 전략으로 CTO 병변의 시술을 시행한 예이다.

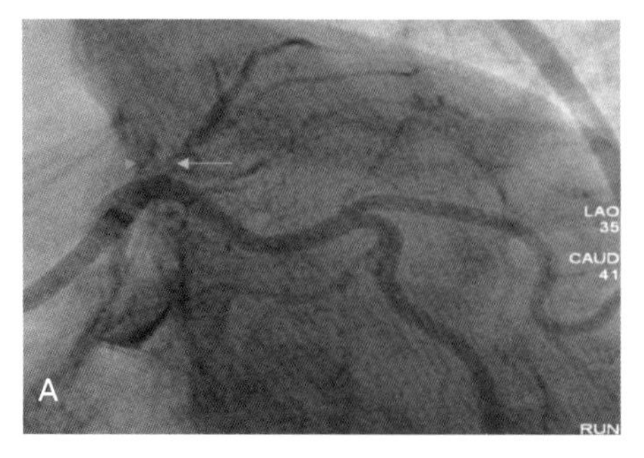

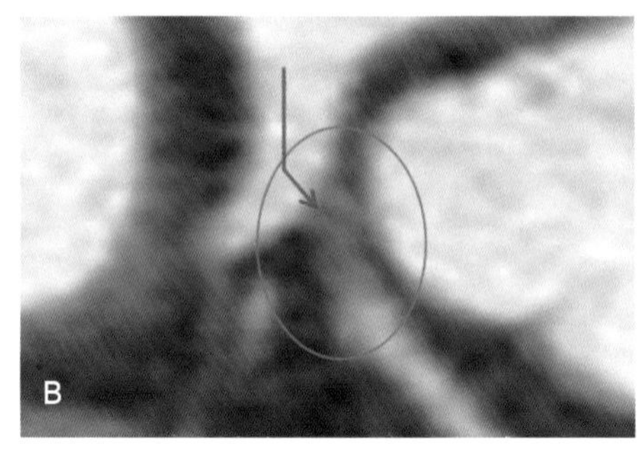

그림 6-8. A: CAG shows LAD ostial CTO. Yellow arrow indicates side branch and blue arrow indicates bridging collateral. B: Stumpless, soft tissue at occluded segment, side branch just at occluded portion, slippery angle for wire penetration.

그림 6-7에서는 entry point가 모호하고 측부가지가 있어 entry point로 와이어의 진입이 상당히 어렵다. 따라서 처음에는 Conquest pro와이어로 충분한 지지대를 확보하여 entry point로 진입을 한 후에 CACT상에서처럼 central sparing되어있는 calcification 사이로 부드러운 Fielder XT 와이어로 어렵지 않게 진강내로 진입 할 수 있었다.

그림 6-8 LAD ostial CTO 예에서는 entry point가 뚜렷하지 않고 와이어의 진입 각도가 있어 처음에 Conquest pro 와이어 같은 단단한 와이어의 각도를 충분히 만들어서 반대편 혈관을 지지대로 하여 진입을 시도하여야 한다. 하지만 일단 진입 후에

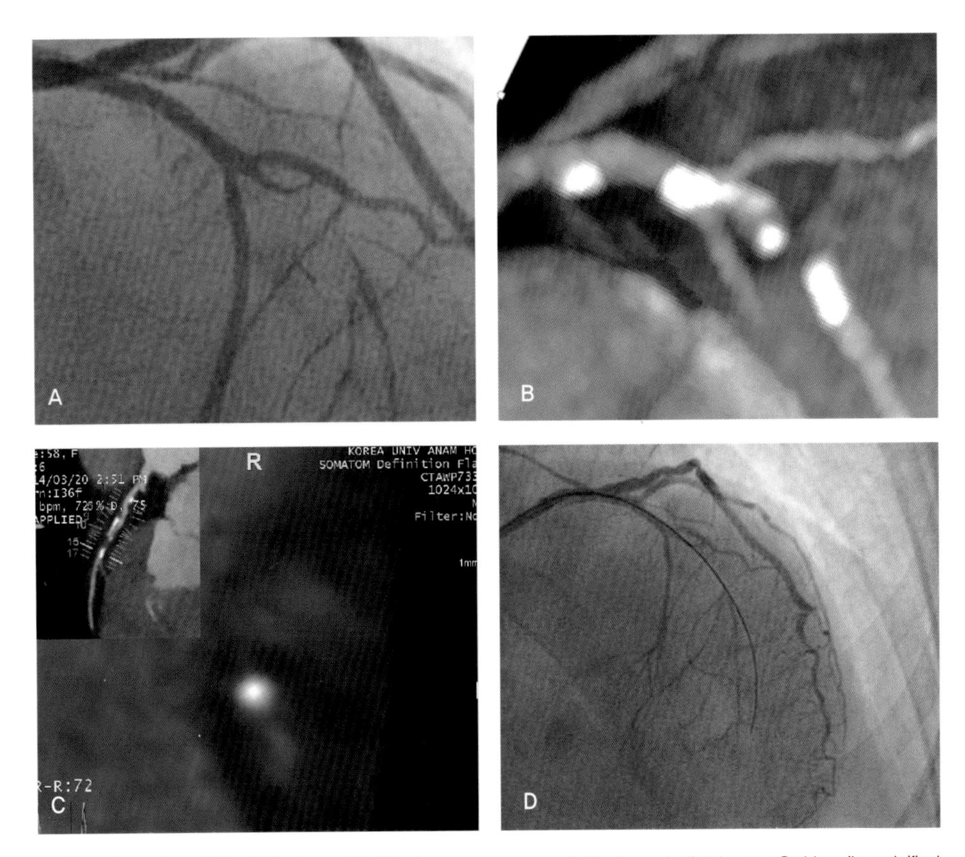

그림 6-9. A: Mid LAD CTO Case. B: CT showed severe calcification at distal cap. C: Heavily calcified burden was occupied centrally at distal cap. D: In spite of using several wires including Fielder XT, Sion, Conquest pro, wire slipped over the calcium into the false lumen and penetration into calcium was not impossible.

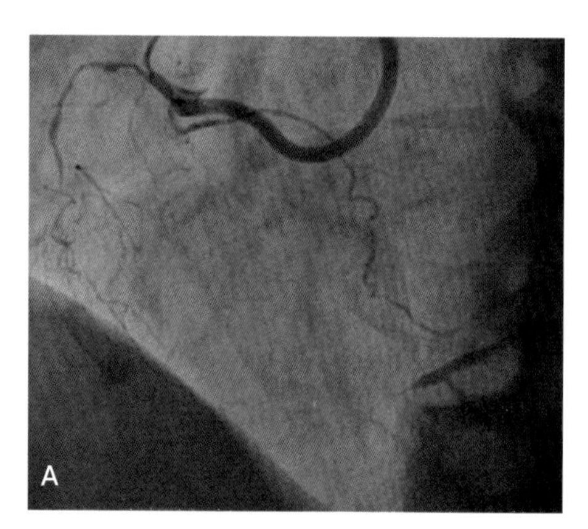

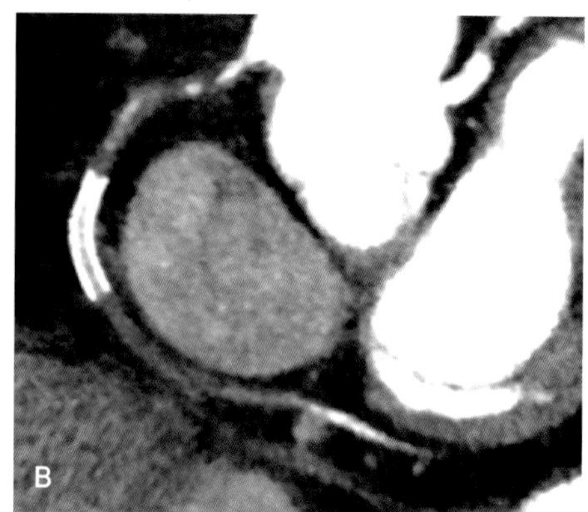

그림 6-10. A: CAG shows very long CTO of RCA B: CACT shows soft tissue without calcium at occluded segment.

는 너무 큰 커브로 인해 폐쇄병변 내에서 진행이 어렵기 때문에 마이크로 카테터를 진행한 후에 다른 와이어로 바꾸거나 커브를 다시 작게 만들어야 한다. 이런 경우에는 Gaia 3rd가 가장 좋은 와이어일 수 있다.

그림 6-9 mid LAD CTO 예에서는 CACT 상에서 distal cap의 석회화가 심하고 cross sectional image 상에서 칼슘이 거의 모든 혈관 내경을 차지하고 있어(full moon face calcification) 와이어의 진입이 거의 불가능하고, 와이어가 칼슘을 뚫고 진입한다 하여도 다음 과정이 매우 힘들게 된다. 원위부로 와이어의 조작이 어렵고 추가적인 기구, 풍선, 마이크로 카테터, 스텐트 등의 진입이 매우 힘들었다. 이 예는 결국 와이어의 혈관 천공이 발생하여 시술을 중단하였다.

그림 6-10 RCA CTO는 폐쇄 병변이 매우 길어서 시술이 어려워 보이나 CT 상 병변이 칼슘 없이 부드러운 조직으로 되어 있어 와이어 조작이 쉬운 예이다. 이 예는 Gaia 2nd로 어렵지 않게 와이어링이 성공한 예이다.

3. 단계별 가이드와이어 선택 및 와이어 조작 방법

1) 근위부 캡의 천통(Penetration of proximal cap)

(1) Selection of penetration points and typical entry points

① 관동맥 조영 사진의 자세하고 세밀한 판독

stump의 유무는 CTO의 성공률에 매우 큰 영향을 끼치므로 stump를 찾는 것이 중요하다. 따라서 분리하기 좋은 촬영각도를 선택하고 좌우 관동맥 동시 조영으로 폐색혈관의 주행을 확인하는 것이 필수이다. 때때로 CT가 일반 조영술 상에서 명확하지 않던 혹은 보이지 않던 stump의 존재를 확인하게 해준다. 조영상 stump가 보이지 않는 경우는 측부 혈행 에서 보이는 말초 측의 exit point혹은 완전 폐색 내에서 섬모양으로 비쳐지는 부분에서 entry point를 예상한다. Entry point는 말초의 측부 혈행로에 가까운 위치 끝부분에서 근위부를 향해 연장선을 그어서 전체의 위치를 예상한다. 또한 exit point와의 움직임에 협조성을 가미해서 entry point의 위치를 예상할 수 있다.

② 좌우 관동맥 동시 조영

좌우 관동맥 동시 조영시에는 편측 조영에서 불분명했던 entry point를 확인 할 수 있다. 동시 조영을 하면 측부 혈행로가 역행성으로 향해 오는 가상의 선으로부터 명확하게 entry point를 알 수 있게 된다. 마이크로 채널이 보이는 경우에도 마이크로 채널에 가이드 와이어 선단이 진입해 있는 상태에서 순행성 혈류가 소실되어 버리는 경우가 많기 때문에 contralateral puncture를 실시해서 대측 조영을 실시한다. 이 외에도 동시 조영을 하면 폐색부내에 조영제가 섬모양으로 차서 가이드 와이어의 통과 루트를 용이하게 예상 할 수 있고 또한 동시조영 영상에서는 entry point와 exit point 가 둘 다 나타나므로 완전폐색부의 진정한 길이가 정확이 추정된다는 등 여러 잇점이 있다.

③ IVUS 에 의한 entry point 확인

분지부의 완전폐색에서 stump가 완전히 없어져도 대부분의 경우는 좌우관동맥 동시 조영에 의해 비교적 정확히 entry point의 위치 추정이 가능하다. 따라서 정확한 위치와 진행해야 할 방향의 추정이 된다면 가이드 와이어 끝부분으로 주위를 찾아

entry point의 작은 dimple (움폭 들어간 곳)을 찾는 것이 어렵지 않으나 아무리 조영을 해도 entry point의 위치가 확실치 않은 경우가 있다. 이런 경우 분지부병변의 완전폐색병변에 접해있는 측지의 크기가 IVUS catheter를 주입할 정도로 크다면 IVUS에 의해 entry point를 찾을 수 있다. 이 방법을 사용하기 위해서는 일단 IVUS도관을 측지에 삽입시킨 후 일련의 IVUS 영상에 따라 IVUS 도관을 주가지의 폐색부위에 위치시킬 수 있다. 따라서 조영중 IVUS 카테터의 탐촉자(transducer)의 위치에 entry point가 있게 된다. 그러면 시술자는 조심스럽게 와이어를 조작하여 entry point에 있는 dimple을 찾게 된다.

(2) Specific techniques to penetrate the right site

① CTO병변 입구부에서 가이드 와이어 선택

제1선택 가이드 와이어로는 마이크로 채널이 있는 것으로 보이는 경우에는 Fielder XT 혹은 Fielder XT-R (Asahi, Intecc, Japan), 없는 것으로 보이며 매우 딱딱할 것 같은 병변에는 과거에는 대부분의 증례에서 폐색형태에 상관없이 Intermediate 내지는 Miracle 3g (Asahi, Intecc, Japan)을 첫번째로 선택하는 것이 일반적이었으나 최근에는 Gaia series를 먼저 권고한다. Gaia 와이어 사용에 대해서는 전술하였기에 참고바란다. 석회화가 있기 때문에 Conquest계가 아니면 통과하지 않을 것 같은 경우에는 오히려 부드러운 Floppy타입의 가이드 와이어를 선택한다.

어떤 가이드 와이어를 선택해도 가이드 와이어를 과잉 회전시켜서는 안 된다. 자입(刺入)포인트에 와이어의 선단을 닿게 하고 처음에는 좌우 각각 90도 이내의 작은 회전을 반복하여 가이드 와이어를 자입(刺入)할 수 있는가의 여부를 확인한다. 자입할 수 없는 경우에는 가이드 와이어의 선단을 조금씩 강하게 누르거나 선단의 회전을 크게 해본다. 또한, 마이크로 카테터와 over-the-wire타입의 balloon으로 백업력을 증가시킨다. 물론, 가이딩 카테터의 back-up support가 충분하다는 것은 필수사항이다.

과거에는 전혀 자입할 수 없는 경우, 이전에는 Miracle 6 혹은 Miracle 9로 변경하였는데 최근에는 굴곡이 강하지 않는 한, Conquest pro 9 내지는 Conquest pro 12

(모두 아사히 인덱사)로 변경하는 경우가 많다. Conquest pro가 통과하지 않으면 Seesaw wire법을 사용하고 한쪽 방향으로 Conquest pro를 사용한다. Conquest pro 12가 통과하지 않으면 Conquest pro 8-20으로 변경하는 것처럼 단계적 변경법을 이용한다. 하지만 최근에는 단계적으로 와이어를 선택하기보다는 여러 와이어의 장점을 갖고 있는 Gaia 3rd를 먼저 권고하기도 한다. Conquest pro 8-20은 굴곡이 강한 병변에는 사용하기 어렵지만, 랜드마크가 확실할 때에 진가를 발휘한다. Kissing wire법에서 순행성 와이어로서 매우 유용하다.

2) CTO 병변내에서의 와이어 진행(Advancement in CTO)

(1) Wire movement in CTO

① Introduction

최근 많은 새로운 도구들이 CTO 시술에 도입되고 있지만 주로 일본의사들에 의해 발전된 기존의 가이드와이어 technique들이 성공적인 CTO 시술에 핵심이 되고 근본적으로 가장 중요하게 생각된다. CTO 병변 내에서 가이드와이어를 진행시키는 주된 방법은 drilling과 penetrating technique으로 나눌 수 있다. 또한 Gaia wire의 도입으로 deflection과 rotation 방법이 도입되어 효과적으로 쓰이고 있다. 여러 방법으로 가이드와이어를 조작할 때 가장 중요한 포인트는 진행시키려는 방향의 해부학적 구조를 어떻게 명확하게 파악하는데 있다. 양측 동시 혈관조영 영상을 얻는 것이 필수적이다. 진정한 CTO 병변들을 치료하기 원한다면 절대로 가이드와이어 선단에서 전해지는 접촉감과 저항감의 느낌을 믿어서는 안된다. 볼 수 있고 보여지는 것만 믿어야 한다. 가이드와이어를 진행함에 있어 대 원칙은 '절대로 빠르게 서두르지 말고 거칠게 회전 시켜서는 안 된다'는 것이다.(Never advance it fast, and never rotate it rough)

② How to handle the GW

Drilling technique은 CTO 병변에 가이드와이어의 선단을 접촉시켜 가볍게 민 상태에서 가이드와이어를 시계방향과 반시계방향으로 번갈아 회전시키는 기술이다. 가이드와이어는 가장 부드러운 부분을 지나는 동안 병변 안으로 진입되게 된다. Penetrating technique은 회전없이 목표부위를 가이드와이어 선단으로 찔러 진입시키는 방법이다. 일반적으로 drilling technique이 가이드와이어에 의한 천공의 위험이나 내막하 박리를 만드는 것이 penetrating technique에 비해 낮고 굴곡이 심한 병변에서도 유리하기 때문에 일차적으로 시도해야 한다. 특성상 Miracle series 와이어들이 Conquest series 보다 drilling technique에 적당하다. 그러나 proximal cap이 매우 딱딱하다면 뚫어야 되는데, 이런 목적으로는 Conquest series의 tapered-tip 와이어가 유리하다. 일반적으로 가이드와이어의 penetration 능력은 tip stiffness, tip 굵기 및 미끄러운 코팅 등의 세가지 요인으로 정해진다. 대부분의 CTO 병변은 Miracle 3 와이어로 통과되나 일부 병변들은 penetrating technique에 사용되는 Conquest 12 와이어 같은 매우 딱딱한 것이 필요하다. Deflection과 rotation은 위에서 전술하였으니 참고 바란다.

③ Drilling technique

이 방법의 기본 개념은 근본적으로 drilling은 아니고 오히려 CTO 병변 안으로 가이드와이어를 sneaking 또는 slipping하는 것이다. 시계방향과 반시계방향으로 회전을 가하여 가이드와이어의 짧게 구부러진 끝이 병변의 가장 약한 부분을 찾아내고 가장 딱딱한 죽상경화반이나 혈관벽을 피해 진강으로 진입하게 된다. 이 방법의 가장 중요한 팁은 아주 세게 가이드와이어를 밀어서는 안 된다는 것이다. 가이드와이어 선단이 적당히 부드럽게 밀어도 더 이상 진행되지 않으면 강하게 밀어 진행시키는 것보다는 좀 더 강한 가이드와이어로 바꾸는 것이 더 좋은 방법이다. 가이드와이어를 세게 밀어 진행시키게 되면 아주 쉽게 내막하 공간으로 진입되게 되어 이후 시술이 어려워진다.

④ Penetrating technique

Conquest Pro series 와이어들의 penetrating power는 아주 높아서 주사바늘과 같은 역할을 수행할 수 있다. 이 방법을 사용하기 위해서는 여러 방향으로 양측 동시 혈관조영을 통해 목표지점을 확실하게 규명해야 한다. 가이드와이어 끝의 느낌을 믿지 말고 볼 수 있고 보여지는 것만 믿어야 된다.

⑤ Deflection and rotation

Gaia series 와이어들은 whip motion이 적고 torque transmission과 penetration 능력이 뛰어나기 때문에 CTO 병변내에서 방향을 잡기가 타 와이어에 비해 매우 뛰어나다. 즉 와이어를 진행시키면 와이어의 굴곡부위로 진행하고 방향이 너무 틀어지면 다시 와이어의 끝을 반대 방향으로 rotation시켜 진행시키면서 반복하면 시술자의 원하는 방향으로 와이어를 진행시킬 수 있다. 이러한 방법을 deflection and rotation이라하고 antegrade wiring에서 매우 유용하며 최근 antegrade wiring의 성공률을 높인 일등공신이며 많은 시술자들이 처음부터 Gaia series와이어를 선택하는 이유이다.

(2) False lumen vs. true lumen

그림 6-11은 CTO 병변에 가이드와이어 진행 시 내막 하로 진입되는 경우를 나타내고 있다. 첫째, entry point에서 천통 부위가 잘못 되어 비교적 약한 내막하로 진입되고 둘째, 잘 진행되다가 석회화 부위나 가이드와이어가 통과 할 수 없는 딱딱한 부

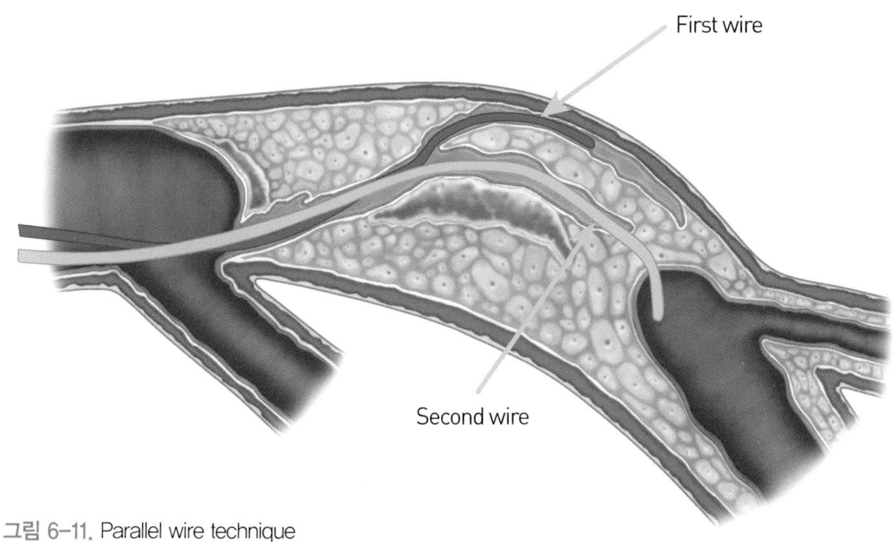

그림 6-11. Parallel wire technique

위를 만나면 방향이 바뀌면서 내막하로 진입되고, 셋째 exit point 도달 해서 마지막으로 정확히 진강방향으로 천통되지 않아 내막 하로 진입된다.

(3) How to detect subintimal location

① GW의 저항감

일반적으로 가이드와이어 선단이 폐색부 내에 있을 때는 밀고 나아갈 때 저항이 느껴지지만 진강에 진입되는 순간에 그 저항감이 소실되며 종종 뻥 뚫리는 느낌이 드는 경우도 있다. 이후에는 아무 저항 없이 말초까지 미끄러져 나아가는 경우가 많다. 가이드와이어의 저항감이 감소하였다고 해서 반드시 진강에 진입했다고 단정 지을 수 없다는 점을 항상 염두에 두어야 한다. Exit point에서 가이드와이어 선단의 저항이 감소하고 수 mm 점프하여 나아가 마치 진강에 들어간 것과 같은 움직임을 하는 경우가 있다. 이때도 내막하로 진행하는 경우가 많기 때문에 진강처럼 가이드와이어의 진행을 가속하는 일이 없도록 해야 한다. 선단이 내막하에 있을 때는 어느 정도 나아갔을 때쯤 저항이 심해져 더 이상 진행되지 않게 된다. 특히 가이드와이어 진행이 방해될 것이 아무것도 없어 보이는 부분에서 와이어 선단이 걸리는 경우는 진강이 아닌 내막하라고 생각해야 한다.

② 측부 혈행로 조영에 의한 확인

GW 선단이 exit point 통과했다고 느껴질 때 가이드와이어의 조작을 멈추고 측부 혈행로를 조영하여 와이어 선단이 진강 부분에 들어가 있는지 아닌지를 확인하는 것이 필수적이다. 이때 두 방향 이상의 각도로 가능한 가이드와이어의 축회전으로 직교하는 두 방향에서 보고 쌍방향 모두 가이드와이어가 진강에서 벗어나지 않았다는 것을 확인해야 한다. 조영제가 측부혈행로에 차 있는 중에 가이드와이어에 토크를 가해서 선단을 회전시켜 선단이 진강의 바깥으로 나가지 않는 것을 확인하는 것도 좋은 방법이다. 그러나 이 방법은 선단이 내막하에 있을 경우 위강을 크게 할 수 있어서 주의를 요한다. Exit point를 넘어서 내막하로 가이드와이어가 진입되었을 때 조작을 통해 위강이 점점 커지게 되면 그만큼 진강이 눌려 좁아지게 된다. 이렇게 되면 조영상 그부분의 측부 혈행로가 가늘게 되거나 소실되고 마는 경우가 있다. 이때는 더 이상 시술이 어려울 수 있으니 exit point를 지나서 진강이 확인되지 않은 상황에서 가이드와이어의 조작에 신중하여야 하며 위강을 크게 형성하게 해서는 안 된다.

③ IVUS

측부 혈행로가 잘 발달되지 않았거나 위강에 눌려 측부 혈행로가 사라져 더 이상 가이드와이어 진행 방향을 모르거나 진강을 확인할 수 없을 때 위강에 IVUS 카테터를 위치시켜서 가이드와이어 선단의 위치와 진강을 확인 할 수 있다. 일반적으로 위강으로 IVUS 카테터를 진입시키기 어려울 때가 많기 때문에 1.5-2.0mm 풍선으로 위강을 확장 시켜야 한다.

(4) How to get out of subintimal location

① Double or triple wire technique

주의깊게 가이드와이어를 다루더라도 종종 와이어는 exit point를 지나 선단이 내막하로 진행된다. 이 경우에는 가이드와이어를 내막 밑에 남겨둔 채 over-the-wire (OTW) 카테터를 제거한다. 더 이상 내막하에서 가이드와이어를 조작함으로써 위강을 크게하지 않게 가능한 빨리 하는 게 좋다. 강하지 않은 가이드와이어로 제거한 카테터를 병변 전까지 보낸 후 새로운 가이드와이어를 바꾼 후 진강 진입을 재시도한다. 두번째 가이드와이어의 선단 커브는 좀 더 큰 각도로 만들어야 하는데 이는 새로운 루트로 진입하게 가능하게 하여 궁극적으로는 re-entry를 만들기 쉽게 하기 위해서이다.

두번째 가이드와이어는 최초의 와이어와 같은 루트를 따라 가다가 진강과 빗나가기 시작하였다고 생각되는 point에서 진강의 방향을 겨냥해서 진행하도록 한다. 이러한 parallel wire technique (평행 와이어 기법)의 세가지 장점 중 하나는 처음 와이어가 위강으로 들어가는 잘못된 루트를 막고 있어 두번째 와이어를 바른 루트로 유도하기 쉽게 하고, 둘째는 첫 와이어가 병변내 위치하고 있어 혈관의 굴곡을 완화시켜 줄 수 있고, 마지막으로 첫 선행 와이어를 투시상의 지표로 해서 두번째 와이어의 방향을 정하여 re-entry가 가능하게 할 수 있다. 두 와이어로 성공하지 못하면 드물게 세번째 와이어를 이용해 성공할 수 있지만 너무 많은 와이어들이 서로 방해가 될 수 있으며 와이어의 조작력을 떨어뜨릴 수 있다.

이 평행와이어 기법의 팁은 다음과 같다: 1) 두번째 와이어는 처음보다 같거나 좀 더 강한 것을 선택한다. 이는 강한 와이어가 좀 더 나은 torque control ability를 가지기 때문이다. 2) 첫 와이어를 내막하에서 너무 많이 조작하지 않는 것이다. 이것은 위강을 크게 만들어 진강이 눌려 좁아지지 않게 하고자 함이다. 3) 와이어가 서로 교차되어 방해하는 것을 막기 위해 한 개 또는 두 개의 OTW system을 사용해야 한다.

두 개의 와이어를 각각 2개의 OTW system으로 조작하는 기법을 seesaw wire technique이라 한다. 평행와이어법에 비해 하나의 OTW 카테터가 더 필요해 비용이 더 들지만 이 기법은 다음과 같은 몇 가지 장점을 갖고 있다: 1) OTW 카테터를 교환하는 노력과 시간을 줄일 수 있다. 2) OTW 카테터 교환할 때 가이드 와이어의 이동을 피할 수 있다. 3) 친수성 코팅와이어가 수분이 적은 CTO 내에서 서로 붙을 수 있어 와이어 조작 시 움직임이 억제 되는 것을 방지 할 수 있다.

② IVUS-guided penetration

위의 언급한대로 표준화된 평행와이어 기법을 사용하더라도 어려운 CTO 병변에서 와이어들에 의해 종종 위강이 크게 만들어 질 수 있다. CTO의 exit point를 지나 위강이 크게 만들어지면 투시상 말초진강을 구별하기 어려워지거나 말초진강이 사라져 보이지 않기 때문에 시술을 포기해야 하는 경우가 있다. 그러나 IVUS가 이러한 상황에 돌파구가 될 수 있다. IVUS에서 보여지는 혈관분지(진강에서만 기시됨)나 혈관 내막 및 중간막(진강을 둘러싸고 있음)의 존재를 통해 위강과 진강을 구별 할 수 있다. 또한 IVUS상에서 와이어의 위치를 관찰할 수 있어 와이어가 위강에서부터 진강으로 진입된 것을 확인할 수 있다. 크게 만들어진 위강에 위치한 첫 와이어를 통해 IVUS 카테터를 진입시켜 혈관 단면상에서 와이어 선단을 보며 진강으로 진입 시킬 수 있다.

진강으로 천통하기 위해서는 Conquest-pro 12g 이나 Miracle 12g 같은 강한 와이어를 사용해야 한다. 흔히 위강내로 IVUS 카테터를 진입시키기 위해서는 1.5- 2.0mm 풍선으로 내막하를 확장해야 한다. 이 방법은 내막하에서 와이어 천공이 이미 발생된 경우에는 절대 시행해서는 안 된다. 또한 IVUS 이미지를 보면서 동시에 OTW system으로 와이어 조작을 하기 위해서는 8F 유도관이 필수적으로 필요하다. 성공적으로 와이어를 진강으로 진행시킨 후에는 확장된 위강을 완전히 덮기 위해 다수의 스텐트를 삽입해야 한다. 이 IVUS를 이용한 와이어 기법은 retrograde approach의 기회가 없는 환자에서 antegrade approach의 성공률을 높일 수 있는 마지막 단계의 유용한 시술방법이다.

(5) How to increase penetration power

① Guiding catheter

성공적인 CTO 시술의 첫단계이며 가장 핵심적인 것은 적절한 가이딩 카테터의 선택에 있다. 관동맥 개구부와 같은 궤도에 있고 충분한 백업을 가질 수 있는 것이 좋다. 일반적으로 폭넓고 적합한 형태의 2-3 종류를 쓰는 것만으로도 충분하다. 필자의 경우는 CTO 시술은 femoral approach로만 시행하고 가이딩 카테터의 굵기는 혈관크기가 적절하다면 사이드 홀이 있는 8F를 고집한다. 좌관동맥은 좌 Amplatz type (AL1 or AL2)과 extra back-up의 XB (EBU) 3.5 나 4.0을 선택하고 우관동맥은 특히 백업이 중요하므로 좌 Amplatz type (AL0.75 or AL1)을 우선적으로 선택하며 개구부가 윗쪽을 향하는 경우에도 특히 유용하다.

빈도는 높지 않지만 좌 Amplatz나 우 Judkins 카테터로 위치가 안정되지 않는 경우가 있다. 이때 가이딩 카테터 안에 또 하나의 작은 카테터를 끼워 앞부분을 혈관 깊이 넣어 사용하면 안정된 백업이 가능하다.(child in mother technique) 즉 8F 안에 6F, 7F 안에 5F 카테터를 이용한다. 이 방법은 와이어 천통시 보다 성공적인 와이어 천통 후 풍선이나 스텐트가 넘어가지 않을 때 더 유용한 방법이다.

② Over-the-wire (OTW) system

CTO 시술 시 OTW system을 사용하는 것이 일반적인데 그 장점은 가이드 와이어의 조작성이 좋아지고 다른 가이드 와이어로의 교환이 용이하다는 것 외에 가장 중요한 것으로 여겨지는 것은 OTW 카테터에 의해 가이드 와이어의 백업이 좋아진다는 것이다. OTW 카테터의 앞부분을 폐색부 entry point 바로 근처까지 진행하면 가이드 와이어의 백업이 좋아지고 시술자가 의도한 방향으로 가이드 와이어를 진행하기 쉽게 된다. 한 예로 Miracle 3g의 경우 OTW 카테터의 앞부분에서 가이드 와이어의 선단부의 거리에 따라 3g에서 9g으로 강하게 바뀔 수 있다.

③ Anchor wire, balloon technique

가이딩 카테터의 백업을 안정시켜 가이드 와이어의 천통력을 높이는 방법으로 혈관 분지로 다른 support가 좋은 가이드 와이어를 넣어두거나(그림 6–12 A) 분지 내로 적절한 크기의 풍선을 넣고 팽창시켜 가이딩 카테터를 고정하는 방법(그림 6–12 B)이 있다. 가이딩 백업에 문제가 있는 경우가 좌관동맥보다는 우관동맥이 많기 때문에 RV br. 나 Conus br. 등이 주로 이용된다. 이때 가는 분지에 가이드 조작에 의한 혈관 천공이나 박리에 주의해야 하며 잦은 풍선 확장에 혈관 손상을 방지하기 위해 적절한 크기의 풍선을 선택해야 한다. OTW 카테터로 OTW balloon을 사용하게 되면 CTO 병변의 근위부를 풍선확장을 통해 가이딩 카테터를 고정하여 백업을 증가시킬 수 있는 장점이 있다.(그림 6–12 B)

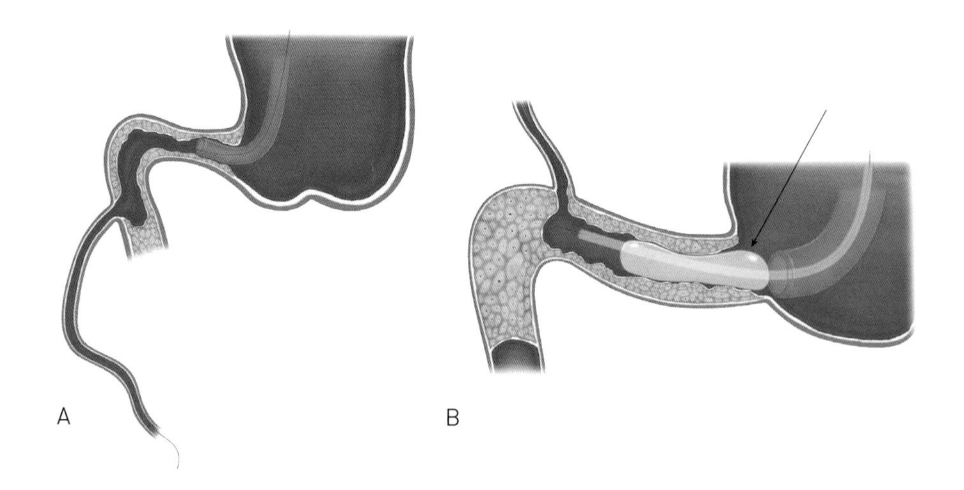

그림 6–12. **A: 지지용 와이어에 의한 고정 B: OTW 풍선카테터에 의한 고정**

3) 원위부 캡의 천통(penetration of distal cap)

(1) Selection of penetration points and typical exit points

순조롭게 진강을 진행한 경우, 여기에서의 와이어조작이 가장 중요하다. 준비 없이 복잡한 조작을 하게 되면 마지막의 fibrous cap주위의 subintimal space로 와이어의 선단이 들어가게 되어 이때까지의 노력이 물거품이 된다. 이 상황에서는 특히 여러 방향에서의 fluoroscopy (투시)에 의한 확인이 중요하다. 최종적인 천통을 하기 직전과 약간 천통한 시점을 여러 방향에서 관찰할 필요가 있다. 또한, 단순히 투시로 보지 말고 반드시 촬영할 것을 권장한다. 일반적으로 투시보다 촬영쪽이 선량이 많고 상세한 관찰이 가능하다. 이와 같은 과정을 통해 와이어의 선단이 subintimal space에 들어있지 않았음을 확인함에도 불구하고 출구를 천통하지 못할 때는 점차 딱딱한 와이어로 스텝업한다. 그래도 들어가지 않는 경우에는 Conquest 시리즈를 선택한다. 이들 중에서도 Conquest Pro 12를 처음부터 이용하는 경우가 많으며 9g의 Conquest Pro를 선택하는 경우는 적다. 이것은 양자가 가지는 torque control ability의 차이에 의한 것이다. Conquest Pro 12가 torque control ability가 뛰어나기 때문에 위강을 넓히지 않고 진강에 wire를 유도하기 쉽다. 이미 와이어가 subintimal space에 진입되어 버린 경우에는 parallel wire technique을 실시한다. 내막조직 안에서 밖으로 wire가 되어 돌아온 포인트를 알 수 있다면 거기서부터 wire를 다시 조작하게 되는데, 현실적으로는 그 포인트를 알 수 없거나 또는 만약에 알게 되었다고 해도 subintimal space가 거대하여 새로운 조작이 불가능한 경우가 많다. 특히, 석회화가 강한 혈관에서는 석회화 조직 밖을 달리는 와이어를 다시 석회화 안으로 유도하는 것은 매우 어려운 일이다. 그래서 와이어가 false lumen에 진입했을 때의 대응방법을 아래에 정리하였다.

(2) specific techniques to penetrate the right site

① Parallel wire technique

Parallel wire technique은 CTO 병변의 재소통술 여러 단계에서 각각 다른 목적으로 사용될 수 있다. 첫 번째는 CTO병변 내에서 와이어의 교환을 목적으로 시행할 수 있고 두 번째는 첫번째 와이어가 false lumen내로 진입하여 CTO 병변내에서 새로운 통로를 찾기 위해서고 세 번째로는 원위부의 CTO fibrous cap의 천공을 위해 사용할 수 있다. 원위부 fibrous cap은 흔히 dome형태를 보이기 때문에 와이어가 이 부위에 진입하였을 때 흔히 천공에 실패하고 대신에 옆으로 미끄러져 내막하강으로 들어가게 된다. 이 경우 Parallel wire technique은 원위부 fibrous cap주위에 있는 내막하강에 첫 번째 와이어를 유지하고 acute bend를 갖는 두번째의 와이어로 첫 번째 와이어를 따라 원위부 fibrous cap까지 위치시킨다. 이 경우에 두 번째 와이어는 더 단단하고 tapered tip (주로 Conquest pro)을 가지며 다른 tip curve를 갖는 와이어가 필요하다. 또한 원위부 진강의 조영과 첫 번째 와이어와의 상관관계를 확인하는 것이 원위부 fibrous cap을 천통할 가능성을 높인다. 간혹 첫 번째 와이어가 원위부 fibrous cap을 뚫고 직하부에 위치한 측부 가지쪽으로 진입한 경우에 첫 번째 와이어가 측부가지에서 주가지로 재진입이 어려운 경우가 있다. 이러한 경우는 그 부위가 굴곡이 심한 경우인데 이러한 상황에서도 Parallel wire technique은 유용하다. Parallel wire technique은 false lumen을 피하여 진강을 찾는 방법으로, false lumen의 확대를 막기 위해서라도 중요한 수기이며 첫 번째 와이어가 두 번째 와이어의 false lumen으로의 진입을 막을 수 있다는 점, false lumen에 들어간 첫번째의 와이어를 마커 와이어로 사용함으로써 두 번째 와이어의 선단의 위치확인을 위해서 자주 실시되는 조영을 생략할 수 있다는 점, 굴곡이 심한 혈관의 외형을 변하게 함으로써 두 번째 와이어의 진입을 도울 수 있다는 점에서 유용하다.

올바른 와이어 커브와 적절한 경도(硬度)의 와이어를 사용함으로써 말초측의 진강 진입이 대부분 CTO-PTCA에서 가능하다.

좌관동맥 회선지의 CTO-PCI를 나타내었다. 1번째 와이어로 선택한 Intermediate는 혈관음영의 외측에 진강을 형성하고 2번째의 Miracle 6으로 보다 급격한 선단 커브를 만들어 폐색원위단에서 진강을 천통할 수 있다. 이것은 Parallel wire technique의 기본적인 증례이다.

② Seesaw wiring method

Parallel wire technique에서 일보 전진해서 두 개의 와이어를 각각 2개의 over-the-wire 카테터로 덮은 방법을 seesaw wiring법이라고 부른다. 이 방법은 두 개의 Conquest pro 가이드와이어에 두 개의 over-the-wire 카테터를 사용하는데, 비용은 고가이지만 다음 몇 가지 점에서 고비용을 초과하는 이점이 있다. 첫 번째로 over-the-wire 카테터를 교환하는 일과 시간을 절약할 수 있다. 두 번째로 over-the-wire 카테터를 교환할 때 가이드와이어가 빠지는 것을 피할 수 있다. 세 번째로 친수성 코팅 와이어가 서로 붙어 버리는 점착을 방지할 수 있다. 이상을 종합할 때 seesaw wiring 방법의 특성은 성공률을 향상시키는데 좋은 역할을 한다.

③ IVUS-guided penetration from subintimal space

Parallel wire technique을 사용하더라도 종종 와이어가 subintimal space를 확장시켜 CTO 시술을 어렵게 만들수 있다. 일단 subintimal space가 CTO의 원위부 끝까지 확장되면 원위부 진강은 fluoroscopy상에서 더 이상 보기 어려워 진다. 이런 상황하에서는 angiographical guidance만으로는 시술이 불가능하다. 하지만 IVUS는 측부가지(진강으로부터만 기시)의 존재와 내막(intima)과 중막(media)(이것들은 진강을 에워싸나 위강은 아님)의 존재를 확인함으로써 위강으로부터 진강을 구분할 수 있다. 따라서 위강에서 진강으로 와이어가 재진입했는지 여부를 확인할 수 있다. 먼저 IVUS 도관을 위강으로 들어간 첫 번째 와이어를 따라 진입시키고 이를 통해 cross sectional information을 얻어 두 번째 와이어가 진강으로 들어가도록 유도한다. 이때 와이어는 진강으로 천통을 용이하게 하기 위해 단단한 와이어(stiff wire)(ex, Conquest or Miraclebros 12, Asahi Intecc, Japan)를 사용해야 한다. 이 방법은 때때로 IVUS 카테터를 subintimal space로 진입시키기 위해 풍선 확장이 필요하기도 하지만 와이어에 의한 천공이 의심되는 경우에는 절대로 사용해서는 안 된다. 또한 IVUS 유도하에서 와이어를 조작해야 하므로 8Fr guiding catheter가 절대적으로 필요하며 와이어가 성공적으로 병변을 통과한 후에는 확장된 subintimal space를 완전히 커버하기 위해 여러 개의 스텐트가 필요할 수 있다. 이 방법은 antegrade approach에서 와이어가 병변을 통과하지 못할 때 사용할 수 있는 마지막 방법이다.

Chapter 7

가이드와이어 지지기구 종류 및 사용요령

채인호(분당서울대병원), 김명곤(인천국제성모병원)

1. 서론

만성완전폐색에 대한 중재시술은 기존의 시술에서 사용되는 모든 수기를 집대성한 것과 같다. 만성완전폐색 시술에서 중요한 결정 중 하나는 "어떤 와이어를 사용할 것인가"인데, 그에 못지 않게 중요한 결정이 "어떤 지지기구를 통해 와이어의 효과를 백분 활용할 것인가"이다. 가이드와이어의 성능을 충분히 이끌어내고 정확하게 조정하기 위해서는 몇가지 방법이 개발되어 있는데, 5Fr 가이딩카테터, Tornus, OTW 풍선 카테터와 채널확장기(channel dilator)를 포함한 각종 마이크로카테터가 바로 그것들이다. 특히 최근에 여러 용도에서 사용할 수 있는 다양한 마이크로카테터들이 개발되면서 만성완전폐색에 대한 중재시술의 새로운 방향을 제시해주고 있다.

2. 가이드와이어 지지기구의 종류 및 사용요령

1) 5Fr 가이딩카테터

일본 테르모사의 가이딩카테터인 "5Fr Heartrail"은 6Fr 이상의 가이딩 카테터 내를 통하여 관동맥 내에 깊이 삽입함으로써 강력한 배후지지력을 얻을 수 있다. 특히, 스텐트를 삽입하는 경우에는 깊게 삽입한 가이딩카테터가 protective sheath로 사용

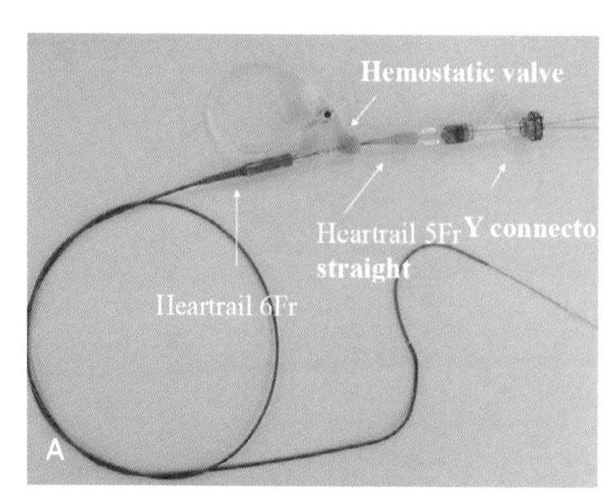

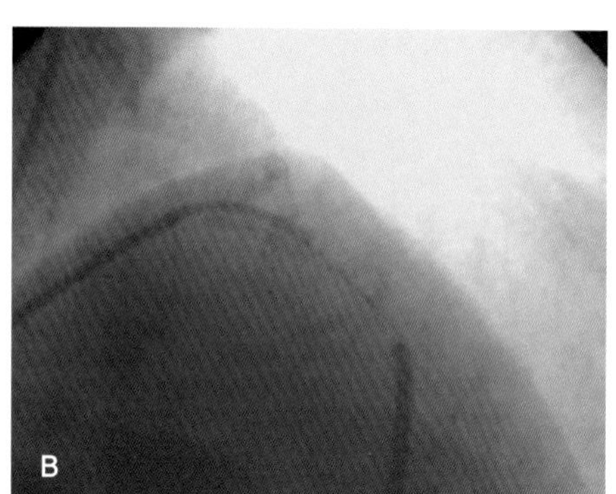

그림 7-1.

할 수 있기 때문에, 스텐트의 확실한 삽입이 가능해진다. 5Fr의 가이딩카테터를 안전하고 확실하게 삽입하기 위해서는 풍선을 관동맥내 적절한 부위에 삽입하여 확장시키고 고정한 상태에서 카테터를 삽입하는 것이 좋다. 근위부에 협착이 있는 경우에는 심좌법(deep engagement)시에 바로 앞의 혈관손상이나 허혈에 충분히 주의할 필요가 있다. 필요에 따라서 근위부의 스텐트를 삽입한 후에 내부 카테터(inner catheter)를 삽입해도 좋다.

그림 7-1은 6Fr에 5Fr 카테터를 조립한 상태(그림A)이며 그림B는 근위 좌전하행지에 석회화가 심하여 스텐트가 진입되지 않아 EBU 카테터 속에 5Fr Heartrail 카테터를 근위 좌전하행지에 위치시킨 뒤 손쉽게 스텐트 시술을 할 수 있었던 예이다.

2) OTW (over the wire) 풍선 카테터

최근 마이크로카테터를 더 많이 사용하지만 시술자에 따라 OTW 풍선 카테터를 선호하는 시술자도 있다. 사용방법 면에서는 두 기구가 유사하며 OTW 풍선 카테터는 다음과 같은 특징이 있다.

(1) 장점

첫째, OTW 풍선 카테터를 폐색부위 근처까지 진입하면 가이드와이어 앞부분의 배후지지력이 향상된다. 또한, 풍선 카테터로 병변을 확장하면서 통과할 수 있기 때문에 긴 병변에서도 최소한의 내경은 확보되어 조영제를 사용하면서 시술할 수 있다는 이점이 있고, 그것을 만성완전폐색 내에서 확장시킴으로써 고정(anchoring) 효과를 만들며 가이드와이어에 보다 강한 배후지지력을 주게 된다. 게다가 가이드와이어를 삽입했을 때 쉽게 앞 부분이 구부러지지 않아 시술자가 의도한 방향으로 가이드와이어를 진행시킬 수 있다. OTW 풍선 카테터는 비교적 똑바른 병변에 있어서 마이크로카테터보다 장점이 있다고 생각하는데 경우에 따라서는 병변 초입에 굴곡이 심할때도 도움이 된다. 우관동맥 등에서 진입점이 급하게 굽어지는 주행의 경우, 마이크로카테터 끝이 혈관 주행모양으로 휘어져 가이드와이어가 시작부분을 찾지 못하는 경우가 있는데 이 때 상대적으로 말단부가 딱딱한 OTW 풍선카테터를 사용하면 가이드와이어의 진행 방향을 정하고, 뛰어난 배후지지력의 도움으로 가이드와이어를 능숙하게 진행시킬 수 있다. 또한, 최근에는 CART 기법(Combined Antegrade-Retrograde Technique)으로 내막하부 조직을 넓히면서 가강(false lumen)으로부터 진강(true lumen)으로 가이드와이어 진입을 시도하는 경우에 OTW 풍선카테터가 사용된다. 이러한 방법으로 덜 딱딱한 가이드와이어를 선택할 수 있다는 장점이 있어, 가강으로의 진입 확률을 줄일 수 있게 한다.

둘째, OTW 풍선 카테터를 사용함으로써 별도의 마이크로카테터를 사용하지 않고도 만성완전폐색병변을 시술하기 위해 꼭 필요한 가이드와이어의 교환이 용이하고 가이드와이어 앞부분의 모양을 바꿀 수 있어 좋다.

셋째, 가이드와이어의 조작이 쉬워진다. OTW 풍선 카테터가 가이드와이어와 관동맥 사이의 마찰을 감소시키고, 굽어진 혈관을 펴주는 역할을 하며 가이드와이어가 혈관 내에서 "노는 현상"을 방지하여 정확한 조절을 가능하게 한다.

넷째, 완전폐색 부위 전에 아주 심한 협착이 있어 풍선 카테터가 통과하는 것만으로도 말초혈관의 조영이 충분히 되지 않는 경우에 풍선확장술을 통해 양호한 조영상을 얻을 수 있다.

(2) 선택 기준

① 풍선 카테터 끝이 부드러워야 하는데 끝이 딱딱한 경우 굽어진 혈관에서 혈관벽으로 향해 가이드와이어가 나오게 된다. 게다가 끝에서 가이드와이어가 구부러져 조작하기가 힘들게 된다. 하지만 때로는 OTW 풍선 카테터 끝을 폐색부위 시작점에

가까이 두면 가이드와이어 끝이 혈관축과 동축을 이루지 못해 병변 관통(penertration)이 곤란하므로 이때는 카테터 끝을 조금 빼서 축을 맞춘 다음 시술을 진행해야 한다.

② 투시상 끝의 표식을 확인하기 쉬워야 하며, 보통 풍선 가운데 1개가 있다.

③ 가이드와이어가 미끄럽게 잘 조작되어져야 가이드와이어 끝의 감촉을 손 끝으로 정확히 느낄 수 있다. 카테터의 앞 부분이 굽어져도 미끄러움이 잘 유지되는 것이 좋다. 카테터 내의 혈액으로 인하여 가이드와이어의 조작이 용이하지 않을 수 있으므로 이를 방지하기 위해 가이드와이어를 교환할 때 카테터 내를 헤파린 생리식염수로 flush하는 주의가 필요하다.

④ 딱딱하고 날카롭게 변형시킨 가이드와이어의 끝이 통과하기 쉬운 허브 부분을 가지는 OTW 풍선 카테터를 선택한다.

3) 마이크로카테터(Microcatheter)

현재 여러 회사에서 각종의 마이크로카테터가 시판되어 있다. 다양한 마이크로카테터가 개발됨에 따라 만성완전폐색의 치료방법에도 새로운 기법이 도입되고 있다. 마이크로카테터의 첫번째 목적은 배후지지력 강화이다. Finecross (Terumo), Corsair (Asahi) 등이 이런 목적으로 주로 사용되며, 앞서 언급한 OTW 풍선 카테터도 이러한 목적으로 사용된다. 마이크로카테터가 병변 앞까지 진행하여 와이어가 완전폐색 병변을 통과하는데 지지력을 제공하게 된다. 두번째 목적은 석회화가 심한 협착을 통과하기 위한 목적이다. 일반적인 CTO 와이어는 통과력이 좋은 만큼 혈관벽을 뚫고 지나가서 천공을 유발할 위험이 동시에 있다. 그래서 CTO 구간을 통과한 후에는 soft workhorse wire로 교체하는 것이 안전한데, 이때 마이크로카테터를 사용할 수 있다. 이러한 목적으로 사용하는 마이크로카테터로는 Finecross (Terumo), Corsair (Asahi), Tornus (Asahi)가 있다. 특히 Tornus는 석회화가 심한 병변을 잘 통과하고, 협착 부위를 확장시키는데 효과적이다. 세번째 사용 목적은 역행성 접근법(retrograde approach)을 사용할 때 측부혈관 선택에 도움을 얻기 위함이다. 마이크로카테터를 통한 선택조영은 측부혈관을 찾는데 큰 도움을 주며, 측부혈관에 가이드와이어가 진입한 후에도 측부혈관의 길이, 굴곡에 의해 가이드와이어의 조작성이 상당히 저하되기 때문에 마이크로카테터 사용 하에 가이드와이어를 전진키는 것이 좋다. 이러한 목적으로 그 동안 Finecross (Terumo), Corsair (Asahi)가 많이 사용되었는데, 최근 profile 이 더 작아지고 매끄러운 Caravel (Asahi)이 개발되어 마찰력이 많은 측부혈관에서 장점이 있을 것으로 기대된다.

3-1) Tornus

Tornus (Asahi Intec Corp, Japan)는 석회화(calcification)가 심하여 풍선 카테터가 통과하지 못하는 병변을 확장시키기 위한 목적으로 개발된 exchange catheter이다. Over-the-wire 카테터로 flexible하며 끝이 tapering되어있어 calcification이 심해 풍선 카테터 통과가 어려운 병변을 통과하는데 용이한 장점이 있다. 스테인레스 와이어 8개를 하나가 되도록 꼬은 속이 빈 구조로 되어 있으며, 끝이 platinum으로 용접되어 radio-opacity가 좋다. 카테터의 나사구조가 반시계 방향으로 설계되어 카테터를 반시계 방향으로 회전시키면 회전력이 카테터를 통해 전달되어 원위부 tip이 회전하면서 병변 내부를 나선형으로 통과하게 된다. 또한, 끝이 병변부 쪽으로 목을 내민 모양을 하고 있기 때문에 고정 효과도 뛰어나며 강한 배후지지력 없이도 병변 통과가 가능하다. 현재 Tornus에는 초기 모델인 "Tornus"와 distal shaft 외형이 0.88㎜(2.6Fr)의 두꺼운 "Tornus 88flex"가 있다.

이 기구가 개발된 덕분에 이전에는 OTW 풍선 카테터로 통과할 수 없었던 석회화가 심한 딱딱한 병변도 진행할 수 있게 되었다. 딱딱한 병변에 대하여 Rotablator를 사용하고 싶은 경우, 가이드와이어가 병변을 통과해도 마이크로카테터가 진행하지 못하면 Rotawire로 교환하지 못하고 결국 Rotablator를 사용하지 못하는 경우가 있다. 또한, Rotablator 사용이 여의치 못한 조영실에서도, Tornus는 매우 유효한 기구이다. Rotablator는 동맥경화반을 제거(ablate)하기 위한 목적이라면, Tornus는 병변을 통과하고 미세채널을 확장시키는데 그 목적이 있다. Rotablator를 사용할 경우에도 Tornus로 병변을 통과한 후 Rotawire로 교환, 석회화 병변의 절제가 가능하다. 또한, 이것은 딱딱한 섬유질의 폐색병변에는 매우 유효하지만 석회화가 극심한 병변에는 효과를 발휘하지 못하는 경우도 있으므로 조작에 신중해야 한다.

(1) 사용법

조작법은 가이드와이어를 torquer로 고정하고, torquer를 새끼손가락과 약지로 좁혀서 Tornus의 연결부를 엄지와 검지로 반시계 방향으로 회전시키고, 왼손으로 Tornus를 가볍게 누른다. 회전수가 20회를 초과하였을 때 다시 감기를 하여 과도한 torquer를 완화시켜 준다. 뺄 때에는 시계방향으로 회전시켜 천천히 잡아당긴다. 또한, 회전을 계속 걸면 40회 정도에서 주변의 안정장치가 파손되어 풀려있는데, 투명한 튜브 부분에 혈액이 들어가 눈으로 확인하기가 어렵다. 계속 돌리면 도중에 Tornus가 얽히게 되어 관동맥 내부인 경우에는 중대한 사고로 이어지게 된다. Tornus의 파손은 위급한 합병증이 될 가능성이 높으며 토르크를 과도하게 걸면 파손되기 쉽기 때문에 충분한 주의가 필요하다. 외경이 2.1Fr인 Tornus는 flexibility가 더 좋고 2.6Fr인 Tornus 88flex는 pushability가 더 좋은 차이가 있는데, 최근에는 Tornus 88 flex가 많이 사용되고 있다. 단, 이것을 그대로 가이드와이어 서포트로 하는 것에는 주의를 요하는데 LAD 등과 달리 굴곡이 많은 RCA에서는 Tornus 끝부분의 딱딱함 때문에 가이드와이어와 의 사이에 심한 뒤틀림 현상이 발생하여 가이드와이어 조정이 어려운 상황이 벌어질 수 있다. 따라서, 이때는 Tornus의 끝을 반드시 덜 굽어진 부분에 위치시키거나 Tornus 통과 후에 OTW 풍선 카테터로 변경하는 것이 무난하다. 그리고, Tornus 내면은 코팅되어 있지 않아, 가이드와이어와 Tornus의 금속끼리 마찰이 발생하므로, 가이드와이어가 코팅되어 있지 않으면 저항을 받기도 한다. 또한, 가이드와이어의 끝모양을 예각으로 굽힌 경우에는 삽입 시에 저항감을 느끼는 경우가 있다. 그림 7-2는 두 종류 카테터의 끝 부분을 모식화한 것이다. Exchange catheter 목적이므로 병변을 통과한 후에는 CTO 와이어 대신 보다 support가 좋고 안전한 와이어로 교체하고, Tornus를 제거한다. Tornus 후퇴 시에는 진입 시와 반대로 시계방향으로 돌려주면서 서서히 후진시키고, 힘을 주어 당기는 것은 삼가해야 한다.

3-2) Corsair

(1) 구조

Corsair는 일본의 아사히 인텍사가 개발 · 제조한 기구이다. 기본적으로 그 구조(그림 7-3)는 Tornus와 매우 비슷하며 스테인레스로 되어 있다. 샤프트 길이는 158㎝이

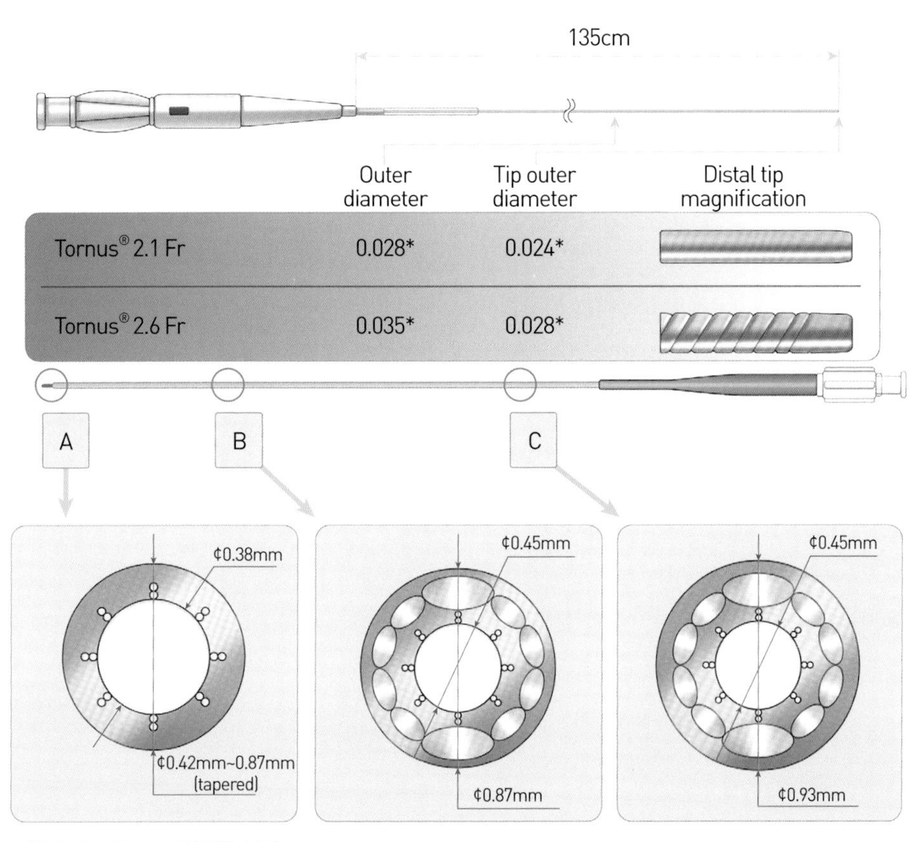

그림 7-2. . Tornus 카테터 구조

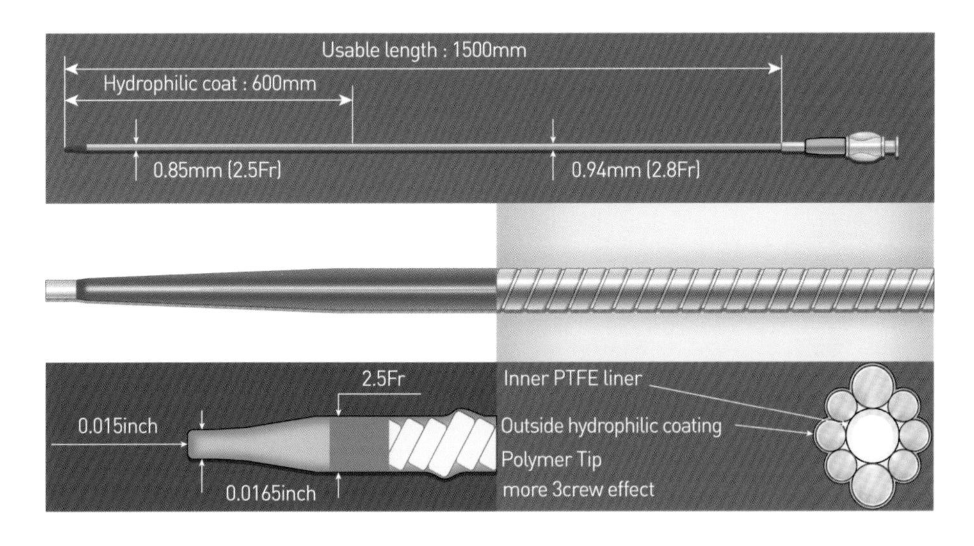

그림 7-3. Corsair 카테터 구조

며 2.5Fr이다. 내부에 PTFE liner, 외부에 8개의 텅스텐 플레이트를 가지며 그 주위는 친수성 코팅으로 되어 있다. 끝은 0.0165" inch의 두께이며 스테인레스 코일을 넣은 폴리머의 끝을 가지기 때문에 상당한 회전에도 견딜 수 있는 구조를 하고 있다.

샤프트는 그 나사 구조의 차이에 의해 Tornus에 비하여 더욱 더 회전에 강하며 끝은 유연하다. 카테터 삽입 시에 카테터 내의 플레이트에 의한 나사효과로 회전시키면서 진행하게 되며 측부혈관을 확장하는 구조이다. 친수성 코팅을 하였기 때문에 혈관손상은 적으며, 일반적으로 풍선 카테터에서의 채널의 파열은 카테터가 진행하면서 채널을 잡아늘여 발생하는데, 이 채널확장기는 카테터를 강제적으로 힘을 주어 진입시키지 않고 회전시켜 조작하기 때문에, 측부혈관의 파열을 예방할 수 있다. 마이크로카테터로서의 요소도 겸비하고 있으며 동일한 카테터에서의 조영이 가능하며 가이드와이어의 교환이 쉽고 만성완전폐색 내부에 삽입되면 가이드와이어의 조작이 용이하다는 이점이 있다. 그러므로 최종적으로는 풍선 카테터, 지지용 마이크로카테터의 사용을 줄일 수 있게 해준다.

(2) 사용법

기본적으로 Tornus의 사용방법과 유사하다. 다른 점은 Tornus보다 나사 효과가 강하기 때문에, 누를 필요가 없으며 원만하게 진행하는 카테터이다. 두께는 통상적인 풍선카테터보다 약간 두꺼운 구조인데, 끝은 앞부분이 가늘게 되어 있으며 또한 친수성 코팅 때문에 가장 매끄러운 표면구조를 가지고 있다. 또한, 끝이 금속성이 아니기 때문에 매우 유연한 반면, 통상적인 풍선 카테터에 비하여 내구성이 강해서 혈관손상의 위험성이 낮고 또한 혈관에 끼일 위험성이 적다. 그 끝과 샤프트 모두 비틀림이 적고 혈관을 따라 잘 진입하므로 측부혈관 내부를 진행하는데 가장 적합한 카테터라고 할 수 있다. 만성완전폐색병변 부위를 통과할 때는 앞으로 밀지 않고 시계방향 또는 반시계방향 둘 중, 한 방향으로만 회전을 시키면서 부드럽게 병변을 통과한다. 와이어를 교체한 후 Corsair를 제거할 때는 역시 힘을 가하지 않은 상태로, 진행 시의 반대 방향(반시계방향 또는 시계방향)으로 회전하면 부드럽게 후진할 수 있다.

중격가지에서 우관동맥뒤의 하행지에 들어갈 때 고도의 굴곡 운동을 보이는 경우가 많은데, 와이어를 통과시킨 후에 채널확장기를 조작함으로써 굴곡부를 필요에 따라 늘리는 것이 아니라 그 굴곡 운동에도 유연하게 대응하여 시술 종료 후에도 혈관을 손상시키지 않는 장점이 있다. 또한 채널확장기가 CTO 원위단의 섬유막(fibrous cap)을 관통하는 데, 통상적인 OTW 풍선 카테터에 비하여 관통력이 뛰어나다.

3-3) Crusade (Kaneka, Japan)

Crusade 카테터는 분지(bifurcation) 부위에 발생한 CTO를 치료하는데 사용할 수 있는 double-lumen 마이크로카테터이다. 그림 7-4에서 보는 것처럼 카테터 내부에 dual lumen구조를 가지고 있어, 먼저 개통되어 있는 한쪽 분지로 와이어와 함께 Crusade를 통과시킨다. 그리고 나머지 한쪽 lumen을 통해 두번째 wire를 삽입하여 CTO

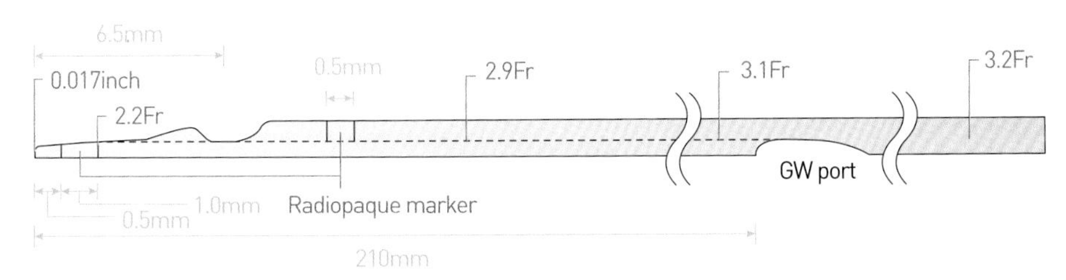

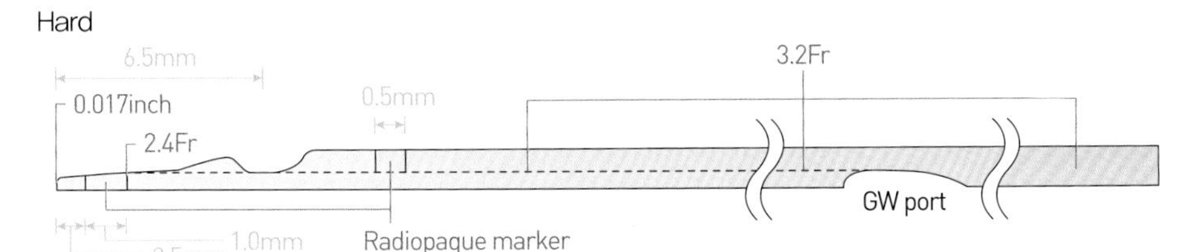

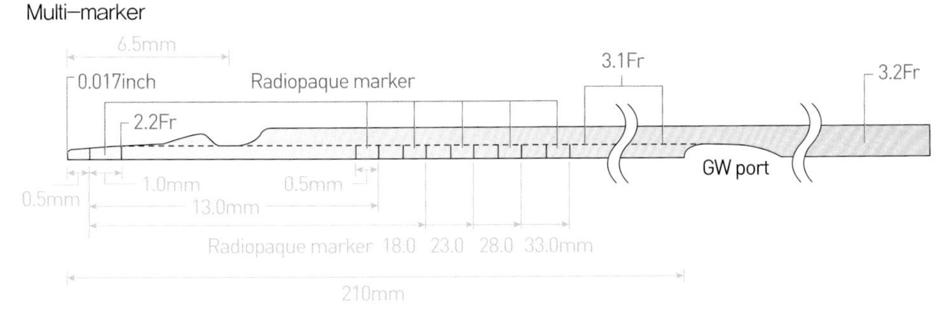

그림 7-4. . Crusade (Kaneka, Japan) 마이크로카테터

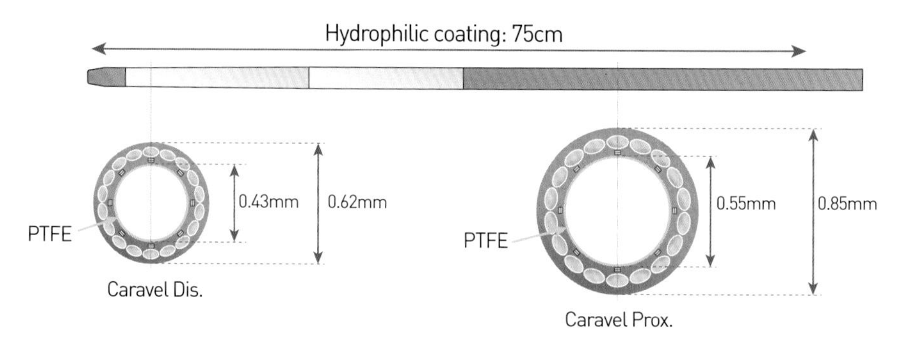

Products	O.D.			I.D.			Length	Coating Length
	Entry	Distal	Proximal	Entry	Distal	Proximal		
ASAHI Caravel	0.48mm (1.4 Fr)	0.62mm (1.9 Fr)	0.85mm (2.6 Fr)	0.40mm (0.016inch)	0.43mm (0.017inch)	0.55mm (0.022inch)	135cm	75cm
ASAHI Corsair	0.42mm (1.3 Fr)	0.87mm (2.6 Fr)	0.93mm (2.8 Fr)	0.38mm (0.015inch)	0.45mm (0.018inch)	0.45mm (0.018inch)	135cm 150cm	60cm

그림 7-5. Caravel (Asahi, Japan) 마이크로카테터

통과하는데 필요한 지지력을 제공해준다. 한편 parallel wire technique을 사용할 때도 사용할 수 있다.

3-4) Caravel (Asahi, Japan)

Caravel은 최근 일본 Asahi 사에서 개발하여 조만간 국내 출시를 앞두고 있는 마이크로카테터이다. Corsair보다 trackability가 개선되고 내강이 더 넓은 것이 특징이다. Tapered tip 구조이며 원위부 tip이 flexible하여 crossability가 개선되었다. Corsair보다 넓은 내강을 가지고 있어 와이어 조작이 용이하며, tip injection에 유리한 구조를 가지고 있다.(그림 7-5) 중격분지(septal branch)를 통한 역행 접근 시 channel dilator인 Corsair 카테터가 통과하지 못하는 만곡이 심하고 마찰 저항이 심한 측부혈관(그림 7-6. A)에 혈관 손상 없이 효과적으로 카라벨이 사용(그림 7-6. B)될 수 있다.

3. 결론

CTO PCI의 경우 시술 전에 비침습적 진단방법을 사용하여 병변의 특징을 잘 파

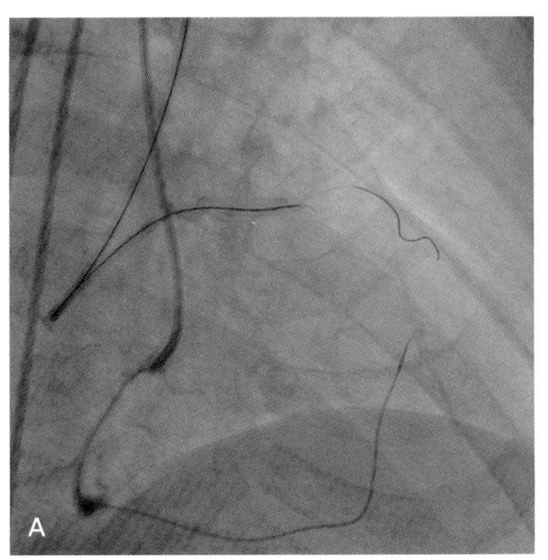

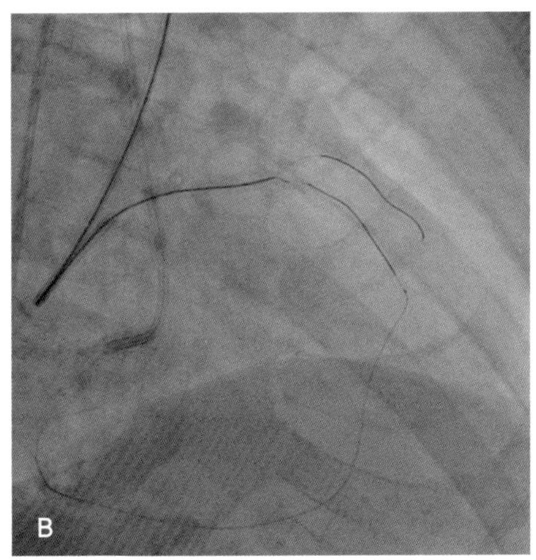

그림 7-6. . Caravel (Asahi, Japan) 마이크로카테터
A. Septal perforator 내에 마찰 저항이 심하여 Corsair 카테터가 통과하지 못함.
B. 같은 혈관에 Caravel 카테터는 저항 없이 잘 들어감.

악하고, 조영술을 통한 해부학적 구조를 분석하여, 배후지지력이 충분한 가이딩카테터를 선택하고 필요에 따라 가이드와이어나 풍선 카테터를 이용한 여러 방법, 그리고 상술한 마이크로카테터를 적절하게 사용하여 시술의 성공률을 높일 수 있을 것으로 사료된다.

Chapter 8

풍선카테터 및 스텐트 삽입 시 유의사항 및 요령

임도선(고대안암병원), 이재환(충남대병원)

1. CTO 병변의 풍선 통과를 위한 물리학적 역학관계

만성 완전 폐색(CTO) 병변에 대한 중재 시술 시 가장 큰 문제는 가이드 와이어가 병변을 통과하는 것이지만, 가이드 와이어 통과 이후에도 이러한 병변에서 풍선(balloon)이나 스텐트(stent)가 통과하기 어려운 경우가 있다.

풍선이 병변을 통과하기 위해선 풍선과 병변과의 역학관계를 물리학적으로 살펴보면, 풍선을 통과시키고자 하는 힘이 병변의 저항과 비교하여 커야만 풍선이 병변을 통과 할 수 있다.(그림 8-1)

풍선의 병변 통과 시에 통과시키고자 하는 서포트에 작용하는 힘으로는 ①가이딩 카테터(guiding catheter)의 백업능력 ②완전 폐색 병변보다 원위부에 위치시킨 유도 철선이 지지하는 저항력이며, 풍선 통과에 대한 병변의 저항력은 ③풍선 선단과 병변부와의 저항 ④병변 근위부에서 풍선 전체와 접촉하는 것의 저항이 중요한 역할을 한다. 즉, 백업능력이 저항력보다 큰 상황일 때(①+② 〉 ③+④) 풍선은 성공적으로 병변을 통과할 수 있다.

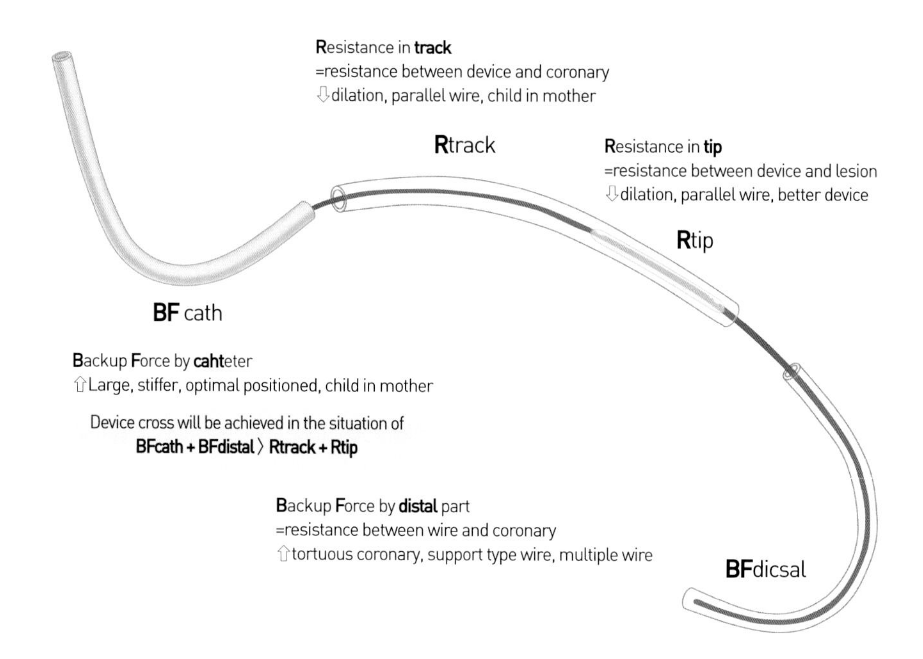

그림 8-1. Back-up support and resistance during passage of balloon catheter

2. 풍선이 통과하지 않는(balloon-uncrossable) CTO 병변의 통과법

가이드 와이어는 CTO 병변을 잘 통과하였지만 풍선의 진입이 여의치 않은 병변을 balloon-uncrossable CTO라고 하며, 전체 CTO 시술의 약 5-10% 정도에서 만나는 어려움이다. 이에 대한 다양한 해결법이 있지만 크게 (1) 병변의 형태를 변형시키는 방법(lesion modification techniques)과 (2) 가이딩 카테터의 백업 능력을 높이는 방법 두가지로 나눌 수 있다. 각 방법을 세분화하여 언급하고자 한다.

1) 작은 풍선을 이용하여 통과시키기(Advancing/Inflating a small balloon)

CTO 병변에 풍선을 통과시키기 위해 일반적으로는 처음에는 최소 지름(1.25-1.5mm)의 풍선으로 통과를 시도하는 것이 보통이나, 최근에는 이보다 더 작은 사이즈의 풍선(0.85-1.00mm)도 개발되어 사용되고 있다. CTO 통과용의 풍선 카테터는 선단의 상

(lesion entry profile)이 작고(0.015–0.018"), 부드러우며, 점점 가늘어지는 형태이면서 (tapered tip), 풍선 카테터 샤프트(shaft)가 친수성 코팅(hydrophilic coating)이 되어 있는 것이 pushability와 trackability 가 좋아서 병변을 통과하는데, 이상적이다.

주로 사용되고 있는 풍선 도자로는 Ryujin® 1.25mm (TERUMO), Maverick® 1.5mm (Boston Scientific), Splinter 1.25mm (Medtronics), SeQuent® CTO 1.5mm (B. Braun), DASAN 1.5mm (AMG Korea), Ikazuchi 1.5mm (Kaneka) 등이 있으며, 이들은 풍선 카테터 선단의 힘이 곧바로 병변에 잘 전달되고, 병변의 작은 굴곡이나 간극에도 잘 통과 되는 경향이 있으나, 이는 풍선 카테터의 고유의 특성뿐만 아니라, 시술자의 풍선 카테터의 조작법 및 시술 숙련도, 가이딩 카테터의 백업 능력등과도 밀접한 관련이 있어 모든 환자에게 동일하게 적용될 수는 없다고 생각되며, 앞으로도 더욱 더 좋은 성능의 CTO용 풍선 카테터가 개발중이여서 이에 따라 풍선 카테터 선택에 유의해야 할 것이다.

풍선 카테터를 통과하는 방법으로는, 오른손으로는 가이드 와이어를 약간씩 잡아 당기면서 동시에 왼손으로 풍선 카테터를 잡고, 앞으로 밀며 진동을 주면서 삽입하면, 진행하기가 좀 더 쉽다. 그래도 진행하지 못하는 경우에는 일단 풍선 카테터를 관상동맥 입구 혹은 가이딩 카테터 내로 잡아 당긴 후, 가이딩 카테터를 다시 좋은 방향으로 위치시키고, 풍선 카테터를 다시 삽입해서 병변 부위를 밀면 통과할 수도 있다.

잘 통과되지 않는 CTO 병변에 작은 풍선을 통과시키기 위한 몇가지 기법은 다음과 같다.

1) 중간에 마커가 하나만 있는 single marker 풍선을 가장 작은 것으로 선택하는 것이 좋고, 길이는 길수록(20–30mm) 좋다. 풍선의 두께가 마커 부분에서 가장 두껍기 때문에 양쪽에 마커가 있는 풍선은 피하는 것이 좋으며, 풍선이 길면 길수록 CTO 병변에 마커가 진입되기 전 풍선이 충분히 CTO 병변을 파고들어갈 수 있기 때문이다.

2) 만약 풍선의 진입이 더 이상 이루어지지 않는다면 풍선을 진입시키는 힘을 유지하는 상황에서 확장을 시도해서 CTO 병변의 시작부(proximal cap)을 깨뜨려 진입에 성공할 수 있다.

3) 만약 작은 풍선을 팽창시킨 이후에도 진입이 이루어지지 않는다면 새로운 풍선으로 다시 진입을 시도하거나 다른 회사제품을 사용해 볼 수 있다. OTW 풍선보다는 rapid exchange balloon (monorail)의 진입력이 일반적으로 더 좋다.

4) 간혹은 오히려 2.5-3.0mm 크기의 큰 풍선으로 시작부를 깨뜨린 후 추가적인 작은 풍선으로 병변을 통과시킬 수도 있다.

이 때 주의해야 할 점은 풍선을 진입시키면서 유도 도자가 뒤로 밀리거나 원위부 가이드 와이어의 과도한 움직임이 발생하는 일이 없도록 유의해야 한다. 과도한 가이드 와이어의 움직임으로 인해서 원위부 혈관에 손상을 줄 수 있으므로 주의를 요한다.

2) Microcatheter를 이용하여 통과시키기(Advancing a microcatheter)

가능하면 두께가 작고 부드러운 카테터(예, Finecross or Corsair)를 사용하는 것이 CTO 병변을 통과하기에 유리하다. 잘 통과되지 않는 부위를 통과시키기 위해 특별히 고안된 Tornus 카테터를 이용하면 석회화가 심하고 통과가 어려운 병변을 통과시킬 수 있다. 이 때는 시계 반대방향으로 카테터를 회전하며 진입시키고, 제거 시에는 역으로 회전시키면 된다. 또한 Corsair 카테터도 병변을 파고 들어가는 습성을 가지기 때문에 사용해 볼 수 있는데 이 때는 양방향으로 돌리면서 진입 및 제거를 하면 된다. Microcatheter가 병변을 통과하게 되면 이어서 풍선 카테터의 진입이 용이해질 수 있고, 그렇지 못한 경우에는 회전 죽상반 절제술(rotablation)을 위한 rota wire로의 교체가 가능하다.

이 때 주의해야 할 점은 풍선 진입과 마찬가지로 가이딩 카테터가 뒤로 밀리거나 가이드 와이어를 빠뜨리지 않도록 해야 하며 또한 과도한 가이드 와이어의 움직임으로 인해서 원위부 혈관에 손상을 줄 수 있음을 명심해야 한다. Tornus 카테터를 너무 심하게 돌리게 되면 끊어질 수 있기 때문에 10바퀴 이상의 회전은 피하는 것이 좋으며, 10바퀴 이전에 반대로 충분히 풀어준 후 재차 진입을 시도해야만 한다. Corsair 카테터의 경우에도 한 쪽 방향으로 너무 회전을 많이 가하게 되면 병변에 카테터가 끼어서 끝부분이 움직이지 않게 되거나 심지어는 끊어질 수 있기 때문에 주의를 요한다.

3) 가이딩 카테터(guiding cathter)의 백업 능력 증강

(1) 가이딩 카테터의 선택 및 조작법

가이딩 카테터의 백업 능력을 높이기 위해서는 가이딩 카테터의 사이즈를 크게 하는 것이 중요하며, 이를 위해서는 서혜부 접근법(femoral approach)이 더 권장된다. 그리고, 같은 사이즈의 가이딩 카테터라고 해도 XB or EBU (Extra Back-UP) 도자나 Amplatz 도자등이 Judkins 도자에 비해 선단이 길어 백업 능력이 더 강하다. 하지만, 이러한 카테터들은 삽입 시 어려움이 있을 수 있어 관상 동맥의 형상에 적절하면서 백업 능력이 강한 카테터를 선택하는 것이 중요하다. 같은 사이즈의 같은 카테터라 해도 가장 좋은 위치에 카테터를 유도하는 것이 매우 중요하며, 이를 위해서는 풍선 통과를 시도하는 동안에 카테터의 움직임을 잘 관찰할 필요가 있다. 예를 들어, 풍선을 병변으로 진행하도록 시도할 때, 가이딩 카테터가 아래로 떨어지면서 저항이 느껴지면, 가이딩 카테터를 약간 당기면서 위쪽으로 위치시키며 풍선을 진행시키고, 반대로 풍선을 진행할 때, 가이딩 카테터가 위쪽으로 어긋나면서 저항이 느껴지면, 가이딩 카테터를 조금 밑으로 누르면서 풍선을 진행시키는 것이 풍선을 통과시키는데 더 유리하다. 적절한 유도 도자의 선택 및 조작에도 불구하고 풍선 진입이 어려운 경우 다음에 설명하는 가지혈관 앵커 기법(side-branch anchor technique) 혹은 가이딩 카테터 연장법(guide catheter extension)으로 가이딩 카테터의 백업 능력을 증강시킬 수 있다.

(2) 가지혈관 앵커 기법(Side-branch anchor technique)

주로 CTO 병변에 유도철선이 통과된 후, 풍선도자가 통과되지 않는 상항에서 옆가지에 두번째 가이드 와이어를 위치시켜 그곳에 풍선을 확장시키고, 이 풍선과 옆가지 혈관의 저항을 백업능력의 하나로서 이용하는 방법이다.(그림 8-2)

이를 위해서는 가이드 와이어 하나를 심근의 공급이 적은 가지 혈관에 삽입해야 한다. 우관상동맥의 경우는 대개 conus 혹은 acute marginal branch를, 좌관상동맥은

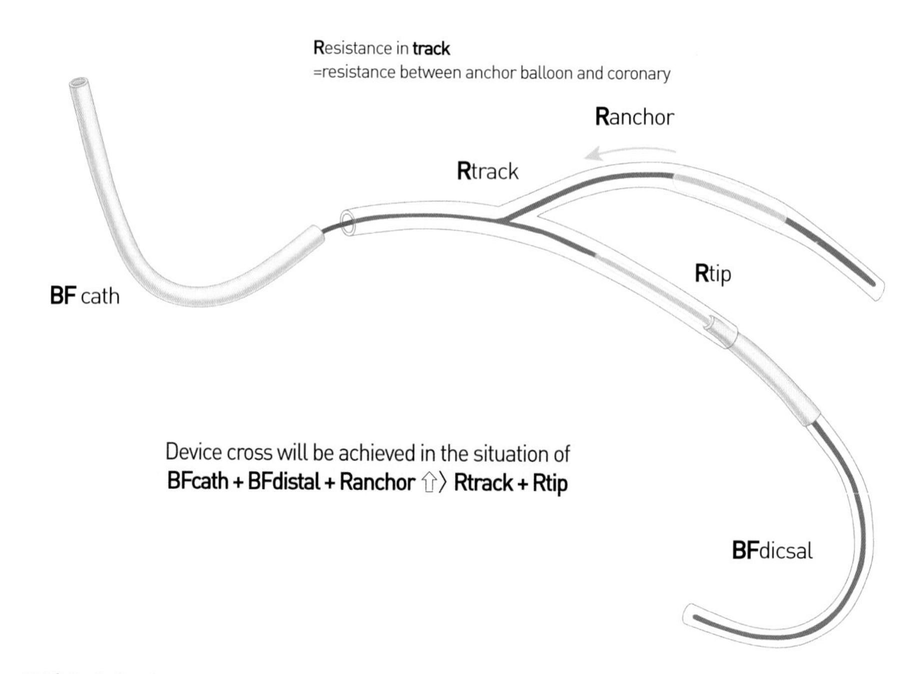

그림 8-2. Side-branch anchor technique

대개 diagonal, septal 혹은 obtuse marginal branch를 이용하게 된다. 통상적으로 앵커용 풍선은 가지 혈관의 크기에 맞추어 1.5-2.0 mm 정도의 작은 크기를 사용하게 된다. 이 때 풍선의 압력은 대개 6-8기압 정도로 높지 않게 해서 혈관 손상을 최소화하는 것이 좋겠다. 혹시 좌관상동맥의 다른 부위에 스텐트가 이미 삽입되어 있다면(예를 들어 좌전하행지 CTO 병변 치료 시 좌회선지에 스텐트가 삽입되어 있는 경우) 스텐트 내부에 충분한 크기의 풍선으로 앵커를 한다면 고압력 확장에도 손상 없이 강력한 지지를 받을 수가 있다.

앵커 기법을 시행할 때 일반적으로 주의해야 할 몇 가지가 있다.

1) 코팅된 가이드 와이어를 이용하여 옆가지에 위치시키면, 아무래도 앵커 풍선용의 가이드 와이어가 깊이 진행하는 경우가 있기 때문에 천공의 위험성이 높아 주의하여야 하며, 가능하면 비교적 안전한 와이어를 선택한다.

2) 앵커 풍선의 사이즈가 너무 크면 혈관의 손상 위험성이 높아지고, 반대로 작은 사이즈의 풍선을 위치시키면 고압을 올리더라도, 충분한 저항을 얻을 수 없어 적당

한 사이즈의 풍선을 선택한다.

3) 옆가지의 협착부위에 앵커를 하면 보다 많은 백업능력을 얻을 수 있어 도움이 된다.

4) 실제로 CTO 병변 부위로 풍선카테터를 진행시킬 때에, 앵커 풍선의 샤프트를 조금 당기면서 CTO 풍선 도자를 진행시키는데, 앵커 능력이 부족하면 앵커 풍선이 근위부로 당겨져 빠져 나오면서 혈관이 손상될 수 있어 주의가 필요하다.

(3) 가이딩 카테터 연장법(guide catheter extension)

가이딩 카테터의 연장을 위해서 우리나라에서는 Heartrail 도자를 이용하는 mother–child 기법이 주로 사용되고 있다. 아직 국내에서 사용이 불가능하지만 Guideliner (Vascular Solutions, Inc., US) 혹은 Guidezilla (Boston Scientific, US) 등의 도자를 이용하면 좀 더 손쉽게 가이딩 카테터의 지지를 향상시킬 수 있다.

4) 가이드와이어와 풍선의 전달력

병변의 원위부에 위치한 가이드 와이어의 지지력을 높여 백업 능력을 향상시키기 위해서는 가이드 와이어를 말초까지 충분히 진행시키는 것이 중요하다. 하지만, CTO 가이드 와이어의 끝은 대부분 단단하여 관통성이 높기 때문에 풍선 카테터를 통과시키기 위해서 풍선 카테터를 움직일 때, 말초혈관의 천공 위험성이 높아 반드시 주의가 필요하므로, CTO 가이드 와이어로 병변 통과 후, 가능하다면 부드러운 가이드 와이어로 바꾸어 충분히 말초로 진행시키는 것이 필요하겠다.

아무리 시도해도 풍선 카테터가 통과하지 않을 때는 병변을 통과시킨 CTO 가이드 와이어의 옆에 다시 가이드 와이어를 하나 더 통과시키는 방법이 있는데, 이는 병변 원위부에 지지력을 증강시켜, 풍선카테터의 통과시키는 힘을 증강 시킬 수 있는 장점이 있으나, 좁은 병변 부위에 가이드 와이어를 하나 더 통과시키기가 쉽지 않고, 통과시킨 후에도 병변의 내강은 두개의 가이드 와이어로 더 좁아져 이 부위로 풍선이 통과하기가 어려워, 이 때에는 한 개를 빼내어 풍선이 통과할 수 있는 공간을 만드는 방법도 사용하기도 하나, 실제 적용하기가 쉽지 않다. 하지만, 다른 방법이 없을 때, 시도해 볼 수 있다는 의미에서 알아둘 필요가 있다. 또, CTO 병변의 근위부에 있는 옆가지에 2번째 가이드 와이어를 위치시키기도 하는데, 이러한 경우에는 입구부에서 CTO 병변까지의 거리가 길고, 병변 근위부에 심한 굴곡이나 석회화 때문에 저항이 커서 풍선이 통과하기 어려운 경우에 도움이 될 수 있겠다.

풍선의 내경은 작아서, 병변의 굴곡이 심한 경우 가이드 와이어와의 마찰이 생겨 풍선 카테터의 전달이 원할하지 않는 경우가 있다. 특히, 친수성 철선(hydrophilic wire)을 사용하는 경우에는 내강 내 수분을 흡수하여 끈적이게 되거나, 때로는 친수성 코팅이 벗겨져 철선이 내강 내에서 밀착되어 철선을 움직일 수 없는 상황이 발생할 수도 있다. 친수성 코팅이 벗겨지는 상황은 재사용(reused) 철선을 사용하거나 새 철선이라 하더라도 여러 차례에 걸쳐서 풍선이나 기구를 삽입되는 과정에서 손상되는 경우, 특히 굴곡된 병변에서 사용되는 경우, 코팅이 쉽게 벗겨져 발생한다. 이런 경우에는 풍선과 함께 와이어를 제거하여 체외에서 잘 움직여지는 지 확인하고, 새 와이어을 사용해야 하나, CTO 병변을 통과한 가이드 와이어는 한번 빼게 되면 다시 통과되지 않는 경우가 많이 있어, 한번 통과한 가이드 와이어를 빼기 전에는 다른 선택의 여지가 없는지 신중히 생각할 필요가 있다.

5) Grenadoplasty (Intertional balloon rupture, 'Balloon-assisted microdissection (BAM)' technique)

작은 풍선으로도 병변이 통과하지 않을 때 1.0-1.5mm 크기의 작은 풍선을 가능하면 최대로 진입시킨 후 최대압력 이상으로 풍선을 팽창시켜 터뜨리는 기법이다. 풍선이 터지면서 CTO 병변의 경화반을 변형시켜 그 다음 풍선의 진입을 허용하도록 해주는 기법이다. 하지만 이 기법은 근위부 혈관손상 혹은 파열에 유의해야 하고, 터진 풍선을 빼내지 못하는 어려움에 부딪힐 수도 있어 주의를 요한다.

6) 회전죽종절제술(Rotational atherectomy)

회전중족절제술은 시행할 수만 있다면 풍선 및 스텐트 등 추가적인 기구 진입이 대부분 용이해지는 장점이 있다. 하지만 이를 위해서는 0.009 인치의 특수한 가이드와이어인 rota wire를 원위부까지 깊숙히 진입시켜야만 한다. 이를 위해서는 일반 가이드 와이어를 통과시키고 microcatheter를 원위부까지 진입시켜 교체 작업을 해야 하므로 microcathter자체가 진입되지 않는 CTO 병변에 있어서는 적용이 쉽지 않다. Microcatheter가 CTO 병변의 일부까지만 진입되고 더 이상 진입되지 않는 경우 microcatheter를 최대한 진입시킨 후 CTO wire를 제거하고 microcatheter 내부를 통하여 rota wire를 원위부까지 진입시키는 방법을 조심스럽게 시도해 볼 수 있다. 일단 rota wire가 원위부에 안착될 수만 있다면 무사히 회전죽종절제술을 성공할 수 있다.

7) 레이저(Laser)

엑시머 레이저를 이용한 중종제거술(Excimer laser coronary atherctomy, ELCA)로 병변을 통과시킬 수 있는데 우리나라에서는 적용하기 어렵다.

8) 점막하 통과법(Subintimal crossing technique)

추가적인 가이드와이어를 이용하여 고의로 점막하(subintima)로 CTO 병변을 통과시킨 후 미리 진입된 가이드와이어의 유도 하에 원위부 진강(true lumen)내로 재진입시키는 방법이다. 이 가이드와이어를 통해 풍선을 점막하에서 확장시켜 CTO 병변을 변형시키거나, 원위부에서 풍선을 확장시켜 첫 번째 와이어를 앵커시키면서 CTO 병변에 풍선을 통과시키는 기법이다. 하지만 이 방법은 추가적인 와이어의 진입에 시간이 소비되고 실패할 가능성이 있으며, 점막하 혈종이 원위부 동맥으로 파급될 수 있기 때문에 최후의 방법으로 남겨두는 것이 좋겠다.

3. 풍선이 확장되지 않는(balloon-undilatable) CTO 병변

풍선 확장이 어려운 balloon-undilatable 병변은 일반 중재술보다 CTO 시술 시 더 자주 만나게 된다. 이는 대개 심한 석회화 때문이며, 스텐트 삽입 전 충분한 확장을 이루지 않게 되면 스텐트 삽입도 어려울 뿐더러 스텐트 삽입 후 충분한 내경을 얻을 수 없기 때문에, 스텐트 삽입 전 풍선 확장을 충분히 하는 것이 필수적이다. 이러한 병변의 해결을 위해서는 대개 순차적인 방법을 적용하게 되는데 그 순서는 다음과 같다. 1) 고압력 풍선 확장, 2) Buddy wire, 3) Angiosculpt 혹은 cutting 풍선, 4) 회전죽종절제술, 5) 점막하 확장법.

1) 고압력 풍선 확장(High pressure dilatation)

탄성이 적은(non-compliant) 풍선을 이용하여 최대의 압력(대개 20-30기압)으로 확장시키는 방법이다. 이 경우 고압력용 풍선은 가능하면 짧은 것을 선택하는 것이 효과를 극대화하면서 위아래 혈관 손상을 줄이는 데 도움이 된다. 풍선 확장은 수차례 반복하는 것이 좋으며, 30-60초 정도 비교적 긴 시간 확장하는 것이 좋다. 관동맥의 손상이나 파열을 최소화하기 위해서 풍선의 크기가 너무 큰 것은 피하는 것이 안전하다. 그러므로 풍선의 크기는 혈관보다 약 0.5 mm 작은 것을 먼저 선택하는 것이 안전하고, 그럼에도 불구하고 스텐트 삽입이 어려운 경우 혈관크기와 동등한 풍선을 추가적으로 선택하는 것이 좋다. 고압력 풍선으로 손상을 준 부위는 가능하면 스텐트로 모두 덮어주는 것이 혈관박리를 최소화하면서 재발을 방지하는 데 유리하다.

2) Buddy wire

추가적인 유도철선을 삽입한 후 고압력 풍선 확장을 하면 이로 인해 cutting balloon의 효과를얻을 수도 있다는 고안에서 나온 방법으로 'poor man's cutting balloon 기법이라고도 불린다. 하지만 이 방법의 효과는 미미한 경우가 많으며, 추가적인 가이드와이어의 진입 과정에서 가강으로 진입이 이루어질 수 있기 때문에 주의를 요한다.

3) Angiosculpt 혹은 cutting 풍선

풍선에 여러 개의 철선이 감겨 있는 angiosculpt 혹은 칼날이 달린 cutting 풍선을 이용하여 단단한 경화반을 깨뜨리는 방법이다. 하지만 이들 풍선은 병변으로의 진입이 좀 더 어려운 경우가 많아 가이딩 카테터의 백업이 더 좋아야 한다. 또한 혈관 손상이나 파열의 가능성이 더 높고, 확장술 후 풍선이 끼어(특히 풍선이 터진 경우) 제거가 어려운 상황이 발생할 수 있어 주의를 요한다. Cutting 풍선은 가능하면 천천히 확장시켜야 하며 14기압 이상 팽창시키는 것은 피해야 한다.

4) 회전죽종절제술(Rotational atherectomy)

Rota wire를 원위부까지 진입시킬 수만 있다면 회전죽종절제술은 추가적인 스텐트 통과 및 적절한 팽창에 있어 매우 유리한 시술법이다. 이 때 처음부터 너무 큰 burr

를 이용하는 것보다는 1.25-1.5mm 직경의 작은 burr부터 순차적으로 적용시키는 것이 안전하다.

5) 점막하 확장법(Subintimal lesion crossing)

이는 위의 balloon-uncrossable CTO 병변의 통과법에서 언급한 내용이다. 점박하 부위를 통해 풍선을 확장시킨 후 스텐트까지 점막하에 삽입하는 것을 시도할 수 있다.

4. CTO 병변의 스텐트 삽입술

1) 스텐트 타입(stent type)

CTO 병변은 재발률이 높기 때문에 재발률이 적은 스텐트를 선택하는 것이 필수적이다. 현재로서는 2세대 DES의 선택이 가장 좋은 방법이다. 녹아 없어지는 bioabsorbable scaffolds의 성적이 기대되는데 특히 late-acquired malapposition의 가능성이 더 큰 CTO 병변에 있어 도움이 될 가능성이 있다. 스텐트의 임상은 14장을 참조하기 바란다.

2) 적절한 크기의 스텐트 삽입(stent optimization)

2세대 DES를 사용하더라도 CTO 병변은 재발률이 10-15% 내외로 높고 스텐트 내 혈전증의 가능성도 크기 때문에 적절한 스텐트 확장이 매우 중요하다. 이를 위해서는 적절한 크기의 스텐트 선택, 고압력 확장 및 혈관내 초음파가 도움이 된다.

(1) 적절한 스텐트 직경의 선택

CTO 병변의 원위부 혈관은 flow-mediated vasoconstriction 및 negative remodelling이 흔하기 때문에 스텐트가 혈관보다 작게 선택되는 경우가 매우 흔하다. Park JJ 등은 개통이 이루어진 69%의 CTO 병변에서, 6개월 추적 시 내경의 두께가 평균 0.4mm 커진 것이 보고하였다. 너무 작은 스텐트가 선택되면 재협착, late-acquired malapposition 및 스텐트 내 혈전증의 발생 가능성이 크기 때문에 적절한 직경의 스텐트를 선택하는 것이 필수적이다. 하지만 과도하게 큰 스텐트의 선택은 혈관손상 혹은 파열을 유발할 수 있어 주의가 따른다. 혈관내 초음파 혹은 OCT 검사가 도움이 된다. 또한 너무 길게 CTO 병변을 스텐트로 도배하듯 치료하는 것은 재발 및 혈전증 가능성을 높이기 때문에 피하는 것이 좋겠다.

3) 고압력 팽창(high-pressure inflation)

스텐트의 적절한 확장을 위해서 고압력 팽창이 필요한데, 특히 석회화가 심한 CTO 병변에서 필수적이다. 이 때는 가능하면 non-compliant 풍선을 이용하여 스텐트 안에서만 팽창하는 것이 안전하다.

4) 혈관내 초음파(intravascular imaging) 혹은 OCT (optical coherence tomography)

이 두가지 영상 기법은 적절한 크기 및 길이의 스텐트 선택, 충분한 확장 및 혈관 손상을 줄이는 데 있어 도움이 되어 결과적으로 좋은 임상 성적을 얻을 수 있다. 특히 CTO 병변은 조영술 만으로 병변의 적절한 성상을 평가하기가 어렵기 때문에 도움이 된다.

5. 결론

CTO 병변은 단단하고 석회화가 심하기 때문에 가이드와이어가 성공적으로 통과하더라도 풍선 및 스텐트의 진입 및 팽창이 어려운 경우가 흔하다. 이러한 상황에서 위에 언급한 다양한 방법들을 적절히 활용하면 성공률 및 장기적 임상 성적을 향상시킬 수 있을 것이다.

참고문헌

1. Akira Tsuji. Coronary Intervention 2008;4(4):89–94.
2. Sirnes PA, Golf S, Myreng Y, Molstad P, Emanuelsson H, Albertsson P, Brekke M, Mangschau A, Endresen K, Kjekshus J. Stenting in Chronic Coronary Occlusion (SICCO): a randomized, controlled trial of adding stent implantation after successful angioplasty. J Am Coll Cardiol 1996;28:1444–51.
3. Rubartelli P, Niccoli L, Verna E, Giachero C, Zimarino M, Fontanelli A, Vassanelli C, Campolo L, Martuscelli E, Tommasini G. Stent implantation versus balloon angioplasty in chronic coronary occlusions: results from the GISSOC trial. Gruppo Italiano di Studio sullo Stent nelle Occlusioni Coronariche. J Am Coll Cardiol 1998;32:90–6.
4. Mori M, Kurogane H, Hayashi T, Yasaka Y, Ohta S, Kajiya T, Takarada A, Yoshida A, Matsuda Y, Nakagawa K, Murata T, Yoshida Y, Yokoyama M. Comparison of results of intracoronary implantation of the Plamaz–Schatz stent with conventional balloon angioplasty in chronic total coronary arterial occlusion. Am J Cardiol 1996;78:985–9.
5. Hoher M, Wohrle J, Grebe OC, Kochs M, Osterhues HH, Hombach V, Buchwald AB. A randomized trial of elective stenting after balloon recanalization of chronic total occlusions. J Am Coll Cardiol 1999;34:722–9.
6. Buller CE, Dzavik V, Carere RG, Mancini GB, Barbeau G, Lazzam C, Anderson TJ, Knudtson ML, Marquis JF, Suzuki T, Cohen EA, Fox RS, Teo KK. Primary stenting versus balloon angioplasty in occluded coronary arteries: the Total Occlusion Study of Canada (TOSCA). Circulation 1999;100:236–42.
7. Lotan C, Rozenman Y, Hendler A, Turgeman Y, Ayzenberg O, Beyar R, Krakover R, Rosenfeld T, Gotsman MS. Stents in total occlusion for restenosis prevention. The multicentre randomized STOP study. The Israeli Working Group for Interventional Cardiology. Eur Heart J 2000;21:1960–6.
8. Sievert H, Rohde S, Utech A, Schulze R, Scherer D, Merle H, Ensslen R, Schrader R, Spies H, Fach A. Stent or angioplasty after recanalization of chronic coronary occlusions?(The SARECCO Trial). Am J Cardiol 1999;84:386–90.
9. Rahel BM, Laarman GJ, Suttorp MJ. Primary stenting of occluded native coronary arteries II—rationale and design of the PRISON II study: a randomized comparison of bare metal stent implantation with sirolimus–eluting stent implantation for the treatment of chronic total coronary occlusions. Am Heart J 2005;149:e1–3.
10. Suttorp MJ, Laarman GJ, Rahel BM, Kelder JC, Bosschaert MA, Kiemeneij F, Ten Berg JM, Bal ET, Rensing BJ, Eefting FD, Mast EG. Primary Stenting of Totally Occluded Native Coronary Arteries II (PRISON II): a randomized comparison of bare metal stent implantation with sirolimus–eluting stent implantation for the treatment of total coronary occlusions. Circulation 2006;114:921–8.
11. Lotan C, Almagor Y, Kuiper K, Suttorp MJ, Wijns W. Sirolimus–eluting stent in chronic total occlusion: the SICTO study. J Interv Cardiol 2006;19:307–12.
12. Holmes D. Complex lesions in the e–Cypher Registry. Presented at the Transcatheter Therapeutics 2004 Scientific Sessions, September 28–October 1, 2004, Washington, D.C.
13. Hoye A, Tanabe K, Lemos PA, Aoki J, Saia F, Arampatzis C, Degertekin M, Hofma SH, Sianos G, McFadden E, van der Giessen WJ, Smits PC, de Feyter PJ, van Domburg RT,

Serruys PW. Significant reduction in restenosis after the use of sirolimus-eluting stents in the treatment of chronic total occlusions. J Am Coll Cardiol 2004;43:1954-8.
14. Werner GS, Krack A, Schwarz G, Prochnau D, Betge S, Figulla HR. Prevention of lesion recurrence in chronic total coronary occlusions by paclitaxel-eluting stents. J Am Coll Cardiol 2004;44:2301-6.
15. Nakamura S, Muthusamy TS, Bae JH, Cahyadi YH, Udayachalerm W, Tresukosol D. Impact of sirolimus-eluting stent on the outcome of patients with chronic total occlusions. Am J Cardiol 2005;95:161-6.
16. Ge L, Iakovou I, Cosgrave J, Chieffo A, Montorfano M, Michev I, Airoldi F, Carlino M, Melzi G, Sangiorgi GM, Corvaja N, Colombo A. Immediate and mid-term outcomes of sirolimus-eluting stent implantation for chronic total occlusions. Eur Heart J 2005;26:1056-62.
17. Abizaid A, Chan C, Lim YT, Kaul U, Sinha N, Patel T, Tan HC, Lopez-Cuellar J, Gaxiola E, Ramesh S, Rodriguez A, Russell ME. Twelve-month outcomes with a paclitaxel-eluting stent transitioning from controlled trials to clinical practice (the WISDOM Registry). Am J Cardiol 2006;98:1028-32.
18. Grube B, Biondi Zoccai G, Sangiorgi G et al. Assessing the safety and effectiveness of TAXUS in 186 patients with chronic total occlusions: insights from the TRUE study. Am J Cardiol 2005;96:37H.
19. Buellesfeld L, Gerckens U, Mueller R, Schmidt T, Grube E. Polymer-based paclitaxel-eluting stent for treatment of chronic total occlusions of native coronaries: results of a Taxus CTO registry. Catheter Cardiovasc Interv 2005;66:173-7.
20. Nakamura S, Nakamura S, Bae JH et al. Four-year durability of sirolimus-eluting stents in patients with chronic total occlusions compared with bare metal stents: multicenter registry in Asia. Am J Cardiol 2007;100:93L.
21. Suttorp MJ, Laarman GJ. A randomized comparison of sirolimus-eluting stent implantation with zotarolimus-eluting stent implantation for the treatment of total coronary occlusions: rationale and design of the PRImary Stenting of Occluded Native coronary arteries III (PRISON III) study. Am Heart J 2007;154:432-5.
22. Hoya A, Ong ATL, Aoki J et al. Drug-eluting stent implantation for chronic total occlusion: comparison between the sirolimus- and paclitaxel-eluting sent. Eurointerven2005;1:193-7.
23. Nakamura S, Bae JH, Cahyadi YH, Udayachalerm W, Tresukosol D, Tansuphaswadikul S. Comparison of efficacy and safety between sirolimus-eluting stentand paclitaxel-eluting stent on the outcome of patients with chronic total occlusion: multicenter registry in Asia. Am J Cardiol 2005;96:38H.
24. Nakamura S, Bae JH, Cahyadi YH et al. Comparison of efficacy and durability of sirolimus-eluting stents and paclitaxel-eluting stents in patients with chronic total occlusion: multicenter registry. Am J Cardiol 2007;100:93L.
25. Nakamura S, Bae JH, Yeo HC et al. Drug-eluting stents for the treatment of chronic total occlusion: a comparison of sirolimus, paclitaxel, zotarolimus, tacrolimus-eluting and EPC capture stents: multicenter registry in Asia. Am J Cardiol 2007;100:16L.
26. Suarez de Lezo J, Medina A, Pan M et al. Drug-eluting stents for the treatment of chronic total occlusions: a randomized comparison of rapamycin- versus paclitaxel-eluting stents. Circulation2005;112:II-477.
27. Jang JS, Hong MK, Cheol WL et al. Comparison between sirolimus- and paclitaxel-

eluting stents for the treatment of chronic total occlusion. J Invas Cardiol 2006;18:205–8.
28. 김무현 역. PTCA 테크닉 만성완전폐색. 진기획. 2004
29. Patel SM, Pokala NR, Menon RV, Kotsia AP, Raja V, Christopoulos G, Michael TT, Rangan BV, Sherbet D, Patel VG, Abdullah SA, Hastings J, Grodin JM, Banerjee S, Brilakis ES. Prevalence and treatment of "balloon–uncrossable" coronary chronic total occlusions. The Journal of invasive cardiology. 2015;27:78–84
30. Park JJ, Chae IH, Cho YS, et al. The recanalization of chronic total occlusion leads to lumen area increase in distal reference segments in selected patients: an intravascular ultrasound study. JACC Cardiovasc Interv. 2012;5:827 – 836.

Chapter 9

전향적 접근법을 이용한 시술법

김동빈(성바오로병원), 김희열(부천성모병원), 조병렬(강원대병원)

최근 발달된 시술방법과 기구들로 인해 만성폐색병변 시술의 성공률을 많이 높여 주었다. 만성폐색병변 시술은 전향적과 후향적 접근법으로 나눌 수 있다. 후향적 방법이 만성폐색병변 시술의 성공률을 높이는데 많은 기여를 하고 있지만, 전향적 방법은 기술적인 방법, 안전성, 그리고 경비측면에서 여전히 만성폐색병변 시술의 주된 방법이다.

1. 접근경로(access route) 및 가이딩 카테터 선택

큰 구경의 카테터를 이용할 수 있기 때문에 대퇴동맥 접근법이 선호된다. 대동맥의 굴곡이 심하면, 30cm이상의 긴 sheath를 사용하면 도움이 된다. 카테터는 관동맥 개구부(coronary artery ostium)와 동축정렬(coaxial orientation)을 이루어야 충분한 배후지지력(optimal back-up force)을 얻을 수 있어야 한다. 좌관동맥의 만성폐색병변에 대한 시술시에 전통적인 좌 Judkins 카테터보다 extraback up shape (e.g. XB, EBU, BL)가 선호된다. 짧은 좌주간지가 있을 시 좌회선지에 대한 시술은 AL이 적합하다. 우관상동맥은 side hole이 있는 amplantz가 선택되어진다. 근위부 만성폐색병변 또는 ostial 병변에서는 AL이 효과적이지 못하고, 위험할 수 있다. 이때는 우 Judkins이 효과적이다. 더 많은 배후지지력을 위해, anchor technique이 필요할 때가 있다. 좋은 지지력을 줄 수 있는 7Fr/8Fr guide 카테터가 일반적으로 사용되는데, 큰 구경을 가지고 있어, 다수의 가이드 와이어와 마이크로카테터의 동시 사용이 가능하다. 6Fr 카테터 또는 경동맥 접근법은 단순 만성폐색병변에 사용될 수 있다. 만약에 IVUS와 마이크로카테터를 동시에 사용하기 위해서는 8Fr 카테터가 요구된다.

2. 관동맥 조영 사진의 자세하고 세밀한 판독

시술의 첫번째 단계로 무엇보다 좋은 관동맥사진을 얻는 것이 중요하다. 사진을 찍을 때 distal 만성폐색병변 bed를 보기 위해 prolong dye injection이 필요하고, 확대를 하지 말고 전체를 보는 것이 필요하다. 그리고 occlusion과 donor vessel을 same projection에서 보는 것이 필요하다. 이러한 과정을 통해 만성폐색병변의 entry 와 exit 위치를 명확하게 파악하는 것이 필요하고, 또한 어디 부분에 와이어를 진행시켜야하는 지에 대한 완벽한 이해가 요구된다. Calcium, sandbar (island), 그리고 vessel branch는 angiogram을 이해하는 데 도움을 준다. 최근에 coronary computed tomography (CT)를 통해 만성폐색병변의 길이와 범위, calcium의 위치와 분포에 대한 정보를 얻을 수 있다. Long occlusion과 심한 석회화는 만성폐색병변 시술에 대한 중요한 negative predictor이다. 많은 만성폐색병변 전문가들은 만성폐색병변 시술전에 angiogram을 적어도 30분에서 1시간 볼 것을 권유하고 있다.

심혈관조영 사진 분석시에 stump의 유무는 만성폐색병변의 성공률에 매우 큰 영향을 끼치므로 stump를 찾는 것이 중요하다. 따라서 분리하기 좋은 촬영각도를 선택하고 좌우 관동맥 동시 조영으로 폐색혈관의 주행을 확인하는 것이 필수이다.(그림 9-2)

조영상 stump가 보이지 않는 경우는 측부 혈행에서 보이는 말초측의 출구점 혹은 완전 폐색 내에서 섬모양으로 비쳐지는 부분에서 진입점를 예상한다. 진입점은 말초의 측부 혈행로에 가까운 위치 끝부분에서 근위부를 향해 연장선을 그어서 전체의 위치를 예상한다. 또한 출구점과의 움직임에 협조성을 가미해서 진입점의 위치를 예상할 수 있다.

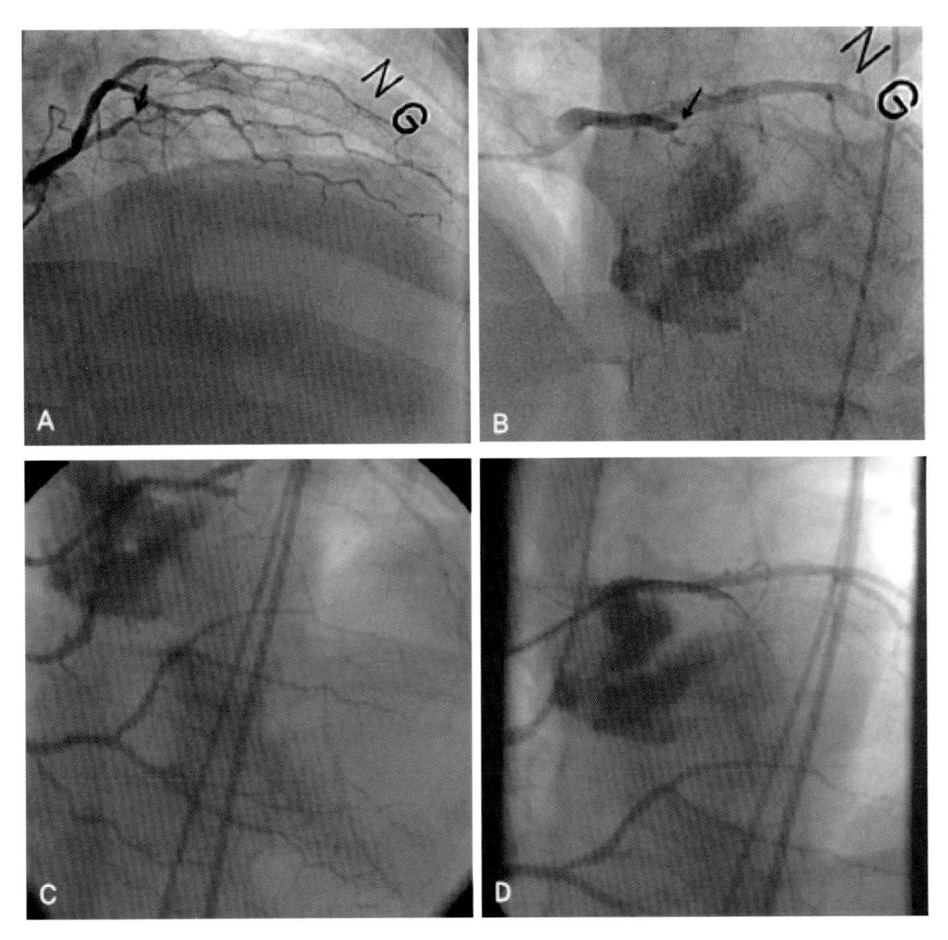

그림 9-1. Stump를 찾아라
다른 촬영 각도(RAO cranial view)에서는 stump가 명확하지 않았지만(A), LAO cranial (24, 45)view에서는 명확한 stump와 진입점을 가늠할 수 있고(B), 좌우 동시 조영에서 진입점 및 주행 경로를 확인하고(C), Conquest-Pro가이드와이어를 그 방향으로 진행시켜 말초 혈관의 진강으로 들거갈 수 있었다(D). 이처럼 다른 여러 방향에서 stump가 안보이더라도 다양한 방향에서 stump를 분리하려는 노력을 취해야 하고 좌우 동시 조영을 통해서 진입점과 와이어 주행방향을 가늠해야 한다.

3. 좌우 관동맥 동시 조영

1) 가상의 선을 그어라

좌우 관동맥 동시 조영시에는 편측 조영에서 불분명했던 진입점를 확인 할 수 있다. 동시 조영을 하면 측부 혈행로가 역행성으로 향해 오는 가상의 선으로부터 명확하게 진입점를 알 수 있게 된다.(그림 9-3)

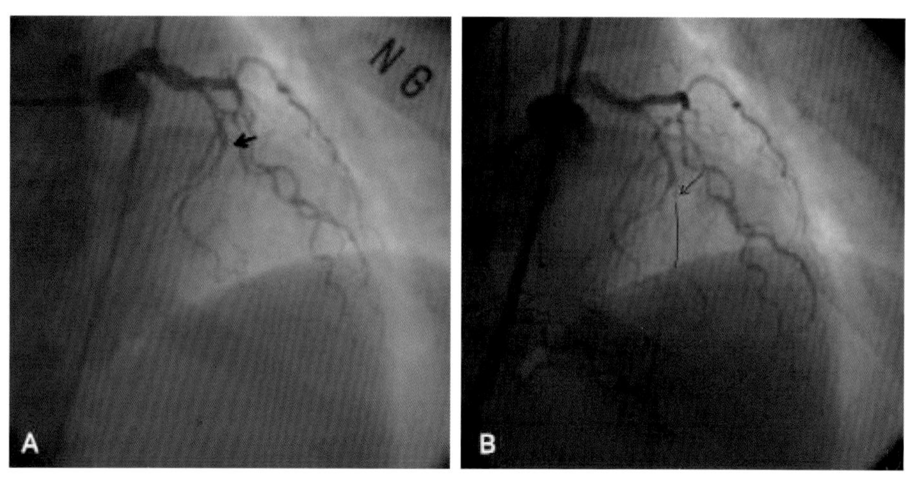

그림 9-2. 진입점을 보기 어려운 LAD의 CTO: 진입점을 임의로 정해라
A: midLAD CTO, AP Cranial view, Stump가 명확하지 않은 병변으로(굵은 화살표) 진입점을 가늠하기가 어렵다. B: 좌우 동시 조영상 대측 촬영으로부터 나오는 측부 혈행에서 말초측의 출구점에서 예상 주행(가는 실선)과 완전폐색내에서 섬모양으로 비쳐지는 부분으로부터(가는 화살표)진입점을 예상할 수 있다.

2) 와이어에 의한 마이크로 채널 막힘

마이크로 채널이 보이는 경우에도 마이크로 채널에 가이드 와이어 선단이 진입해 있는 상태에서 순행성 혈류가 소실되어 버리는 경우가 많기 때문에 좌우동시 조영을 실시한다.

3) 섬을 확인하라

동시 조영을 하면 폐색내부에 조영제가 섬모양으로 차서 가이드 와이어의 통과 루트를 용이하게 예상할 수 있고 또한 동시조영 영상에서는 진입점과 출구점이 둘 다 나타나므로 완전폐색부의 진정한 길이가 정확이 추정된다는 등 여러 잇점이 있다.

4. IVUS 에 의한 진입점 확인

분지부의 완전폐색에서 stump가 완전히 없어져도 대부분의 경우는 좌우관동맥 동시 조영에 의해 비교적 정확히 진입점의 위치 추정이 가능하다. 따라서 정확한 위치

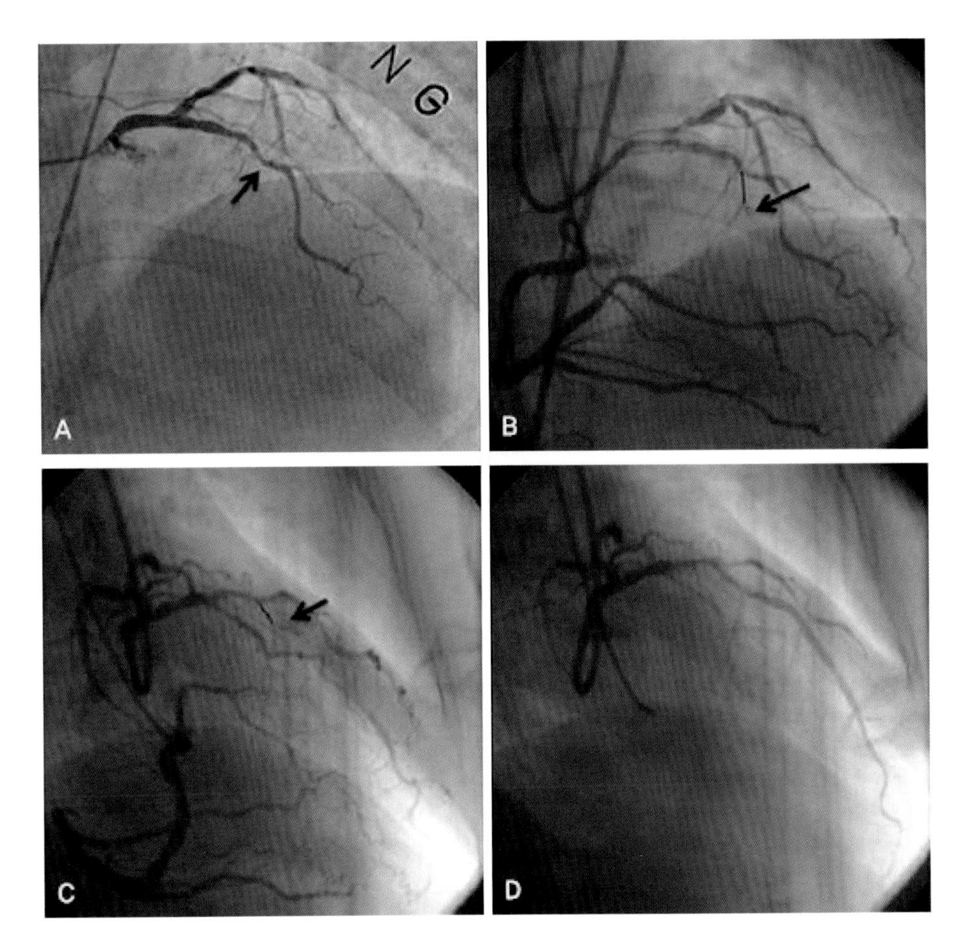

그림 9-3. 좌우 동시 조영으로 생긴 가상의 선으로부터 진입점 예상한 증례
A: mid LAD CTO lesion, RAO Cranial view, Stump가 없어 정확한 진입점을 알기 어렵다. B, C: 좌우 동시 조영상 대측 조영으로부터 오는 측부 혈행에서 오는 출구점(검은 화살표)로부터 그은 가상의 선(검은 실선)으로부터 진입점을 예상할 수 있다. D: 예상한 진입점을 통해 가이드와이어를 말초 혈관의 진강에 진입시킬 수 있었다.(풍선 확장 후 사진)

와 진행해야 할 방향의 추정이 된다면 가이드 와이어 끝부분으로 주위를 찾아 진입점의 작은 dimple (옴폭 들어간 곳)을 찾는 것이 어렵지 않으나 아무리 조영을 해도 진입점의 위치가 확실치 않은 경우가 있다. 이런 경우 분지부병변의 완전폐색병변에 접해있는 측지의 크기가 IVUS 카테터를 주입할 정도로 크다면 IVUS에 의해 진입점을 찾을 수 있다. 이 방법을 사용하기 위해서는 일단 IVUS도관을 측지에 삽입시킨 후 일련의 IVUS 영상에 따라 IVUS 도관을 주가지의 폐색부위에 위치시킬 수 있다.

따라서 조영중 IVUS 카테터의 탐촉자(transducer)의 위치에 진입점이 있게 된다. 그러면 시술자는 조심스럽게 와이어를 조작하여 진입점에 있는 dimple을 찾게 된다.

5. 만성폐색병변병변 입구부에서의 가이드 와이어 선택

최근 만성폐색병변 전용 가이드와이어에 많은 발전이 있었다. Filder XT series는 마이크로채널이나 상대적으로 연한 부분에 대해 시술시에 사용되어진다. Gaia series는 가장 최신의 가이드와이어로 Miracle과 conquest series 비교해서 토크조정과 관통능력이 향상되었다.

제 1선택 가이드와이어로는 마이크로 채널이 있는 것으로 보이는 경우에는 Filder XT series (Asahi, Intecc, Japan)), 없는 것으로 보이며 매우 딱딱할 것 같은 병변에는 Miracle 3g (Asahi, Intecc, Japan), 또는 Gaia series을 첫번째로 선택하는 것이 일반적이다.

6. 가이드 와이어의 조작

여러 방법으로 가이드와이어를 조작할 때 가장 중요한 포인트는 진행시킬려는 방향의 해부학적 구조를 어떻게 명확하게 파악하는데 있다. 양측 동시 혈관조영 영상을 얻는 것이 필수적이다. 절대로 가이드와이어 선단에서 전해지는 접촉감과 저항감의 느낌을 믿어서는 안된다. 볼수있고 보여지는 것만 믿어야 한다. 가이드와이어를 진행함에 있어 대 원칙은 절대로 빠르게 서두르지 말고 거칠게 회전시켜서는 안 된다.(Never advance it fast, and never rotate it rough)

와이어 끝은 가능한 짧고(〈1mm), 각도는 450이하가 되도록 한다. 두번째 curve는 와이어의 maneuverability를 좋게 해준다.

자입(刺入)포인트에 와이어의 선단을 닿게 하고 처음에는 좌우 각각 90도 이내의 작은 회전을 반복하여 가이드 와이어를 자입(刺入)할 수 있는가의 여부를 확인한다. 자입할 수 없는 경우에는 가이드 와이어의 선단을 조금씩 강하게 누르거나 선단의 회전을 크게 해본다. 또한, 마이크로 카테터와 over-the-wire타입의 balloon으로 백업력을 증가시킨다. 물론 가이딩 카테터의 배후 지지력이 충분하다는 것은 필수사항이다.

마이크로카테터

와이어의 twisting과 와이어 지지력을 증가시키기 위해 마이크로카테터의 사용이 요구된다. Corsairs는 anterograde 또는 retrograde시에 가장 많이 사용되는 만성폐색병변 마이크로카테터다. spiral structure는 bidirectional rotation이 distal shaft까지 전달되어 작은 tortuous collateral channel 또는 만성폐색병변을 통과할 수 있게 해준다. 이러한 마이크로카테터를 통해 유연한 와이어를 좀 더 딱딱한 만성폐색병변 와이어로 교환할 수 있다. 또 다른 유용한 마이크로카테터는 Crudade double lumen 마이크로카테터인데, Double lumen 때문에 이 카테터는 평행 와이어법에 유용하고 side branch가 있는 stumpless 만성폐색병변에 효과적이다.

와이어가 통과된 후에는 over-the-wire 카테터를 말초까지 진행시켜 최초로 사용한 유연한 가이드 와이어로 변경해두어야 한다. 왜냐하면 풍선이나 스텐트삽입과 같은 여러 조작이 시행될 때 선단이 딱딱한 만성폐색병변용 와이어에 의해 말초부위의 혈관의 손상이 일어날 수 있기 때문이다.

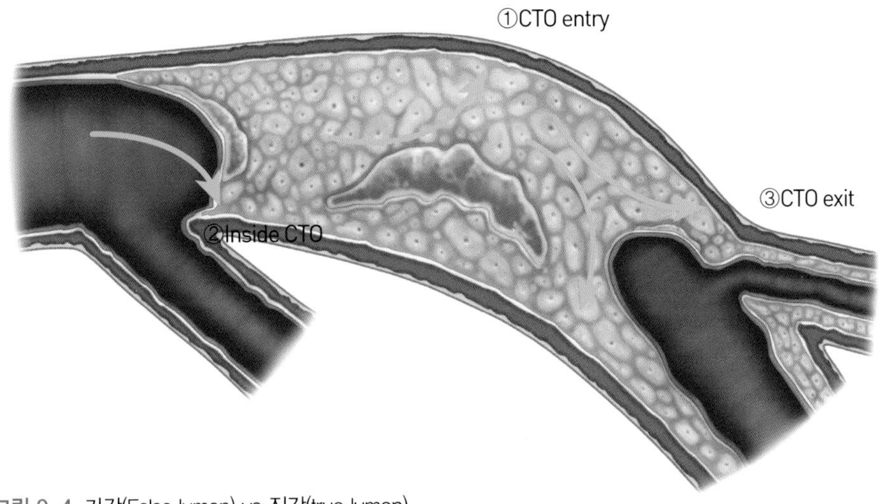

그림 9-4. 가강(False lumen) vs 진강(true lumen)

7. 가강 vs. 진강

그림 9-4는 만성폐색병변 병변에 가이드와이어 진행시 내막 하로 진입되는 경우를 나타내고 있다. 첫째, 진입점에서 천통 부위가 잘못되어 비교적 약한 내막하로 진입되고 둘째, 잘 진행되다가 석회화 부위나 가이드와이어가 통과할 수 없는 딱딱한 부위를 만나면 방향이 바뀌면서 내막하로 진입되고, 셋째 출구점 도달해서 마지막으로 정확히 진강방향으로 천통되지 않아 내막 하로 진입된다.

1) 내막하 진입을 어떻게 감지할 것인가?

(1) 가이드와이어의 저항감

일반적으로 가이드와이어 선단이 폐색부 내에 있을때는 밀고 나아갈 때 저항이 느껴지지만 진강에 진입되는 순간에 그 저항감이 소실되며 종종 뻥 뚫리는 느낌이 드는 경우도 있다. 이후에는 아무 저항없이 말초까지 미끄러져 나아가는 경우가 많다. 가이드와이어의 저항감이 감소하였다고 해서 반드시 진강에 진입했다고 단정지을수 없다는 점을 항상 염두에 두어야 한다. 출구점에서 가이드와이어 선단의 저항이 감소하고 수 mm 점프하여 나아가 마치 진강에 들어간 것과 같은 움직임을 하는 경우가 있다. 이때도 내막하로 진행하는 경우가 많기 때문에 진강처럼 가이드와이어의 진행을 가속하는 것이 없도록 해야 한다. 선단이 내막하에 있을 때는 어느정도 나아갔을 때쯤 저항이 심해져 더 이상 진행되지 않게 된다. 특히 가이드와이어 진행이 방해될 것이 아무것도 없어 보이는 부분에서 와이어 선단이 걸리는 경우는 진강이 아닌 내막하라고 생각해야 한다.

(2) 측부 혈행로 조영에 의한 확인

가이드와이어 선단이 출구점을 통과했다고 느껴질 때 더 이상 가이드와이어의 조작을 멈추고 측부 혈행로를 조영하여 와이어 선단이 진강 부분에 들어가 있는지 아닌지를 확인하는 것이 필수적이다. 이때 두 방향 이상의 각도로 가능한 한 가이드와이어의 축회전으로 직교하는 두 방향에서 보고 쌍방향 모두 가이드와이어가 진강에서 벗어나지 않았다는 것을 확인해야 한다. 조영제가 측부혈행로에 차 있는 중에 가이드와이어에 토크를 가해서 선단을 회전시켜 선단이 진강의 바깥으로 나가지 않는 것을 확인하는 것도 좋은 방법이다. 그러나 이 방법은 선단이 내막 하에 있을 경우 위강을 크게 할 수 있어서 주의를 요한다. 출구점을 넘어서 내막 하로 가이드와이어가 진입되었을 때 조작을 통해 위강이 점점 커지게 되면 그만큼 진강이 눌려 좁아지게 된다. 이렇게 되면 조영상 그 부분의 측부 혈행로가 가늘게 되거나 소실되고 마는 경우가 있다. 이때는 더 이상 시술이 어려울 수 있으니 출구점을 지나서 진강이 확인되지 않은 상황에서 가이드와이어의 조작에 신중하여야 하며 위강을 크게 형성하게 해서는 안된다.

(3) IVUS

측부 혈행로가 잘 발달되지 않았거나 위강에 눌려 측부 혈행로가 사라져 더 이상 가이드와이어 진행방향을 모르거나 진강을 확인할 수 없을 때 위강에 IVUS 카테터를 위치시켜서 가이드와이어 선단의 위치와 진강을 확인할 수 있다. 일반적으로 위강으로 IVUS 카테터를 진입시키기 어려울 때가 많기 때문에 1.5-2.0mm 풍선으로 위강을 확장시켜야 한다.

2) 어떻게 내막하에서 빠져나올 것인가?

(1) 평행와이어법(parallel wire technique)

주의깊게 가이드와이어를 다루더라도 종종 와이어는 출구점을 지나 선단이 내막하로 진행된다. 이 경우에는 가이드와이어를 내막 밑에 남겨둔채 over-the-wire (OTW) 카테터를 제거한다. 내막하에서 가이드와이어를 조작함으로써 위강을 크게 하지 않게 가능한 빨리 시행하는게 좋다. 강하지 않은 가이드와이어로 제거한 카테터를 병변 전까지 보낸 후 새로운 가이드와이어를 바꾼 뒤에 진강 진입을 재시도한다. 두번째 가이드와이어의 선단 커브는 좀더 큰 각도로 만들어야 하는데 이는 새로운 루트로 진입하게 가능하게 하여 궁극적으로는 re-entry를 만들기 쉽게 하기 위해서이다.

두번째 가이드와이어는 최초의 와이어와 같은 루트를 따라 가다가 진강과 빗나가기 시작하였다고 생각되는 지점에서 진강의 방향을 겨냥해서 진행하도록 한다. 이러한 평행 와이어 기법의 세 가지 장점 중 하나는 처음 와이어가 위강으로 들어가는 잘

못된 루트를 막고 있어 두번째 와이어를 바른 루트로 유도하기 쉽게하고, 둘째는 첫 와이어가 병변내 위치하고 있어 혈관의 굴곡을 완화시켜 줄 수 있고, 마지막으로 첫 선행 와이어를 투시상의 지표로 해서 두번째 와이어의 방향을 정하여 re-entry가 가능하게 할 수 있다. 두 와이어로 성공하지 못하면 드물게 세번째 와이어를 이용해 성공할 수 있지만 너무 많은 와이어들이 서로 방해가 될 수 있으며 와이어의 조작력을 떨어뜨릴 수 있다.

이 평행와이어 기법의 팁은 다음과 같다: 1) 두번째 와이어는 처음보다 같거나 좀 더 강한 것을 선택한다. 이는 강한 와이어가 좀 더 나은 torque control ability를 가지기 때문이다. 2) 첫 와이어를 내막하에서 너무 많이 조작하지 않는 것이다. 이것은 위강을 크게 만들어 진강이 눌려 좁아지지 않게 하고자 함이다. 3) 와이어가 서로 교차되어 방해하는 것을 막기위해 한 개 또는 두개의 OTW system을 사용해야 한다.

평행와이어 기법은 전향적 접근법의 중요한 기술로서 시술자는 이 방법사용에 능숙해져야 한다.

두 개의 와이어를 각각 2개의 OTW system으로 조작하는 기법을 seesaw wire technique이라 한다. 평행와이어법에 비해 하나의 OTW 카테터가 더 필요해 비용이 더 들지만 이 기법은 다음과 같은 몇가지 장점을 갖고 있다: 1) OTW 카테터를 교환하

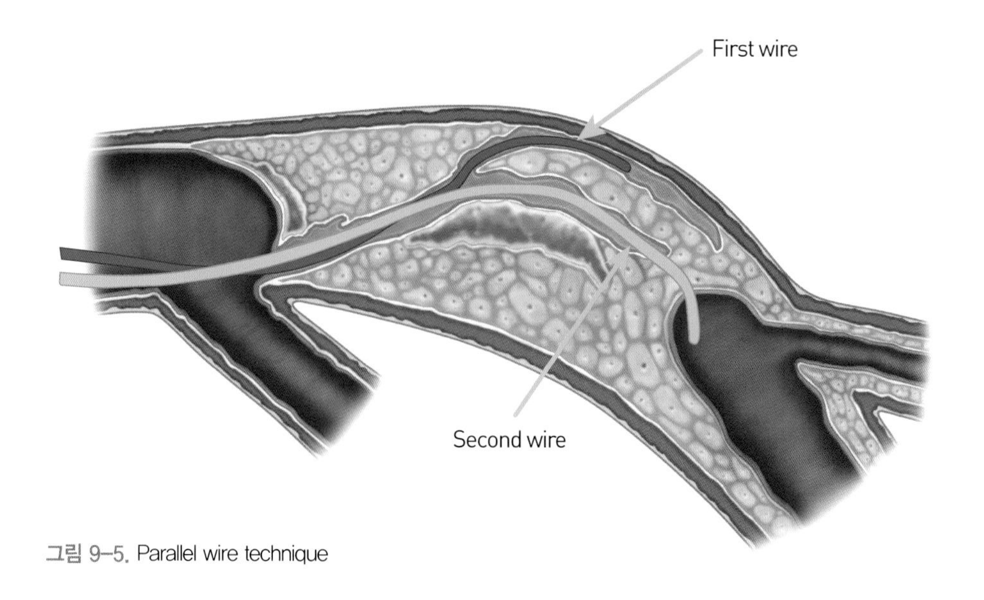

그림 9-5. Parallel wire technique

는 노력과 시간을 줄일 수 있다. 2) OTW 카테터 교환할때 가이드 와이어의 이동을 피할 수 있다. 3) 친수성 코팅와이어가 수분이 적은 만성폐색병변 내에서 서로 붙을 수 있어 한 와이어만 조작시 움직임이 제제되는 것을 방지 할 수 있다.

(2) IVUS-guided penetration

위의 언급한대로 표준화된 평행와이어 기법을 사용하더라도 어려운 만성폐색병변 병변에서는 와이어들에 의해 종종 위강이 크게 만들어 질 수 있다. 만성폐색병변의 출구점을 지나 위강이 크게 만들어지면 투시상 말초진강을 구별하기 어려워지거나 말초진강이 사라져 보이지 않기 때문에 시술을 포기해야만 하는 경우가 있다. 그러나 IVUS 가 이러한 상황에 돌파구가 될 수 있다. IVUS에서 보여지는 혈관분지(진강에서만 기시됨)나 혈관 내막 및 중간막(진강을 둘러싸고 있음)의 존재를 통해 위강과 진강을 구별할 수 있다. 또한 IVUS상에서 와이어의 위치를 관찰할 수 있어 와이어가 위강에서부터 진강으로 진입된 것을 확인할 수 있다. 크게 만들어진 위강에 위치한 첫 와이어를 통해 IVUS 카테터를 진입시켜 혈관 단면상에서 와이어 선단을 보며 진강으로 진입시킬 수 있다.

7. 원위막의 통과

1) 관통점의 선택 및 전형적인 출구점

순조롭게 진강을 진행한 경우, 출구점까지의 와이어조작이 가장 중요하다. 준비없이 복잡한 조작을 하게 되면 마지막의 fibrous cap 주위의 내막하 공간으로 와이어의 선단이 들어가게 되어 이때까지의 노력이 물거품이 된다. 이 상황에서는 특히 여러 방향에서의 fluoroscopy (투시)에 의한 확인이 중요하다. 최종적인 관통을 하기 직전과 약간 관통한 시점을 여러 방향에서 관찰할 필요가 있다. 또한, 단순히 투시로 보지 말고 반드시 촬영할 것을 권장한다. 일반적으로 투시보다 촬상쪽이 선량이 많고 상세한 관찰이 가능하다. 이와 같은 과정을 통해 와이어의 선단이 내막하 공간에 들어있지 않았음을 확인함에도 불구하고 출구를 관통하지 못할 때는 점차 딱딱한 와이어로 스텝업한다. 그래도 들어가지 않는 경우에는 Conquest 시리즈를 선택한다. 이들 중에서도 Conquest Pro 12를 처음부터 이용하는 경우가 많으며 9g의 Conquest Pro를 선택하는 경우는 적다. 이것은 양자가 가지는 torque control ability의 차이에 의한 것이다. Conquest Pro 12가 torque control ability가 뛰어나기 때문에 가강을 넓히지 않고 진강에 와이어를 유도하기 쉽다. 이미 와이어가 내막하 space에 진입되어 버린 경우에는 parallel wire technique을 실시한다. 내막조직 안에서 밖으로 와이어가 되돌아온 포인트를 알 수 있다면 거기서부터 와이어를 다시 조작하게 되는데, 현실적으로는 그 포인트를 알 수 없거나 또는 만약에 알게 되었다고 해도 내막하 공간이 커져서 새로운 조작이 불가능한 경우가 많다. 특히, 석회화가 강한 혈관에서는 석회화 조직 밖을 달리는 와이어를 다시 석회화 안으로 유도하는 것은 매우 어려운 일이다. 그래서, 와이어가 가강에 진입했을 때의 대응방법을 아래에 정리하였다.

2) 올바른 지점을 관통하기 위한 기법들

(1) 평행와이어법(Parallel wire technique)

평행와이어법(Parallel wire technique)은 만성폐색병변 병변의 재소통술 여러 단계에서 각각 다른 목적으로 사용될 수 있다. 첫번째는 만성폐색병변병변 내에서 와이어의 교환을 목적으로 시행할 수 있고 두번째는 첫번째 와이어가 가강내로 진입하여 만성폐색병변 병변내에서 새로운 통로를 찾기 위해서고 세번째로는 원위부의 섬유막(fibrous cap)의 천공을 위해 사용할 수 있다. 원위부 fibrous cap은 흔히 dome형태를 보이기 때문에 와이어가 이 부위에 진입하였을 때 흔히 천공에 실패하고 대신에 옆으로 미끌어져 내막하강으로 들어가게 된다. 이 경우 Parallel wire technique은 원위부 fibrous cap 주위에 있는 내막하강에 첫번째 와이어를 유지하고 acute bend를 갖는 두번째의 와이어로 첫번째 와이어를 따라 원위부 fibrous cap까지 위치시킨다. 이 경우에 두번째 와이어는 더 단단하고 tapered tip을 갖으며 다른 tip curve를 갖는 와이어가 필요하다. 과거에는 Miracle 12g 또는 conquest pro가 사용되었지만, 좋은 torquability때문에 현재는 Gaia second가 널리 사용되어진다. 또한 원위부 진강의 조영과 첫 번째 와이어와의 상관관계를 확인하는 것이 원위부 fibrous cap을 천통할 가능성을 높인다. 간혹 첫번째 와이어가 원위부 fibrous cap을 뚫고 직하부에 위치한 측부가지쪽으로 진입한 경우에 첫번째 와이어가 측부가지에서 주가지로 재진입이 어려운 경우가 있다. 이러한 경우는 그 부위가 굴곡이 심한 경우인데 이러한 상황에서도 Parallel wire technique은 유용하다. Parallel wire technique은 가강을 피하여 진강을 찾는 방법으로, 가강의 확대를 막기 위해서라도 중요한 수기이며 첫번째 와이어가 두번째 와이어의 가강으로의 진입을 막을 수 있다는 점, 가강에 들어간 첫번째의 와이어를 마커 와이어로 사용함으로써 두번째 와이어의 선단의 위치확인을 위해서 자주 실시되는 조영을 생략할 수 있다는 점, 굴곡이 심한 혈관의 외형을 변하게 함으로써 두번째 와이어의 진입을 도울수 있다는 점에서 유용하다.

올바른 와이어 커브와 적절한 경도(硬度)의 와이어를 사용함으로써 말초측의 진강에 재소통하는 것은 대부분의 만성폐색병변 시술에서 가능하다.

평행 와이어법의 성공을 위해 원위부 진강을 확실하게 파악하고 있어야 하며, 두번째 와이어의 방향을 알기 위해서 여러 각도에서의 혈관조영술이 필요하다. 또 평행 와이어법시 주의할 점은 가능하면 첫번째 와이어에 의해 생긴 가강을 크게 만들 수 있는 전향적 조영제(antegrade dye)사용을 줄여야 한다. 이 때는 Contralateral injection을 이용해야 한다. 무엇보다 평행 와이어법이 중요한 점은 시술자가 가이드 와이어가 내막하 공간에 들어감을 느꼈을 때에 가강이 커지기 전에 재빠르게 평행 와이어법방법으로 전환하는 것이다.

(2) 시소 와이어법(Seesaw wiring method)

Parallel wire technique에서 일보 전진해서 두 개의 와이어를 각각 두 개의 over-the-wire 카테터로 덮은 방법을 seesaw wiring법이라고 부른다. 이 방법은 두 개의 Conquest pro가이드 와이어에 두 개의 over-the-wire 카테터를 사용하기 때문에 비용은 고가이지만 다음 몇가지 점에서 고비용을 초과하는 이점이 있다. 첫번째로 over-the-wire 카테터를 교환하는 일과 시간을 절약할 수 있다. 두번째로 over-the-wire 카테터를 교환할 때 가이드 와이어가 빠지는 것을 피할 수 있다. 세번째로 친수성 코팅 와이어가 서로 붙어버리는 점착을 방지할 수 있다. 이상을 종합할 때 이들 몇 개의 특성은 성공률을 향상시키는데 좋은 역할을 한다.

(3) 혈관내초음파 유도하의 내막하로부터 천통(IVUS-guided penetration from subintimal space)(Chapter 11 참고)

Parallel wire technique을 사용하더라도 종종 와이어가 내막하 공간을 확장시켜 만성폐색병변 시술을 어렵게 만든다. 일단 내막하 공간이 만성폐색병변의 원위부 끝까지 확장되면 원위부 진강은 fluoroscopy상에서 더 이상 보기 어려워 진다. 이런 상황하에서는 angiographical guidance만으로는 시술이 불가능하다. 하지만 IVUS는 측부가지의 존재와 내막(intima)과 중막(media)의 존재를 확인함으로써 위강으로부터 진강을 구분할 수 있다. 따라서 위강에서 진강으로 와이어가 재진입했는지 여부를 확인할 수 있다. 먼저 IVUS 도관을 위강으로 들어간 첫번째 와이어를 따라 진입시키고 이를 통해 cross sectional information을 얻어 두번째 와이어가 진강으로 들어가도록 유도한다.

참고문헌

1. Kim HY. Percataneous recanalization of CTOs: current devices and specialized wire crossing techniques, Korean Circ J 2010;40;209–215.
2. 승기배 외. The manual of interventional cardiology; 2011
3. Lee NH, The essentials of the successful antergrade approach for coronary chronic total occlusion. Proceedings in Korean Society of Interventional Cardiology 2015;6–15–19.

Chapter 10

역행성 접근법(Retrograde approach)를 이용한 시술법

서 존, 이 내 희(부천순천향병원)

서론

기존의 순행성접근법(antegrade approach)만을 사용한 경우 만성폐색병변 시술(CTO−PCI)의 성공률은 65%−70%로 높은 성공률을 기대하기는 어려웠으나 측부혈관(native collateral channel)을 이용한 역행성접근법(retrograde approach)의 도입으로 시술성공률은 상당히 높아졌다. 역행성접근법 초창기에는 방법의 복잡성과 다양성 그리고 이에 따르는 합병증의 발생 가능성으로 인해 시술자가 이 방법을 사용하는 것을 주저하게 하였으나 기술과 도구의 발전으로 인해 최근 보고에 의하면 약 30%에서 역행성 접근법이 만성폐색병변 시술에서 사용되고 있다.[1]

1. 역행성접근법의 이론적 근거

1. 조직학적으로 원위막(distal cap)이 근위막(proximal cap)보다 약해서, 역행성접근법 시행 시 역행성와이어의 올바른 관통(penetration)이 용이하다.

2. 일반적으로 원위막은 가늘어져(taper)있다. 이를 근위부에서 보면 볼록한 모양(convex shape)으로, 순행성와이어(antegrade wire)가 원위부 진강(true lumen)으로 진

입하는 것을 어렵게 할 수 있다. 반면 원위부에서 보면 오목한 모양(concave shape)으로 역행성와이어(retrograde wire)가 CTO 병변부의 가강(false lumen)으로 진입하는 것을 막아줄 수 있다.

3. 한 혈관에 순행성와이어와 역행성와이어가 동시에 존재하기 때문에 다양한 방법의 폐색부위 통과기법(ex: CART, reverse CART)을 사용할 수 있다.

2. 역행성접근법의 적응증

역행성 접근법은 처음부터 시도되는 경우(primary approach)와 순행성 접근법이 실패한 경우에 시도될 수 있다.(secondary approach) 지금까지의 연구결과를 종합해 보면 역행성접근법의 시술성공율은 69%이며, 최종 시술성공률(역행성 접근법이 실패한 경우 순행성 접근법으로 성공한 경우)은 86%를 보인다.(표 10-1) 이는 역행성접근법이 실패한 경우 약 54%에서는 기존의 순행성접근법으로도 성공적인 재개통을 이룰 수 있음을 의미한다.[2~5] 이는 처음부터 역행성 접근법을 시도(primary retrograde approach)할 때에는 필요없는 노력을 줄이기 위해서 케이스 선택에 신중을 기해야 함을 의미한다. 체계화된 적응증은 아직 없으나, 기존의 순행성 방법으로는 성공확률이 낮은 complex CTO (ostial CTO, long 〉30 mm)occlusions, occlusions without a

표 10-1. 역행성 접근법을 이용한 만성관동맥 폐색 중재시술의 성공률

	Retrograde Success rate (%)	Final Success rate (%)
Lee NH (n=24)[1]	70	87
Lei GE (n=42)[2]	71	88
Saito S (n=157)[3]	69	83
Rathore S (n=157)[4]	66	85
Overall (n=268)	69(success=185, fail=83)	86(success=230)

1.Int J Cardiol. 2010;144(2):219-29 2. Chin Med J. 2010;123(7):857-63 3. Catheter Cardiovasc Interv.2008;71:8-19 4. Circ Cardiovasc Interv.2009(2):124-32 Among the 83 failed retrograde cases, antegrade PCI save 45 cases, which means antegrade approach can save 53% of failed retrograde cases.

stump, occlusions with large side branches at the proximal cap, occlusions with severe tortuosity or calcification, small or poorly visualized distal vessels, anomalous coronary arteries, ISR-CTO[6]에서 적절한 측부혈관이 존재하는 경우, 특히 순행성 접근법이 실패한 전력이 있으면 역행성 접근법을 고려해야 한다. 또한 순행성 방법으로 시도 중 혈관박리나 천공과 같이 심한 합병증이 생긴 경우 구제요법(bail out approach)으로 역행성접근법을 시도할 수 있다.(그림 10-1) 순행성접근에서 역행성접근으로 전환할 때 바로 그 자리에서 할지(ad hoc retrograde attempt)아니면 시기를 두고 할지는 노출된 방사선양(fluoroscopy time 〈30 min), 사용된 조영제양, 시술자의 경험과 피로도에 의존하나 대부분의 경우 second stage로 시행하는 경우가 성공률이 높고 안전하다 하겠다[7].

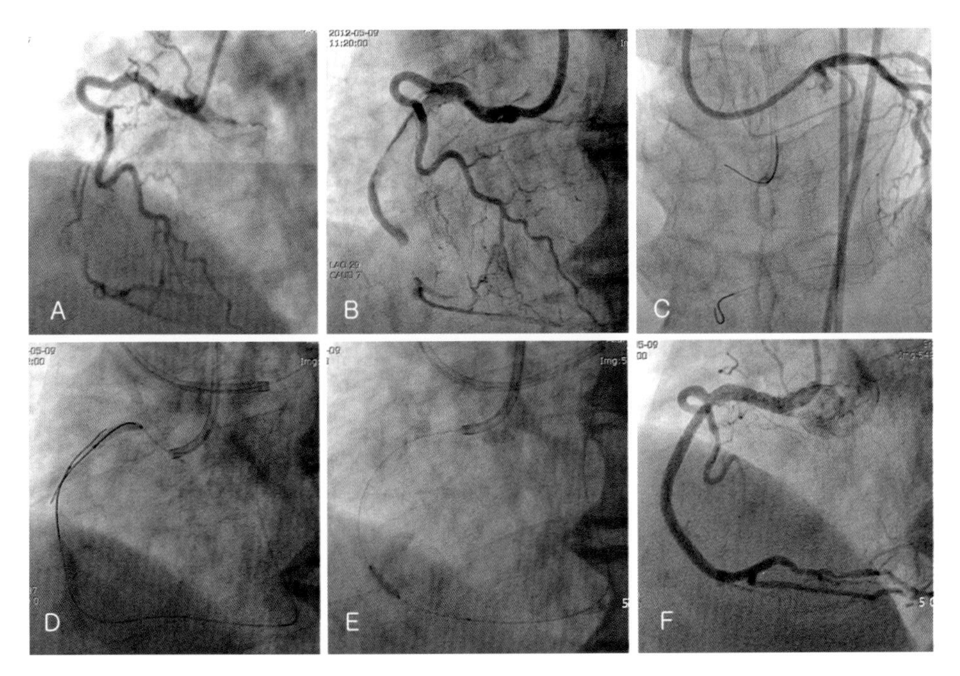

그림 10-1. An example of the Bail out ad-hoc retrograde approach
A: The baseline angiogram shows a CTO at the proximal RCA.
B: Amplatz guiding catheter made severe propagating dissection.
C: After failed antegrade wiring, retrograde approach using septal collateral channel was attempted.
D: Reverse CART technique was applied.
E: Wire externalization and ballooning
F: Final angiography after multiple stenting

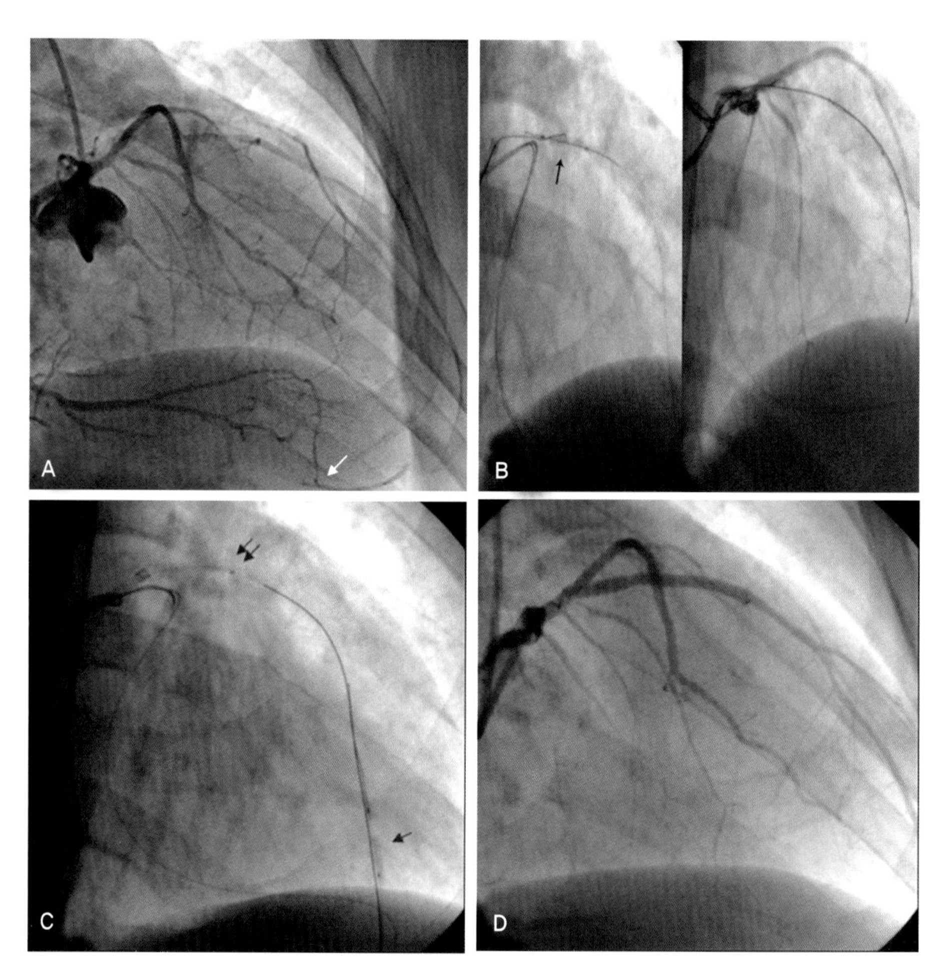

그림 10-2. An example of the retrograde approach using 2 guiding catheters simultaneously in the same coronary artery

A: The baseline angiogram shows a CTO at the trifurcation site of the proximal LAD. An epicardial collateral connection between the distal LCX and distal LAD was observed (arrow)

B: 2 guiding catheter (a 90cm 7 Fr AL-1 guiding catheter for retrograde access and another 6Fr JL-4 guiding catheter for antegrade access) were placed simultaneously in the left main coronary artery. After 2.0mm retrograde ballooning was performed at the subintimal space of the CTO site, including the site distal to the CTO lesion (arrow), the antegrade wire (Miracle 12g, Asahi Intec) was passed into the distal true lumen (the CART technique)

C: The passed antegrade wire was anchored by retrograde ballooning (arrow) in order to facilitate the antegrade balloon (double arrows) passage (the distal anchoring balloon technique)

D: Final angiogram

3. 혈관 진입로 및 가이딩카테터 선택

근본적으로 목표혈관(target vessel)과 공급혈관(donor vessel)에 대한 2개의 가이딩 카테터가 필요하다. 대퇴동맥이 지지력이 좋고 환자의 움직임에 영향을 덜 받고 큰 사이즈의 가이딩카테터를 사용할 수 있어서 선호된다. 간혹 대퇴동맥을 사용하기 어려운 경우에는 요골동맥을 사용할 수 있는데 이러한 경우 sheathless technique을 사용하면 큰 사이즈의 가이딩카테터(7 or 8 Fr)를 사용할 수 있다. 가이딩카테터(collateral donor artery guiding catheter)는 배후지지력를 좋게 하기 위해서 대개 7에서 8 Fr의 XB나 Amplatz series를 사용하며 역행성 경로(retrograde pathway)가 상당히 긴 경우에는 기존의 100cm 보다 짧은 길이(90 cm)의 가이딩카테터를 사용한다. 만약 짧은 길이의 카테터가 없는 경우 한 단계 작은 sheath를 이용해서 카테터를 잘라서 쓸 수 있다.(7Fr 카테터인 경우 10~15 cm을 잘라내고 6Fr sheath로 연결한다) 공급혈관과 목표혈관이 같은 경우(ipsilateral retrograde approach)에는 8Fr 가이딩카테터를 하나만 사용할 수 도 있고, 2개의 작은 직경의 카테터를 동시에 한 혈관에 교대로 사용할 수 도 있다.(그림 10-2)[8] 중요한 사실은 역행성접근법에서는 사이즈가 큰 카테터가 오랜 시간 공급혈관에 위치하므로 예상치 못한 혈전성 합병증(thrombotic complication)이 생길 수 있다. 이를 예방하기 위해서는 양쪽 혈관을 수시로 관찰 해야 하며 ACT를 매 30분 마다 측정하여 250~30 초 이상 유지해야 한다.

4. 측부혈관의 선택

역행성중재시술의 가장 중요한 단계라고 할 수 있으며, 와이어가 측부혈관을 통과해서 목표혈관의 폐색병변 근처에 도달했다면, 그 시술은 성공했다고 해도 과언이 아니다. 측부혈관은 크게 심외막채널(epicardial collateral channel)과 중격채널(septal collateral channel)로 나뉘며, 크기는 Werner 분류에 의해 3가지로 나뉜다.(CC0 = no visible connection; CC1 = a continuous, tiny connection; and CC2 = a continuous, small vessel-like connection) 심외막채널은 중격채널보다 크기는

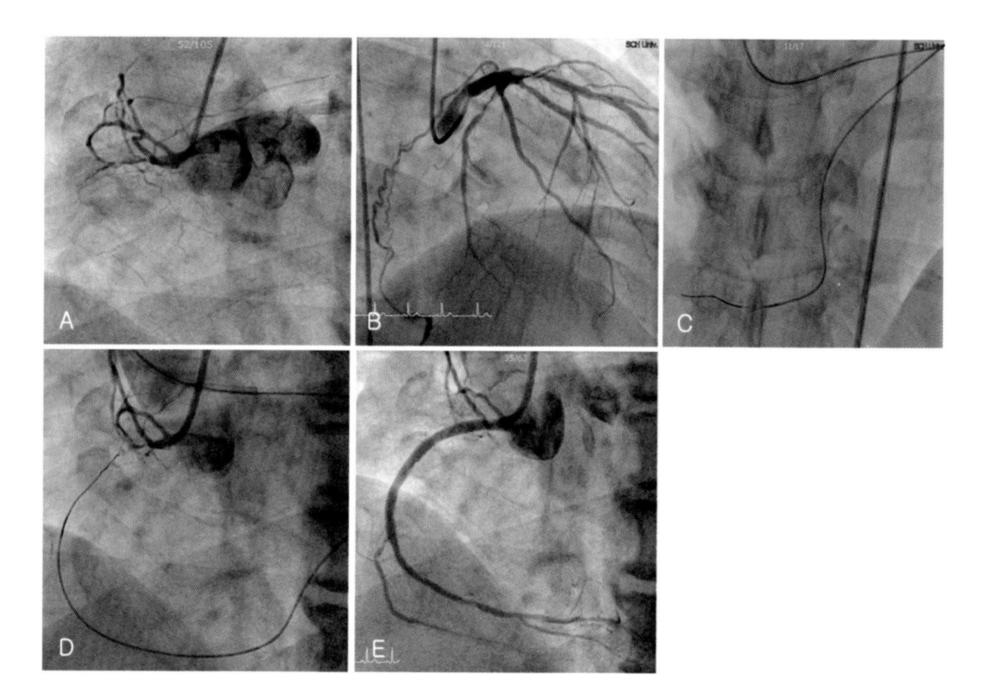

그림 10-3. An example of tortuous epicardial channel tracking using Sion wire and Corsair microcatheter
A: The baseline angiogram shows a CTO at the proximal RCA.
B: A tortuous epicardial collateral connection between LCX and posterolateral branch was observed.
C: A Sion wire with Corsair microcatheter crossed the epicardial channel
D: The retrograde wire crossing technique was successful.
E: A final result

클 수 있으나 대부분의 경우 꾸불꾸불하고(tortuous) 주행경로가 길어, 와이어의 조작이 어렵고 설령 와이어가 통과하더라도, 직경이 크지 않으면 풍선이나 마이크로카테터의 통과가 어려우며, 물림현상(trapping)이 생길 수도 있다. 보다 중요한 문제로는 천공이 생길 경우 심낭압전을 유발할 수 있으므로 상당히 신중한 접근이 필요하다. 반면에 중격가지 연결은 좀더 자주 관찰되며, 크기는 심외막 연결보다는 작을 수 있으나 주행경로가 짧으며 굴곡정도가 심하지 않아서 와이어의 조작이 용이하다. 또한 천공이나 파열이 되더라도, 심낭압전의 위험성이 극히 낮기 때문에 작은 크기의 풍선(1.25~1.5mm)을 이용해서 확장 할 수 있으며 이는 역행성으로 진입하는 기구(retrograde device)의 출입을 trapping 위험성 없이 용이하게 해준다.[9] 또한 중격채널의 장점은 뚜렷한 채널 연결이 없어 와이어통과가 어려워 보

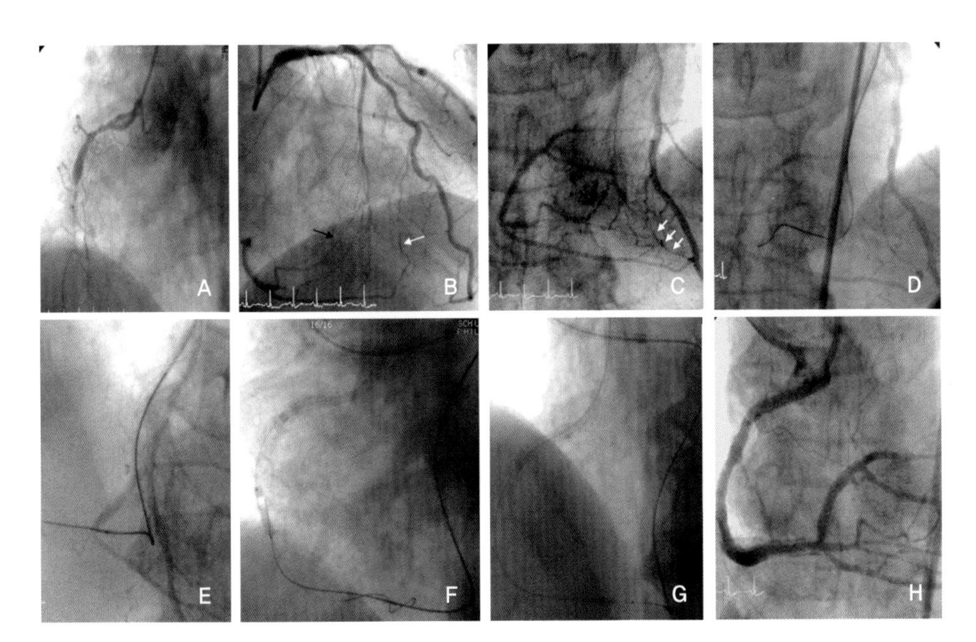

그림 10-4. An example of selection of ideal collateral channel among the multiple collateral connections
A: The baseline angiogram shows a CTO at the mid RCA.
B-C: There are multiple collateral connections between the LAD and the RCA. Mid-Septal collateral connection (white arrow) looks easy for crossing. However, because PDA ostial occlusion site have an acute angle, we selected more tortuous proximally located collateral channel (black arrow) which have a coaxial alignment for the occlusion.
D-E: The Sion wire with Corsair catheter crossed the channel.
F-G: Reverse CART technique and wire externalization
H: A final result

이더라도 마이크로카테터를 이용하여 여러 중격가지에 선택적 조영술(selective injection of septal perforators)을 시행하여 채널연결을 확인할 수 있으며 아니면 조영제 투여없이 와이어로 여러 중격채널에 try and error를 반복하여 중격채널을 통과시킬 수 있다.(surfing technique) 최근 개발된 Sion family나 Fielder XT-R (Asahi Intecc)은 기존의 와이어와 달리 wire core가 2개로 이루어져 있어(composite core system) wire whipping (휘감김) 현상을 방지하고 wire tip shape의 유지에 우수성을 보여 굴곡이 심하거나 아주 가느다란 채널 통과에 유용하게 쓰인다. 또한 Corsair 마이크로카테터는[10] 지지력이 좋으면서 가늘고 굴곡이 심한 채널을 확장시키면서 통과할 수 있기 때문에 Sion wire와 더불어 측부혈관 선택의 폭을 넓혀 주어 초창기에 비해 현재는 심외막채널의 사용이 증가되고 있다.(그림 10-3) 하지만 초보자에게 바람직한 측부혈관으로는 굴곡 정도가 심하지 않고 크기가 CC1 이상인 중격채널이라 하겠다. 만약 심외막 측부혈관인 경우 CC 2에 한해서 접근해야 안전하며 성공률이 높다. 또한 여러 개의 채널연결이 있는 경우(multiple collateral connections)에는 채널통과 후 와이어 조작의 용이성을 고려해 채널을 선택한다.(그림 10-4)

5. 폐색부위 통과를 위한 기법들(CTO crossing techniques)

역행성와이어가 측부혈관을 통과해서 폐색부위에 도달하면 우선 시도하는 방법으로 retrograde wire crossing technique과 kissing wire technique이 있다. Retrograde wire crossing technique은 역행성와이어로 폐색부위를 직접 통과하는 방법이며, Kissing wire technique은 역행성와이어를 기준점(landmark)으로 해서, 순행성와이어로 폐색부위를 직접 통과하는 방법이다.(그림 10-5) 위 2가지 방법은 상대적으로 단순한 방법이나 역행성 경로가 갖는 특성(long course and angulations)과 병소 자체의 복잡성(long occlusion length, calcification and tortuousness)으로 인해 단순히 역행성 혹은

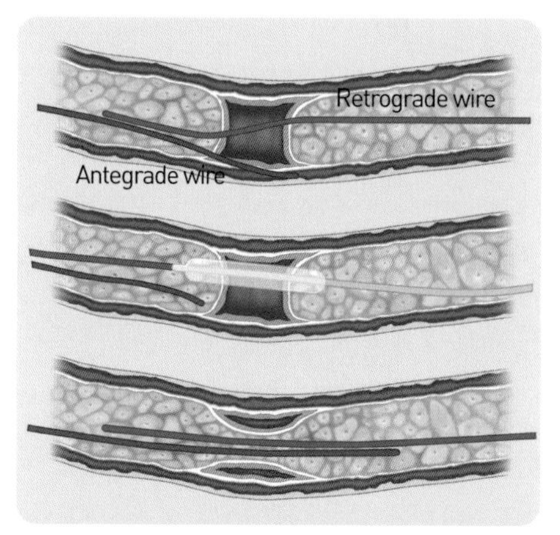

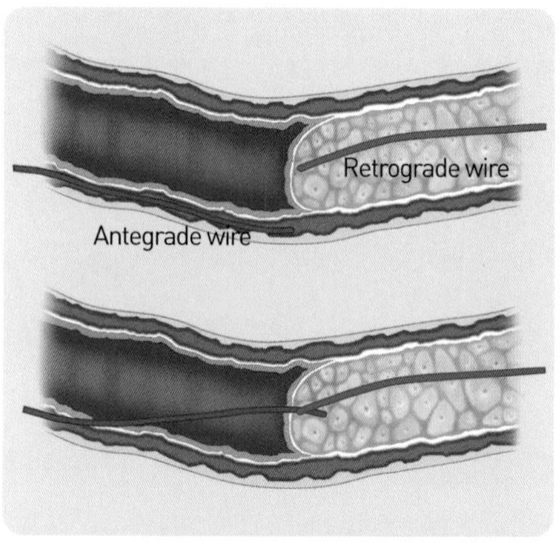

그림 10-5. Illustration of the retrograde wire crossing technique and kissing wire technique

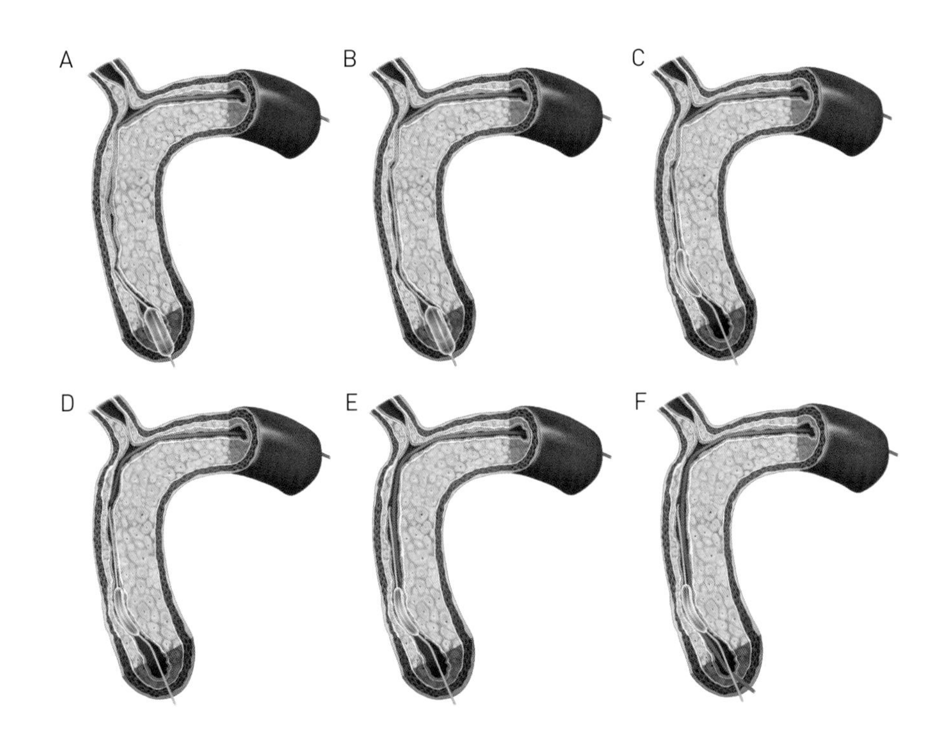

그림 10-6. Basic concept of the CART technique

순행성 와이어 조작만으로는 병소의 통과가 어렵다. 따라서 좀더 기술적으로 복잡한 내막하 와이어 조작기법(subintimal tracking)이 필요하다. CART technique은[11] 폐색부위의 내막하 공간(subintimal space)과 원위부 진강(distal true lumen)을 역행성 풍선확장(retrograde ballooning)을 시행하여 연결시키고, 내막하 공간에 위치해 있는 순행성와이어를 조작하여 원위부 진강으로 통과시킨다.(그림 10-6) 반면에 reserve CART technique은 폐색부위의 내막하 공간과 근위부 진강(proximal true lumen)을 순행성 풍선확장(antegrade ballooning)을 시행하여 연결시키고, 내막하 공간에 위치해 있는 역행성와이어를 조작하여 근위부 진강으로 통과시킨다.(그림 10-7) 주의할 점은 순행성와이어와 역행성와이어가 되도록 같은 선상에 있도록 노력해야 하며, 확장용 풍선은 2~2.5mm 크기가 적당하며 경우에 따라서는 더 큰 직경의 풍선을 사용할 수 있다. CART 기법은 역행성풍선이 반드시 측부채널을 통과해서 병소에 진입

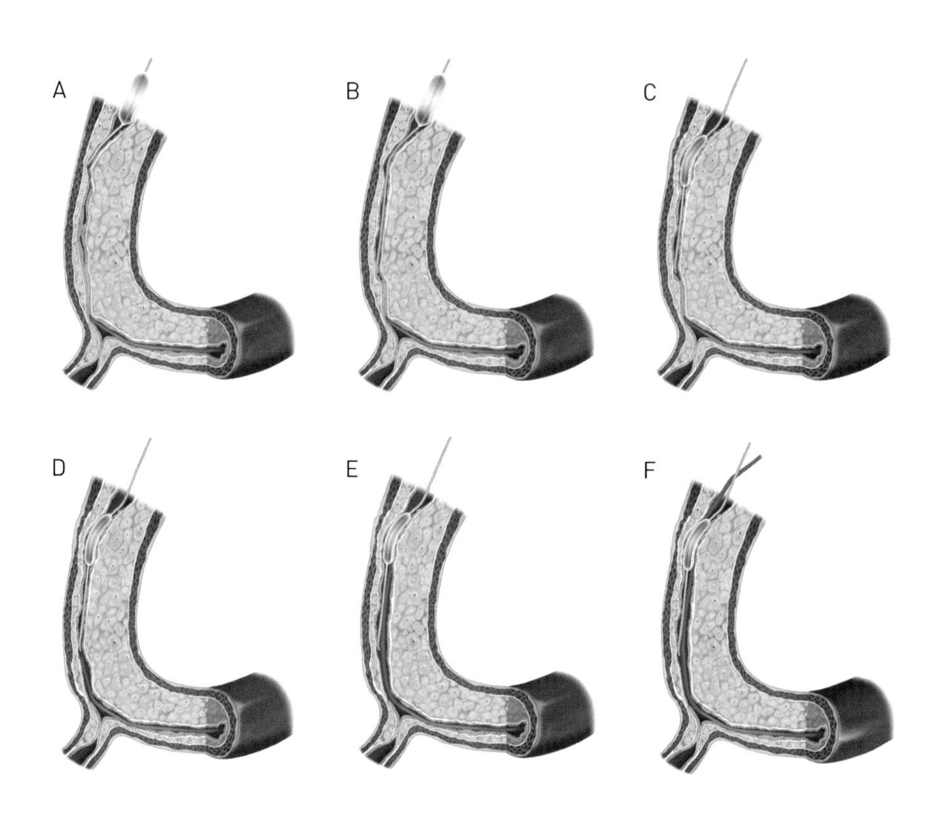

그림 10-7. Basic concept of the reverse CART technique

하여야 하나 reserve CART 기법에서는 역행성와이어는 채널을 통과해서 병소에 도달하기만 하면 되고 역행성풍선 대신 순행성풍선의 병소 내 진입이 이루어지기 때문에 CART 기법에 비해서 시술이 용이하며 시술시간을 단축시킬 수 있다. 또한 앞서 기술했듯이 Corsair 마이크로카테터의 도입으로 이전에는 불가능하다고 생각되었던 어려운 측부채널(예를 들어 가느다란 굴곡진 심외막채널)의 통과도 풍선확장없이 가능하기 때문에 최근에는 reserve CART 기법의 빈도가 증가하고 있다. Reserve CART 기법에서 주의할 점은 순행성풍선의 병소 내 내막하 풍선확장(antegrade subintimal balloon) 후에 의도적으로 생긴 혈관의 내막하박리(subintimal dissection)는 조영제의 순행성 주입(antegrade injection of contrast dye)에 의해 악화될 수 있다는 점이다. 따라서 reserve CART 기법에서는 외이어의 위치, 혈관크기, 스텐트의 위치를 정할 때에는 조영제 검사대신 IVUS가 추천된다.[12]

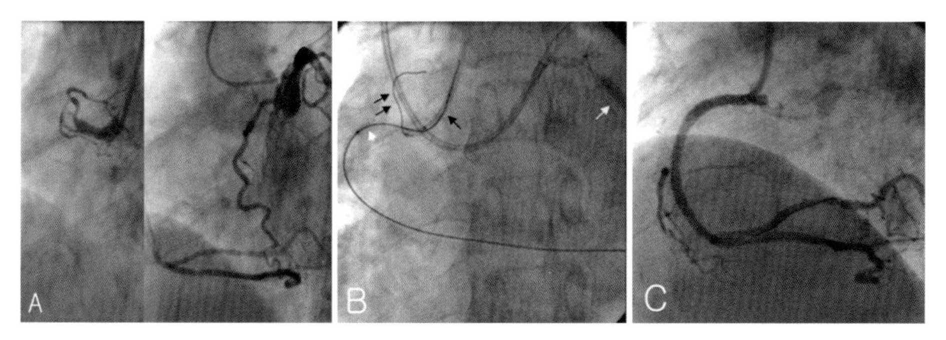

그림 10-8. Double anchoring balloon technique to facilitate the passage of the retrograde balloon through the CTO lesion
A: Baseline angiograms show a CTO at the proximal RCA and a well-developed epicardial collateral.
B: A Conquest-Pro 9g wire crossed the occlusion and entered the donor-guiding catheter. After the distal anchoring balloon technique failed, the addition of the proximal anchoring balloon technique (another balloon inflation at the LCX, white arrow) to the distal anchoring balloon technique (black arrow) provided maximal support for retrograde balloon (white arrow head) passage (the double anchoring balloon technique). Double arrows indicate another wire in the conus branch for IVUS examination to identify whether the passed retrograde wire was placed in the proximal true lumen.
C: Final angiogram

6. 전확작용 풍선통과(predilatation balloon)를 촉진하기 위한 기법들

와이어의 폐색부위 통과 후 풍선통과에 역행성접근법은 많은 이점이 있다. 이는 한 혈관에 순행성와이어와 역행성와이어가 동시에 존재하기 때문에, 기존의 순행성 접근법에서 많이 사용되는 근위부 풍선고정 기법(proximal anchoring balloon technique, 폐색 근위부의 분지혈관에 풍선확장을 하여 가이딩카테터의 지지력을 높임)이외에도 다양한 풍선고정 기법(distal anchoring balloon technique, double anchoring balloon technique[13])의 사용이 가능하기 때문이다.(그림 10-8) 원위부 풍선고정 기법(distal anchoring balloon technique)은 폐색부위를 통과한 역행성와이어 혹은 순행성와이어를 반대편의 풍선으로 고정시켜서, 풍선의 통과를 용이하게 한다.(그림 10-2) 최근에는 retrograde wire crossing technique이나 reserve CART technique에서처럼 역행성와이어가 폐색부위를 통과하는 경우에는 wire externalization technique (통과된 와이어를 목표혈관 가이딩카테터에 진입시키고 풍선으로 고정시킨 후 마이크로카테터를 가이딩카테터 내로 진입시키고 300 cm 와이어로 바꾼 후 가이딩카테터 밖으로 빼내

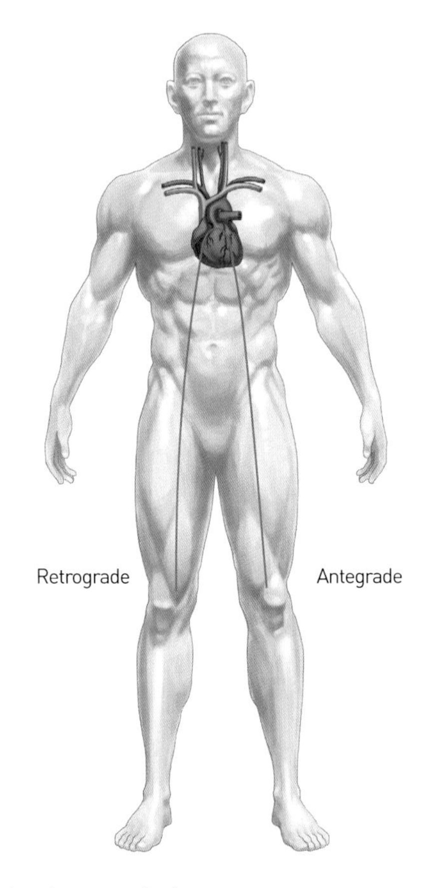

그림 10-9. Illustration of the wire externalization
1. CTO penetration by Guidewire through Retrograde Guiding-catheter.
2. Insertion of Retrograded Guidewire inside Antegraded Guiding-catheter.
3. Insertion of Micro-catheter over Retrograded Guidewire into Antegraded Guiding-catheter.
4. Exchange of Retrograded Guidewire for 300cm Guidewire.
5. Removal of 300cm Guidewire from patient's body through Antegraded Guiding-catheter.
6. Proceed on to Antegrade angioplasty.

어 이를 통하여 풍선확장, 스텐트 삽입을 시행함)을 사용한다.(그림 10-9) 여기서 주의할 점은 마이크로카테터는 측부혈관을 통과한 상태로 목표혈관 원위부에 계속 위치시켜야 하며 목표혈관 재개통 후에 역행성와이어를 먼저 빼낸 후 제거해야 한다. 이는 만약 역행성와이어가 마이크로카테터 없이 장시간 측부채널에 위치하면 와이어 물림현상(entrapment)이 발생할 수 있기 때문이다. RG3 wire (Asahi Intecc)는 최근에 개발된 externalization 전용 와이어로 externalization 과정을 상당히 용이하게 해준다.

7. 역행성접근법의 합병증(Complications)

기존의 순행성접근법에서 생길 수 있는 부작용외에, 역행성접근법은 공급혈관(collateral donor artery)과 관련된 부작용의 가능성이 항상 존재한다2)[14]. 공급혈관의 박리, 혈전 형성은(그림 10-10) 환자의 목숨을 위협하는 허혈성 부작용을 일으킬 수 있다. 앞에서 언급 했듯이 ACT를 250~300 초 이상 유지하도록 노력해야 하고, 가늘고 굴곡이 심한 측부채널을 이용할 때는 역행성 기구의 물림(entrapment)과 이에 따르는 공급혈관 가이딩 카테터의 깊은 진입(deep migration)을 주의해야 한다. 심외막 측부혈관을 이용할 경우 측부혈관의 손상은 심낭압전과 더불어, 만약 이 심외막 측부혈관이 목표혈관의 주된 공급원이면(크게 발달된 심외막 측부혈관의 경우에서 자주 관찰 됨) 심한 허혈성 부작용을 유발할 수 있으므로 세심한 주의가 필요하다. CART 혹은 reverse CART 기법은 근본적으로 병소 내 혹은 병소 근처의 내막하 확장(subintimal dilatation)이므로 과도한 풍선이나 스텐트 확장은 혈관천공을 유발할 수 있으므로 이 기법들을 사용한 경우에는 지연성 탐폰에 주의하여 중환자실에서 몇 시간 동안 관찰하는 것이 바람직하다.

8. 역행성 접근법의 성공예측 인자

한 연구에 의하면 측부혈관의 크기가 CC1이상, 측부혈관의 굴곡 정도(collateral tortuosity)가 90도 미만이면서 측부혈관 말단부위와 목표혈관(recipient vessel)의 연결각이 90도 미만인 경우가 시술 성공의 예측인자이며, 반면에 심외막채널, 측부혈관의 크기가 CC0, corkscrew channel, 측부혈관 말단부위와 목표혈관의 연결각이 90도 이상, 측부혈관 말단부위와 목표혈관의 연결이 명확하지 않은 경우에는 실패율이

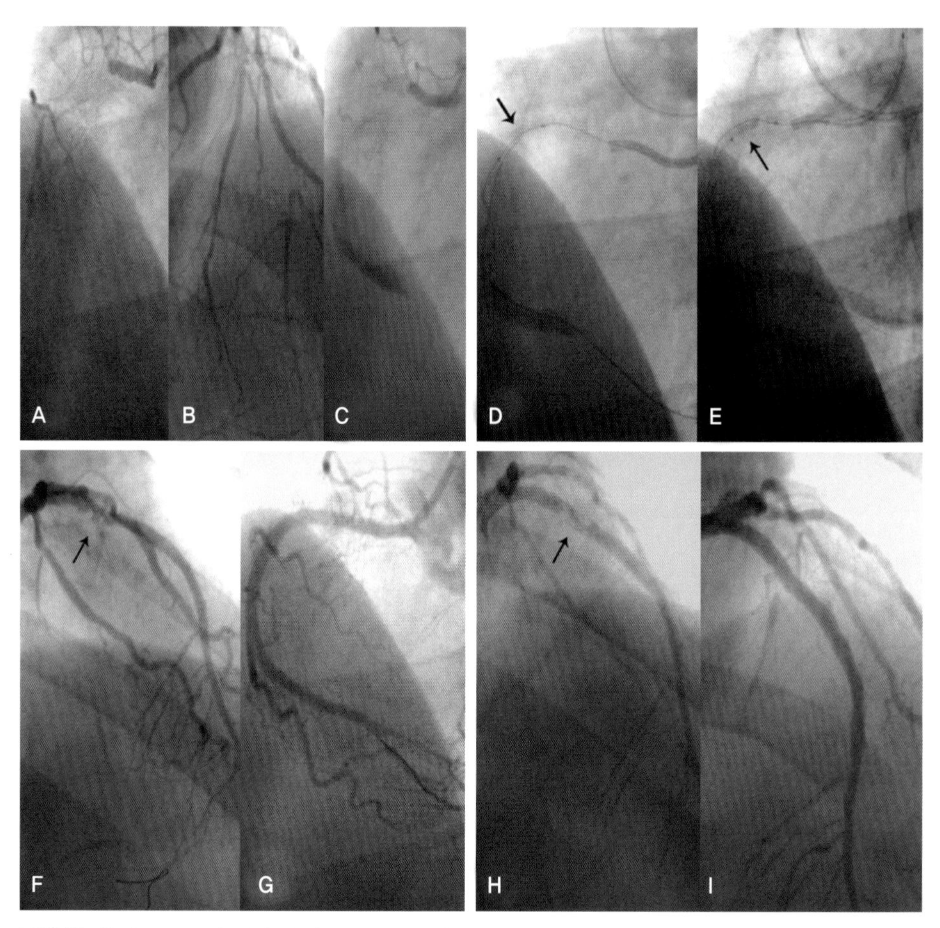

그림 10-10. An example of the bail-out reverse CART technique accompanied by multiple donor vessel complications

A-B: Baseline angiograms show multiple CTOs at the proximal RCA and mid-LAD

C: After antegrade recanalization of LAD-CTO, RCA-CTO was attempted with the antegrade approach. However, wire manipulation provoked severe dissection that propagated to the distal RCA.

D: The bail-out retrograde approach was tried. After the retrograde wire crossing technique failed, the reverse CART technique with 2.5mm balloon (arrow) enable the retrograde wire (Choice-PT) passage into the proximal true lumen

E: After the retrograde wire entered the right guiding catheter, it was anchored by antegrade ballooning in the guiding catheter (white arrow) to facilitate the retrograde balloon passage (black arrow).

F: During the removal of the retrograde wire, severe resistance occurred, which made the left guiding catheter move to the mid-LAD segment, resulting in the first complication (distortion of the prior stenting site at the proximal LAD, arrow), which was treated by bail-out stenting.

G: Final RCA image after implantation of multiple stents from the distal to the proximal RCA

H: The second complication (acute stent thrombosis, arrow) occurred after RCA stenting which was urgently managed by thrombus suction, abciximab, and high-pressure ballooning

I: Final left coronary angiogram

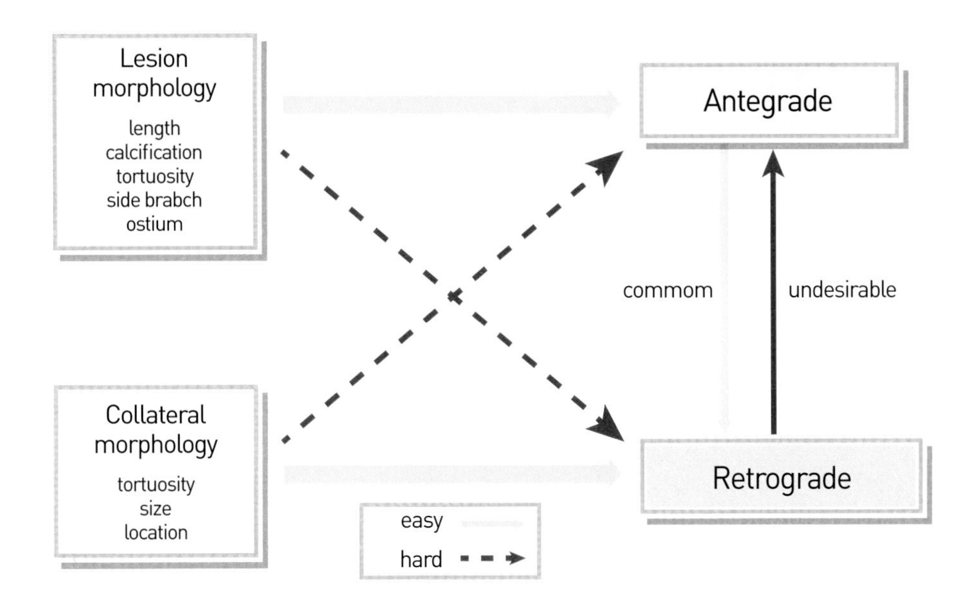

그림 10-11. Schema of CTO-PCI

높다고 하였다. 특히 폐색부위의 굴곡 정도, 길이, 석회화와 같이 기존의 순행성 접근법에서 중요시 되던 인자들은 역행성 접근법에서는 별 영향을 주지 못함을 알 수 있었다.[4]

9. 순행성접근법 혹은 역행성접근법의 선택

기술과 기구의 발전과 더불어 역행성접근법의 도입 이후 숙련된 의사의 만성폐색 병변 시술 성공률은 90%이상에 이른다. 순행성접근법을 선택할지 역행성접근법을 선택할지는 안전성과 시술의 용이성을 모두 고려해야 한다. 예를 들어 아주 난이도가 높지 않은 경우 측부혈관이 상당히 좋다고 해서 처음부터 역행성접근법을 시도하는 것은 역행성접근법이 가지고 있는 단점(시술의 복잡성, 예기치 못한 합병증)을 고려해볼 때 특히 심외막채널을 사용하는 경우 바람직하지 않다. 또한 순행성접근법에서 parallel wire technique을 사용하지도 않고 순행성접근법이 실패했다고 역행성접근법으로 전환하는 경우가 있는데 이 또한 지양되어야 한다. 왜냐하면 parallel wire technique이야 말로 순행성접근법의 성공률을 높이는 핵심이기 때문이다. 반면에 아주 난이도가 높으며 적절한 측부혈관이 존재하는 경우 특히 이전에 실패한 전력이 있는 경우에는 처음부터 역행성접근법 시도하는 것이 바람직하다고 하겠다. 결론적으로 병소의 모양에 근거한 순행성접근법과, 측부혈관에 근거한 역행성접근법의 적절하고 상호보완적인 사용으로 만성폐색병변 시술의 안전하고 높은 성공률을 기대할 수 있다.(그림 10-11)

참고문헌

1. Muramatsu T, Tsukahara R, Ito Y, Ishimori H, Park SJ, de Winter R: Changing strategies of the retrograde approach for chronic total occlusion during past the 7 years. Catheter Cardiovasc Interv. 2012 Apr 19.
2. Lee NH, Seo HS, Choi JH, Suh J, Cho YH. Recanalization strategy of retrograde angioplasty in patients with coronary chronic total occlusion –analysis of 24 cases, focusing on technical aspects and complications. Int J Cardiol. 2010. 144(2):219–29
3. Saito S. Different strategies of retrograde approach in coronary angioplasty for chronic total occlusion. Catheter Cardiovasc Interv 2008;71:8 – 19.
4. Rathore S, Katoh O, Matsuo H, Terashima M, Tanaka N, Kinoshita Y, Kimura M, Tsuchikane E, Nasu K, Ehara M, Asakura K, Asakura Y, Suzuki T. Retrograde percutaneous recanalization of chronic total occlusion of the coronary arteries: procedural outcomes and predictors of success in contemporary practice. Circ Cardiovasc Interv. 2009 Apr;2(2):124–32.
5. Ge L, Qian JY, Liu XB, Qin Q, Cui SJ, Yao K, et al. Retrograde approach for the recanalization of coronary chronic total occlusion: preliminary experience of a single center. Chin Med J (Engl). 2010 Apr 5;123(7):857–63
6. Suh J, Cho YH, Lee NH. Antegrade ballooning with retrograde approach for the treatment of long restenotic total occlusion. J Invasive Cardiol. 2011 Jul;23(7):E164–7
7. Brilakis ES, Grantham JA, Thompson CA, DeMartini TJ, Prasad A, Sandhu GS, Banerjee S, Lombardi WL. The retrograde approach to coronary artery chronic total occlusions: a practical approach. Catheter Cardiovasc Interv. 2012 Jan 1;79(1):3–19.
8. Lee NH, Suh J, Cho YH, et al. Recanalization of a coronary chronic total occlusion by a retrograde approach using ipsilateral double guiding catheters. Korean Circ J 2009;39;42–45
9. Surmely JF, Katoh O, Tsuchikane E, Nasu K, Suzuki T. Coronary septal collaterals as an access for the retrograde approach in the percutaneous treatment of coronary chronic total occlusions. Catheter Cardiovasc Interv 2007;69:826–32
10. Tsuchikane E, Katoh O, Kimura M, Nasu K, Kinoshita Y, Suzuki T. The first clinical experience with a novel catheter for collateral channel tracking in retrograde approach for chronic coronary total occlusions. JACC Cardiovasc Interv. 2010 Feb;3(2):165–71.
11. Surmely JF, Tsuchikane E, Katoh O, et al. New concept for CTO recanalization using controlled antegrade and retrograde subintimal tracking: the CART technique. J Invasive Cardiol 2006;18:334 – 8.
12. Rathore S, Katoh O, Tuschikane E, Oida A, Suzuki T, Takase S. A novel modification of the retrograde approach for the recanalization of chronic total occlusion of the coronary arteries intravascular ultrasound–guided reverse controlled antegrade and retrograde tracking. JACC Cardiovasc Interv. 2010 Feb;3(2):155–64
13. Lee NH, Suh J, Seo HS. Double anchoring balloon technique for recanalization of coronary chronic total occlusion by retrograde approach. Catheter Cardiovasc Interv 2009;73:791 – 4.
14. Suh J, Cho YH, Lee NH. Bail–out reverse controlled antegrade and retrogradesubintimal tracking accompanied by multiple complications in coronary chronic total occlusion. J Invasive Cardiol 2008;20:E334 – 7.

Chapter 11

혈관내초음파를 이용한 시술법

이장훈, 박헌식(경북대병원)

1. 서론

혈관 내 초음파(intravascular ultrasound; 이하 IVUS)는 관상동맥 중재시술에서 혈관 조영술만으로는 알 수 없는 혈관에 대한 단면 영상(cross-sectional imaging)을 보여 줌으로써 혈관의 크기나 동맥경화반의 모양을 이해하는데 많은 유용한 정보를 주고 있다. 만성완전폐색(chronic total occlusion, 이하 CTO) 병변에 대한 중재시술에서도 IVUS는 동맥경화반의 모양, 병변의 크기와 길이에 대한 정보를 제공해 줌으로써 스텐트 삽입시 많은 도움을 주고 있다. IVUS가 CTO 중재 시술에서 반드시 필요한 것은 아니지만, CTO 병변에서 가이드와이어 통과 후 흔히 관찰되는 수축된(shrunken) 혈관이 있는 경우 너무 큰 크기의 스텐트를 삽입하여 발생할 수 있는 관상동맥파열과 같은 합병증을 피하는데 도움을 줄 수 있다. 이런 목적 외에 IVUS는 CTO 병변에서 가이드와이어의 성공적인 병변 통과에도 도움을 줄 수 있다.

CTO 병변 치료에서 IVUS를 이용한 시술은 크게 세 가지 경우에 유용하게 사용될 수 있다: 1) stump가 없는 CTO 병변에서 진입점(entrance)을 확인할 때, 2) 가강(false lumen)에 있는 가이드와이어의 위치를 확인하고 진강(true lumen)으로 바로잡을 때, 3) 역행성 접근법(retrograde approach)을 이용한 시술 시 reverse CART 기법을 사용할 때 이다.

2. 혈관 내 초음파를 이용한 CTO 시술법

1) Stump가 없는 CTO 병변에서 진입점 확인

일반적으로 CTO 병변은 측부혈류(반대측 조영)나 CTO 근위부 병변의 모양에 따라서 진입점의 위치나 경로를 예측하여 가이드와이어 조작을 통해 진입점을 찾을 수 있다. 하지만, stump가 없는 CTO 병변의 경우 혈관조영술 만으로 CTO 병변의 입구를 찾을 수 없는 경우가 많다.(그림 11-1)

IVUS를 이용하여 CTO 병변의 진입점을 찾기 위해서 먼저 IVUS 검사가 가능한 적절한 CTO 진입점 주변의 분지(branch) 혈관을 찾아야 한다. 이 분지 혈관에 가이드와이어를 통과시킨 후 IVUS를 분지 혈관에 위치 시키고 pull-back을 하면서 영상을 획득한다. 이 영상을 토대로 CTO 병변의 진입점으로 의심되는 부위를 찾은 다음 두가지 방법으로 접근할 수 있다. 첫 번째 방법은 진입점으로 생각되는 곳에 IVUS 카테터를 위치시킨 후 실시간으로 영상을 보면서 가이드와이어로 진입점 통과를 시도하는 방법이다. 만일 심장 박동에 따른 요동이 커서 IVUS 카테터를 진입점 근처에 고정시키기 어렵거나, 영상이 깨끗하지 않아 가이드와이어의 위치를 구별하기 어렵다면 성공 가능성이 낮아 진다. 두 번째 방법은 의심되는 진입점의 위치에 가이드와이어를 어느 정도 진입시킨 후 IVUS로 이 가이드와이어의 위치를 확인하는 방법이다. 이 경우 한번에 가이드와이어가 진입점을 통과하게 되면 비교적 수월하게 시술을 진행 할 수 있으나, 내막하공간(subintimal space)으로 가이드와이어가 빠져서 가강으로 계속 진입하게 되면 여러차례 IVUS 검사를 반복해야 되는 수도 있다. 상황에 따라서는 첫번째 가이드와이어는 내막하공간에 그대로 두고 두번째 가이드와이어를 이용하여 진강으로의 진입을 시도하여 좋은 결과를 얻을수도 있다. 하지만, IVUS를 이용한 stump가 없는 CTO 병변 시술에 제한점도 있다. 첫째는 CTO 병변의 진입점을 성공적으로 통과한다 하더라도 그 자체가 성공을 보장해 주지는 못한다. 그 이유는 IVUS를 이용한다 하더라도 진입점 통과 이후의 혈관 경로에 대한 정보는 알 수 없으므로 혈관 조영술로 측부혈류를 통한 원위부 진강을 확인하는 노력이 필요하다는 것이다. 또한, CTO 병변 주위에 적절한 분지 혈관이 없는 경우 시술이 불가능하다.

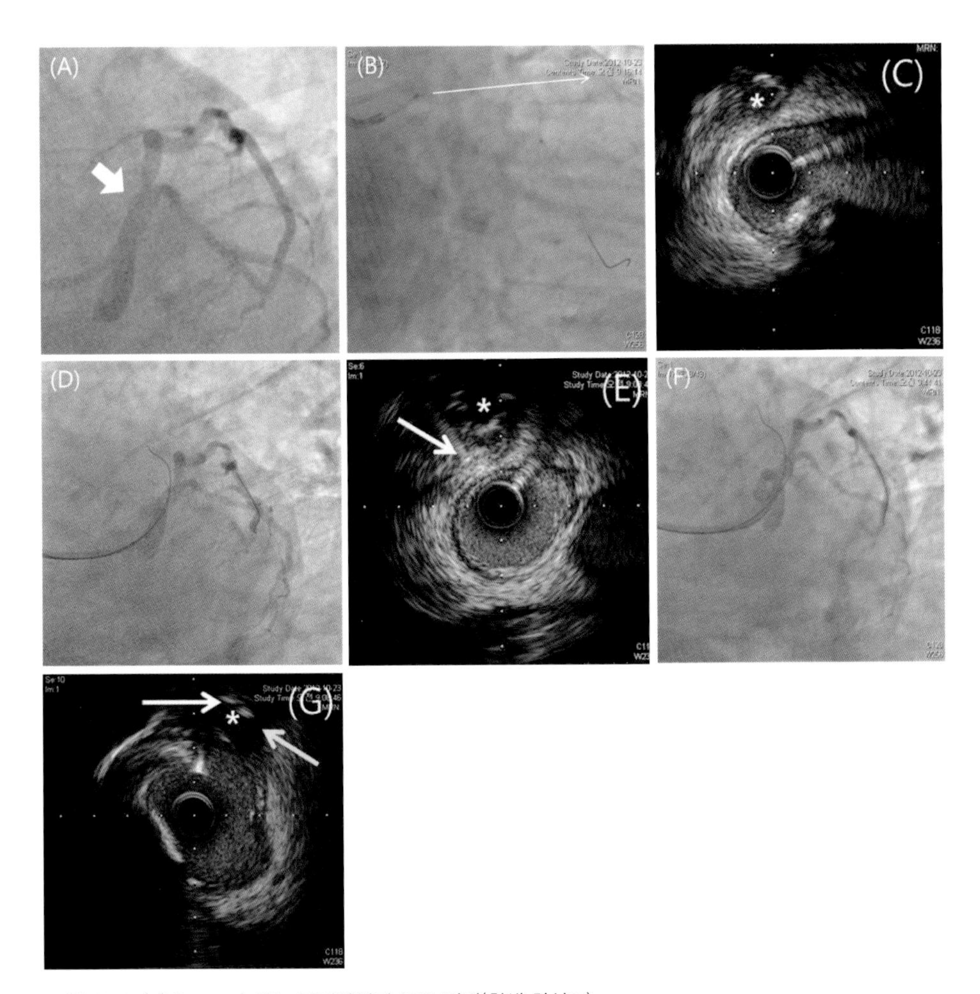

그림 11-1. (A) Stump가 없는 좌전하행지 CTO 병변(흰색 화살표)
(B) IVUS 카테터를 주변 분지혈관에 위치 시킨 후 pull-back함.
(C) 12시 방향에서 좌전하행지 CTO 병변의 진입점(흰색 별표)을 확인할 수 있다.
(D) 가이드와이어를 좌전하행지 진입점으로 생각되는 부위로 통과시킴.
(E) IVUS 영상에서 12시 방향에 좌전하행지 진강(흰색 별표)이 보이지만 가이드와이어(흰색 화살표)가 내막하 공간에 놓여 있는 것을 확인할 수 있다.
(F) 첫번째 가이드와이어를 그대로 두고 두번째 가이드와이어로 CTO 병변을 통과 시킴.
(G) IVUS에서 첫번째 가이드와이어(흰색 화살표)는 내막하공간에 놓여 있고 두번째 가이드와이어(노란색 화살표)는 진강(흰색 별표)에 놓여 있는 것을 확인할 수 있다.

IVUS 카테터는 회사에 따라 다양하다. 일반적으로 40-MHz IVUS 카테터는 좋은 영상을 제공해 주시만 보호 싸개(sheath)가 길게 나와 있어서 보다 크고 긴 주변혈관이 있어야 사용 가능한 단점이 있다. 반면에, 20-MHz IVUS 카테터는 변환기(transducer)의 직경이 굵고 영상의 질이 40-MHz보다 낮지만, 보호 싸개가 없어서 짧은 주변혈관에도 사용 가능하고 보다 넓은 영역까지 영상을 얻을 수 있어 IVUS를 이용한 stump가 없는 CTO 병변에 보다 유용하게 쓰일 수 있다.

2) 가강(false lumen)에 있는 가이드와이어의 위치를 확인하고 진강(true lumen)으로 바로잡을 때

CTO 병변의 진입점으로 생각되는 위치로 가이드와이어가 통과하였으나 반복적으로 가강으로 빠질 경우 내막하공간의 크기가 커지게 된다. 이런 경우 평행 와이어 기법(parallel wiring technique)으로 진강을 통과할 수 있다. 하지만 이미 내막하공간이 CTO 병변의 원위부를 지나버린 상태여서 혈관조영술 상에서 진강의 원위부를 확인하기가 쉽지 않다. 이런 상황에서는 혈관조영술만으로는 계속적인 시술을 시행하기 어렵다. 하지만 IVUS를 이용하게 되면 이런 상황을 해결할 수 있다.(그림 11-2) IVUS는 분지부 혈관의 존재 여부, 내막 및 중막의 확인을 통해서 가강과 진강을 구별할 수 있다. 또한, IVUS를 이용하게 되면 가이드와이어의 위치가 진강에 놓여 있는지 가강에 놓여 있는지를 확인하여 가이드와이어의 위치를 교정할 수 있는 장점이 있다.

먼저 IVUS를 가강에 놓여 있는 가이드와이어를 따라서 진입시켜 내막하공간에 위치시킨다. 이미 가강에 놓여있는 가이드와이어로 인해 내막하공간이 많이 커진 상태로 원위부 진강의 입구가 많이 좁아진 상태이다. 따라서, 혈관조영술만으로는 가이드와이어를 진강의 위치로 교정하기가 쉽지 않다. IVUS는 단면영상을 보여주므로 가이드와이어의 위치를 쉽게 알 수 있어 평행 와이어기법을 이용 시 두번째 가이드와이어 진강으로 진입했는지 쉽게 알 수 있다. 때로는 내막하공간이 크지 않을 경우 풍선 카테터로 내막하공간을 넓힌 후 IVUS를 통과시켜야 한다. 하지만, 이 경우 가이드와이어가 혈관 밖에 있다면 혈관 파열의 위험이 있으므로 반드시 가이드와이어가 내막하에 위치하는지를 정확히 확인 후 시행되어야 한다. 만일 IVUS를 보면서 실시간으로 가이드와이어의 위치를 교정하고자 한다면 8 Fr 가이딩 카테터를 사용해야 한다. 또한, 성공적인 가이드와이어 통과 후 넓어진 내막하공간 전장에 걸친 다수의 스텐트 삽입이 필요하다.

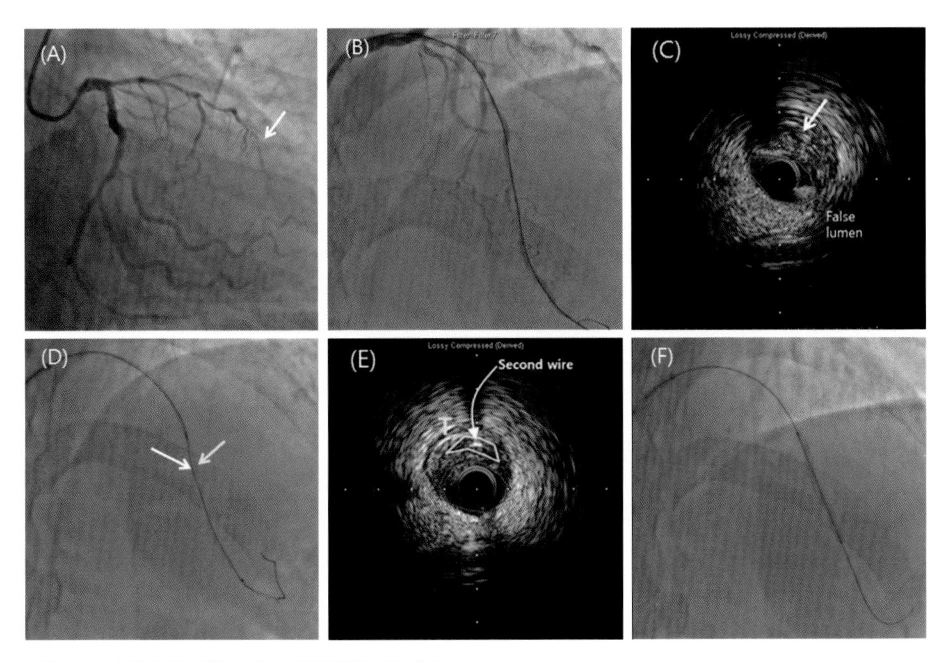

그림 11-2. (A) 좌전하행지 CTO 병변(흰색 화살표)
(B) 가이드와이어 통과 및 풍선확장 후 혈관조영술
(C) IVUS 영상에서 3시방향에 진강(흰색 화살표)이 있고 IVUS 카테터가 가강에 있는 것을 확인할 수 있다.
(D) IVUS 유도하 평행 와이어 기법으로 진강에 가이드와이어를 통과 시킴.
(E) IVUS 영상에서 IVUS 카테터는 가강내에 있고(빨간색 실선; F) 12방향에 좌전하행지 진강(노란색 실선; T) 이 보이고 두 번째 가이드와이어(흰색 화살표)가 진강내에 놓여 있는 것을 확인할 수 있다.
(F) 내막하공간 전장에 걸쳐 긴 스텐트를 삽입함

3) 역행성 접근법(retrograde approach)을 이용한 시술 시 reverse CART 기법을 사용할 때

CTO 병변에서 역행성 접근법을 이용한 reverse CART 기법을 이용한 시술 시 IVUS가 유용하게 사용될 수 있다.(그림 11-3) Reverse CART 기법은 CTO 병변의 내막하 공간과 근위부 진강을 순행성 풍선확장(antegrade ballooning)을 시행하여 연결시키고, 내막하 공간에 위치해 있는 역행성 가이드와이어를 조작하여 근위부 진강으로 통과 시키는 기법이다. 이 과정에서 IVUS는 크게 3가지 역할을 한다. 첫째, IVUS를 이용하면 역행성 가이드와이어의 위치를 확인할 수 있다. Reverse CART 기법시 순행성 가이드와이어와 역행성 가이드와이어가 되도록 같은 선상에 있도록 노력해야 한다. 따라서, 가이드와이어의 위치를 확인하는 것이 중요한데 IVUS가 역행성 가이

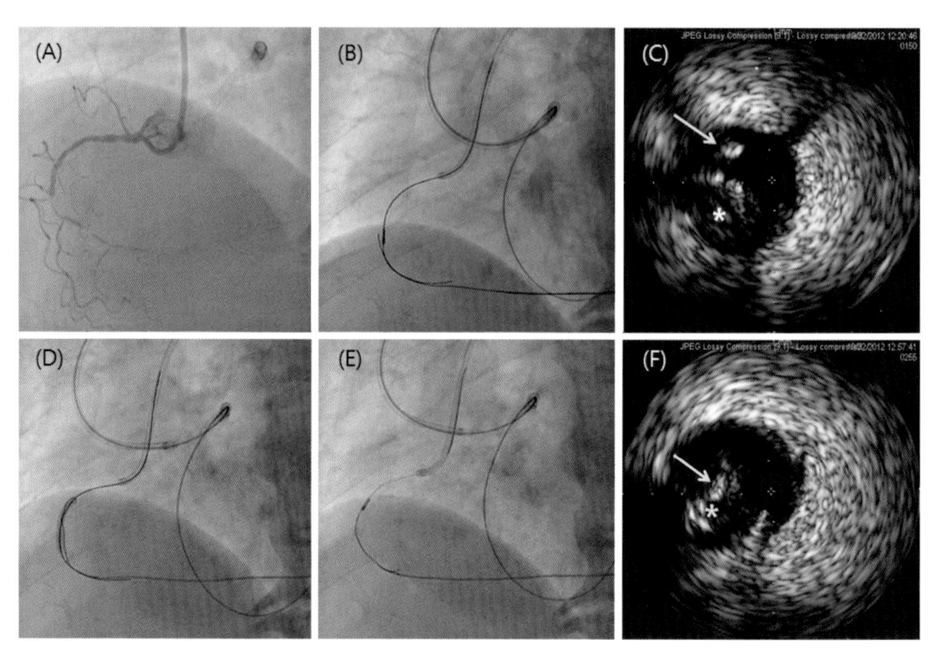

그림 11-3. (A) 우관동맥 CTO 병변
(B) 순행성 가이드와이어를 통해 IVUS 카테터를 가강에 위치시킴.
(C) IVUS 영상에서 7시 방향에서 진강(흰색 별표)이 보이고 역행성 가이드와이어(노란색 화살표)가 가강내에 있음을 확인할 수 있다.
(D) CTO 병변의 내막하공간과 근위부 진강에 순행성 풍선확장을 시행
(E) 역행성 가이드와이어를 조작하여 우관동맥 가이딩 카테터내로 진입시킴.
(F) IVUS 영상에서 7시 방향에 가강(노란색 별표)이 보이고 역행성 가이드와이어(노란색 화살표)가 진강 내에 놓여 있는 것을 확인할 수 있다.

드와이어가 가강에 있는지 진강에 있는지 위치관계를 확인하는데 중요한 정보를 제공해 줄 수 있다. 둘째, reverse CART 기법 시 순행성 가이드와이어를 통해서 IVUS가 접근하기 위해서는 1.5~2.0mm 크기의 순행성 풍선확장이 필요하다. 하지만, 역행성 가이드와이어를 조작하여 근위부 진강으로 통과시키기 위해서는 CTO 병변의 내막하 공간을 보다 큰 직경의 풍선으로 확장시켜야 한다. 이 경우 IVUS가 혈관 크기에 대한 정보를 제공해 줌으로써 적절한 풍선 직경을 결정하는데 도움을 줄 수 있다. 셋째, reverse CART 기법이 시행될 적절한 위치를 정하는데 IVUS가 유용한 정보를 제공해 준다.

3. 결론

CTO 병변에서 IVUS는 stump가 없는 CTO 병변의 진입점 확인, 가강에 있는 가이드와이어를 진강으로의 위치 교정, 역행성 접근법을 이용한 reverse CART 기법 시 유용하고 안전하게 사용될 수 있다. 또한, 다른 영상기법과 병용하면 시술의 성공률을 더욱 높여줄 수 있을 것으로 생각된다.

참고문헌

1. Waksman R, Saito S et al. Chronic total occlusion: A guide to Recanalization, 2009, USA.
2. Stone GW, Colombo A, Teirstein PS, Moses JW, Leon MB, Reifart NJ, Mintz GS, Hoye A, Cox DA, Baim DS, Strauss BH, Selmon M, Moussa I, Suzuki T, Tamai H, Katoh O, Mitsudo K, Grube E, Cannon LA, Kandzari DE, Reisman M, Schwartz RS, Bailey S, Dangas G, Mehran R, Abizaid A, Serruys PW. Percutaneous recanalization of chronically occluded coronary arteries: procedural techniques, devices, and results. Catheter Cardiovasc Interv. 2005;66(2):217–36.
3. Werner GS, Diedrich J, Schlz KH, Knies A, Kreuzer H. Vessel reconstruction in total coronary occlusions with a long subintimal wire pathway: use of multiple stents under guidance of intravascular ultrasound. Catheter Cardiovasc Interv. 1997;40(1):46–51.
4. Ito S, Suzuki T, Ito T, Katoh O, Ojio S, Sato H, Ehara M, Suzuki T, Kawase Y, Myoishi M, Kurokawa R, Ishihara Y, Suzuki Y, Sato K, Toyama J, Fukutomi T, Itoh M. Novel technique using intravascular ultrasound–guided guidewire cross in coronary intervention for uncrossable chronic total occlusions. Circ J. 2004;68:1088–92.
5. Matsubara T, Murata A, Kanyama H, Ogino A. IVUS–guided wiring technique: promising approach for the chronic total occlusion. Catheter Cardiovasc Interv. 2004;61(3):381–6.
6. Park Y, Park HS, Jang GL, Lee DY, Lee H, Lee JH, Kang HJ, Yang DH, Cho Y, Chae SC, Jun JE, Park WH. Intravascular ultrasound guided recanalization of stumpless chronic total occlusion. Int J Cardiol. 2011;148(2):174–8.

Chapter 12

방사선 피폭에 따른 문제점 및 이의 예방

김무현(동아대병원), 조정래(강남성심병원)

1. 서론

방사선 피폭(radiation exposure)의 문제점은 흔히 방사선-유발성 세포 사망(radiation-induced cell death)을 초래하는 deterministic effect (dose-dependent effect)와 돌연변이(mutation)를 일으키는 stochastic (또는 probabilistic, all-or-none) effect로 나뉠 수 있다[1]. 시술시에 환자에게 전달되는 방사선 선량(radiation dose)은 방사선 손상위험과 시술의 질을 결정하는 척도가 될 수 있다. 만성완전폐색병변(CTO)를 치료하는 시술자로서, 가능하면 노출되는 방사선 선량을 줄이도록 노력함으로써, 환자뿐 아니라 시술자 본인도 좀 더 안전하고, 건강하게 시술을 해 나갈 수 있으리라 본다. 본 chapter 에서는 CTO와 관련된 방사선 피폭에 대하여 다루어 보고자 한다.

2. 본론

PCI 시 방사선 피폭을 평가하는 parameter 로서 여러가지가 있는데 이중 2가지가 임상적으로 흔히 쓰인다. 한 가지는 총 흡수선량(Total Air Kerma, AK)이라고 불리우며, 중재술 시술장(interventional reference point)에서 공기중으로 방출되는 X-선

Deterministic injuries

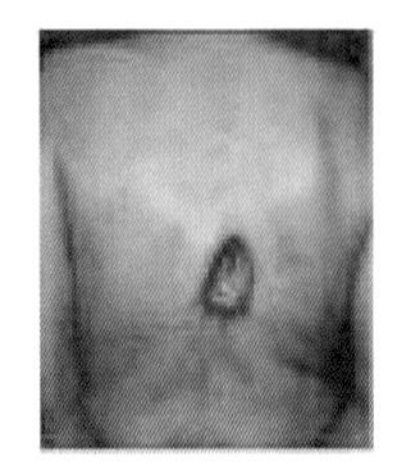
Coronary angioplasty

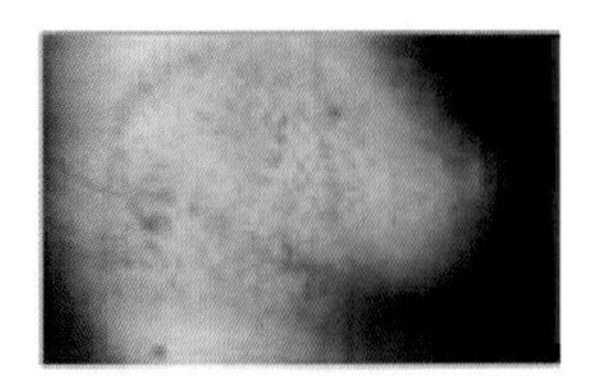
Radiofrequency ablation

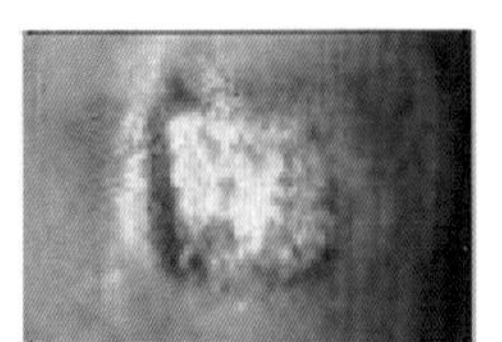
TIPS placement

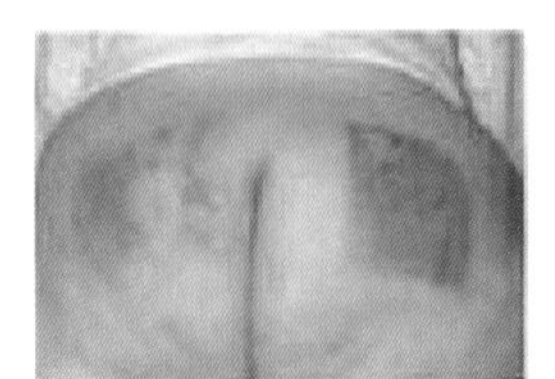
Uterine embolization

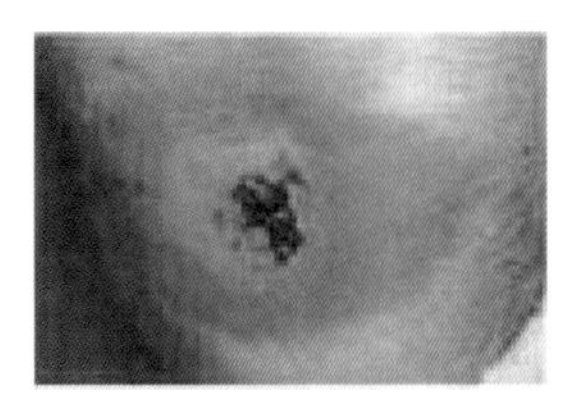
Renal angioplasty

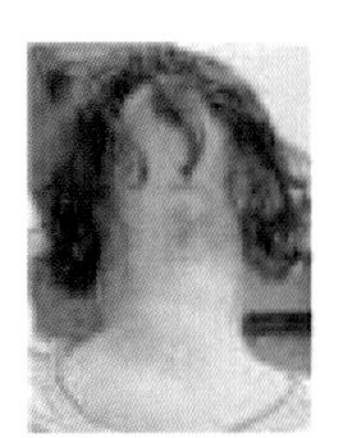
Neuro embolization

그림 12-1. Deterministic effects 의 예

표 12-1. Threshold of deterministic effects

Effect of a Single Dose	Threshold (Gy)	Onset
Early transient erythema	2	Hours
Main erythema	6	~10days
Temporary (permanent)epilation	3(7)	~3weeks
Dry (moist)desquamation	14(18)	~4weeks
Secondary ulceration	24	>6weeks
Ischemic dermal necrosis	18	>10weeks
Dermal atrophy	10	>1year
Late dermal necrosis	>12	>1year
Skin cancer	stochastic	>5year

의 총량으로서 단위는 Gray (Gy)로 표시되며 주로 방사선 관련 피부손상 위험도를 보는데 이용되어 왔다. 다른 한가지는 면적선량(Dose Area Product, DAP)으로써, 흡수된 선량을 해당 조사면적으로 곱하게 되고, 따라서 Gy*㎠ 로 표시되며, 방사선에 의한 합병증(암 발생등) 위험도를 따지는데 유용하다고 알려져 있다.[2] 시술전 환자의 위험도를 평가하는 것이 필요한데, 1) 비만자, 2) 복잡병변 시술, 3) 1–2달전 PCI 이미 받은 경우 및 4) 기타 방사선을 사용하는 시술을 받은 경우는 위험도가 다소 증가될 수 있으므로, 시술의 이득/위험도에 대한 충분한 고려가 필요하겠다. 시술 동의서에는, 시술시 방사선을 이용하며 방사선의 조사에 따른 단기, 장기위험도가 존재하며, 시술이 복잡하거나 어려운 경우 조직손상(피부 등)을 초래하여 이에 대한 추가적인 조치가 필요할 수도 있음을 포함하는 것이 바람직하다고 본다.[3]

흡수선량이 5 Gy 미만인 경우 피부손상이 일어나지 않는다고 보며, 5–10 Gy 는 피부손상의 가능성이 있어 술자가 시술 지속여부를 재평가해야 되며, 15 Gy 를 초과한 경우는 시술을 중단해야 하겠다. 피부손상이 발견되면 항히스타민제, 스테로이드, 항생제 연고 등의 투여가 도움이 된다고 알려져 있다.[4]

CTO 시술시 방사선 피폭을 줄이는 방법으로서, 시술내에 지속적으로 방사선 피폭 정도를 모니터하면서 시술의에게 정보를 주도록 하며, 예컨데 7–10 Gy까지 가이드와이어가 CTO를 통과하지 못한 경우 또는 12 Gy까지 시술이 거의 다 끝나지 않은 상태라면 시술을 부득이하게 중단하는것이 좀 더 안전한 것으로 권장되고 있다. Fluoroscopy frame rate 를 15 fps에서 7.5 fps로 줄이는 것도 조사량을 줄이는데 도움이 되며, 일부 시술자들도 시술 시 활용하고 있다. 단, 기존의 15 fps 에 익숙해 있으므로, 7.5 fps에 익숙해지기 위해 미리 많이 사용해 보는 것이 추천되겠다.

또한, Cine–angiography가 fluoroscopy에 비해 방사선 피폭이 더 많기 때문에, cine–angio를 가급적 줄이는 방법이 강구되고 있다. 이를 위해서, 풍선확장이나 스탠트 삽입시 image store또는 fluoro–save기능을 이용하기도 한다. 마이크로카테터를 빼낼 때 balloon trapping technique을 이용하거나, 마이크로카테터를 병변에 위치하고, 와이어를 re–shaping할때 와이어에 torque를 고정해두는 방법등은 불필요한 fluoroscopy 시간을 줄일수 있다. 양측 조영(dual injection)시 cine–recording 시작 직전에 공여혈관(donor vessel) 조영을 하는 것도 시간 단축에 도움이 되겠다.

기타의 방사선 피폭을 줄이는 팁으로 여러가지가 제시되고 있다.

1. Collimation을 이용하며(피폭되는 피부면적을 줄일수 있음), low magnification 및 7.5 fps 를 활용한다.

2. Image intensifier에서의 steep angle을 피한다.(steep angle 은 더 많은 방사선 피폭을 초래함) 특히 LAO−Cranial view는 방사선 피폭이 가장 많으므로(RAO−Caudal 의 2.5−6.1배) 주의를 요한다.

3. 방사선이 도달하는 위치에 술자의 손을 위치시키지 않는다.

4. 화면을 보지 않을 때 fluoroscopy페달을 밟지 않는다.

5. 가능하면 시술시 흡수선량 및 면적선량 모니터링을 한다.

6. 방사선 빔이 동일 부위의 피부로 진입하지 않도록, view를 변화시킨다.(최소 40도 이상)

7. CTO PCI 시술을 하기전 항상 환자의 등 피부상태를 체크한다.(특히, 여러 차례 선행되는 non−CTO PCI를 받았거나, 이전에 실패한 CTO PCI 시도가 있었던 경우)

8. Source to image distance (SID, X−ray tube 에서 image intensifier 까지의 거리)를 줄이도록 한다. Image intensifier는 항상 환자의 몸에 가능한 가깝게 하며, 환자와 X−ray tube와의 거리를 멀리하면, 방사선의 환자 피부진입 용량을 줄이고 해상도가 향상시킬 수 있다.

9. 시술시 적절한 보호장구(protective garment)를 착용하고, 테이블 위/아래 protector를 항상 유지하며 시술한다.

10. 시술후에는 방사선 피폭양을 항상 기재하도록 한다.(Class IC)

시술후의 고려사항들은 다음과 같다.

1. 가능하다면 방사선 조사량을 시술기록지에 남긴다(특히 누적 조사선량이 5 Gy 이상인 경우)

2. 5−10 Gy인 경우는 30일 이내에 외래방문 또는 전화확인을 한다.

3. 10 Gy초과인 경우 외래방문을 권유한다.

4. 15 Gy를 초과하는 경우는, 중등도 이상의 방사선 노출에 해당되므로 관련 기관 지침에 따라 특별히 관리한다.

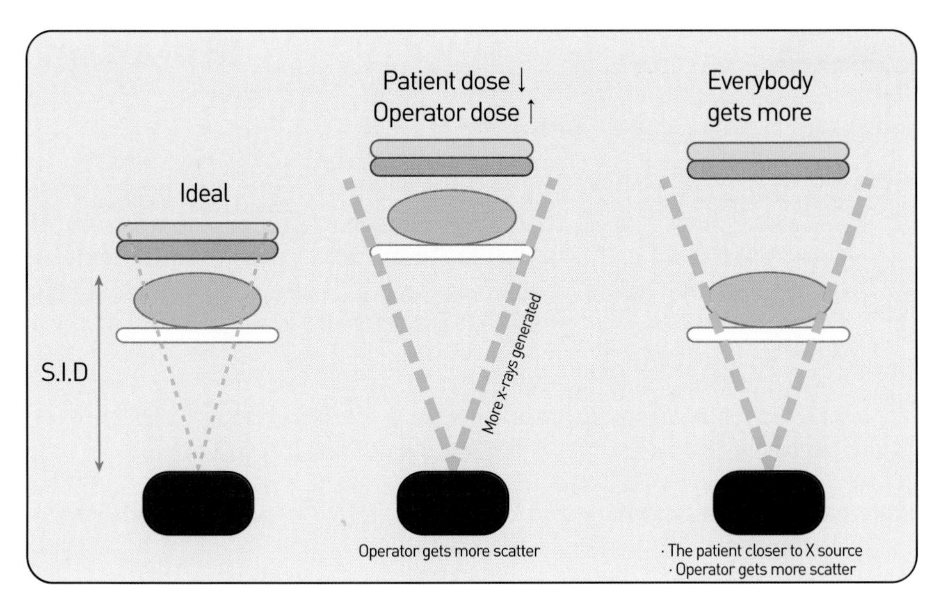

그림 12-2. 테이블의 높이 및 SID

5. 조직손상 정도는 진찰을 통해 확인하며, 방사선에 의한 손상인지 불분명한 경우에만 조직검사를 실시한다.(불필요한 조직검사는 지양한다)

3. 결론

CTO 시술을 포함한 복잡병변의 PCI는 단순병변에 비해, 필연적으로 방사선 노출이 늘어날 수 밖에 없는 것은 주지의 사실이다. 필요한 경우 환자의 경과 호전을 위해 시술하는 것은 당연하나, 이에 잠재적으로 수반될 수 있는 방사선 손상에 대해 항상 주의를 기울일 필요가 있다고 하겠다. 환자 치료목적도 달성하고, 방사선 피폭에 의한 위험성을 최소화하기 위해서는 기본적인 지식을 갖추고, 시술과정에서 세심한 주의가 필요하다고 하겠다.

참고문헌

1. 대한 순환기학회 심혈관중재연구회 e-manual Ver. 2
2. Valentin J. Avoidance of radiation injuries from medical interventional procedures. Ann ICRP. 2000;30:7- 67.
3. Bashore TM, Balter S, Barac A, Byrne JG, Cavendish JJ, Chambers CE, Hermiller JB Jr, Kinlay S, Landzberg JS, Laskey WK, McKay CR, Miller JM, Moliterno DJ, Moore JW, Oliver-McNeil SM, Popma JJ, Tommaso CL. 2012 American College of Cardiology Foundation/Society for Cardiovascular Angiography and Interventions expert consensus document on cardiac catheterization laboratory standards update: A report of the American College of Cardiology Foundation Task Force on Expert Consensus documents developed in collaboration with the Society of Thoracic Surgeons and Society for Vascular Medicine. J Am Coll Cardiol. 2012 Jun 12;59(24):2221-305.
4. Kato M, Chida K, Sato T, Oosaka H, Tosa T, Munehisa M, Kadowaki K. The necessity of follow-up for radiation skin injuries in patients after percutaneous coronary interventions: radiation skin injuries will often be overlooked clinically. Acta Radiologica 2012;53:1040-1044.

Chapter 13

Complications Associated with CTO Intervention

나승운(고대구로병원), 박상호(순천향천안병원)

서론

만성완전폐색(CTO) 병변의 재개통을 위한 시술은 기본적으로 자주 매우 강하고 날카로운 가이드 와이어들을 공격적으로 사용하며, Tornus, IVUS, microcatheter 등의 다양한 보조적인 시술기구(device)들이 사용되고, 시술을 용이하게 하기 위해 매우 강한 가이딩 카테터의 지지를 필요로 하는 경우가 많으며, CTO 병변 자체가 조직이 복잡하고 불규칙하기 때문에 다른 통상적인 관상동맥 중재시술에 비해 합병증의 발생이 높을 수 밖에 없는 것이 주지의 사실이다.

병변 자체보다 환자의 전체를 놓고 본다면, 아무래도 CTO 병변을 가진 환자들은 전통적인 관상동맥질환의 위험인자들에 해당하는 당뇨병, 고혈압, 고지혈증, 과거 심근경색증의 병력이 많고, 관상동맥병변 자체도 다혈관, 다병변 질환의 빈도가 높고, 좌심실구혈율도 떨어져 있는 경우가 많아 시술과 관련된 중대한 합병증이 발생하면, 환자에게는 치명적이 될 소지가 있다.

이러한 배경을 고려한다면, 시술과 관련되어 일어날 수 있는 모든 종류의 합병증의 발생 위험요소와 예방 등에 대해 시술 전에 이미 잘 이해하고 있어야 하며, 이를 염두에 두고 정확하고 안전한 시술이 될 수 있도록 최선을 다해야 하겠다. 그럼에도 불구하고 발생하는 합병증들에 대해서는 신속히 대처할 수 있는 지식, 술기 및 준비가 되어있어야 환자의 안전을 지켜줄 수 있겠다.

CTO 병변의 시술과 관련하여 발생할 수 있는 합병증은 일반적으로 수술시간이 길어짐에 따라 발생하는 합병증에 해당하는 방사선 과다조사에 의한 합병증(피부 병변 및 악성종양 발생의 가능성)과 조영제의 소모량이 증가하면서 발생할 수 있는 신기능 장애 등이 있을 수 있겠지만, 여기에서는 시술과정 자체에서 발생할 수 있는 합병증인 관상동맥 박리/해리, 천공, 시술장비의 병변 내 덫걸림, 후향적 접근로 연관 합병증 등을 다루고자 한다.

1. Dissection (박리)

CTO 병변의 시술과정에서 박리는 가이딩 카테터를 위치하는 개구부(ostium; OS)에 발생하거나, 강하고 날카로운 가이드와이어를 사용하여 재개통을 시도하는 과정에서 혈관의 내막박리(intimal dissection)를 자주 만들 수 있고, 특히 가이드와이어의 종말점이 실제 혈관내부(true lumen)가 아니고 가성내부(pseudo lumen)일 경우 광범위한 박리로 재개통에 실패할 수도 있는데, CTO 시술과 관련된 임상적인 문제는 주로 이 두 가지 경우에 해당할 수 있겠다. 박리는 intraluminal flap이 보이거나, 조영제의 extraluminal linear or spiral extravasation으로 관찰될 수 있는데, 때로는 가성박리(Pseudo−dissection)와 혼돈될 수 있다. 조영제가 충분히 차지 않아 streaming처럼 보이거나, 가이딩 카테터를 깊이 삽입하여 있는 경우(deep intubation), 혈관의 곡선을 펼쳐 보이는 stiff 한 와이어 때문에, 또는 CTO 시술을 위해 와이어가 두 개 이상 들어간 경우 그리고 주된 혈관을 따라 평행하게 주행하는 작은 분지혈관이 잡힌 경우 혼돈될 수 있으므로, 여러 각도에서 충분한 조영제를 사용하여 실제 박리인지 아닌지를 확인하는 것이 중요하겠다.

1) 가이딩 카테터에 의한 박리

이는 주로 CTO 병변을 시술할 때는 적극적인 wiring을 위해 좌주간지 개구부(left main artery os)에는 EBU나 XB, 우관상동맥 개구부(right coronary artery os)에는

AL1, AR1등 강한 지지에 용이한 가이딩 카테터를 주로 많이 사용하게 되는데, 특히 적극적인 wiring을 하는 과정에서 이러한 개구부에 동맥경화병변이 있고, 가이드와이어를 강한 지지를 하기 위해 밀어넣는 과정에서(deep intubation) 혈관조영술상 관찰이 어려운 손상을 받을 경우도 있고, 이러한 상태에서 조영제를 비교적 세게 주입하는 과정에서 광범위한 개구부위로부터의 박리를 초래할 수 있다. 더구나, 더욱 강한 지지를 이루거나, 축이 맞지 않아 더욱 깊이 가이딩 카테터를 삽입하기 위해 때로는 다른 가이드와이어를 분지(side branch)에 넣어두거나, 또는 분지나 주된 가지에 다른 풍선을 넣어 지지를 보조하는 anchor balloon technique을 사용할 경우, 특히 개구부에 동맥경화병변이 있으며 협착이 존재할 경우 더욱 박리가 발생할 위험이 높다고 할 수 있다.

개구부의 박리를 초래할 위험요소들을 다시 요약하면, 1) 개구 부위에 동맥경화병변과 협착이 존재하는 경우, 2) 해부학적으로 가이딩 카테터와 같은 축이 되기 힘든 경우에 무리하게 삽입할 경우, 3) 가이딩 카테터를 back up이 좋은 것으로(EBU, XB AL등) 무리하게 깊게 삽입하려는 경우, 4) 가이딩 카테터의 강한 지지를 유도하기 위해 분지(side branch)나 주가지(main branch)에 다른 풍선(balloon)을 이용하여 가이딩 카테터를 세게 당겨 밀어 넣을 경우(anchor balloon technique), 5) 강한 힘으로 세게 조영제를 주입하여 조영술을 할 경우라 할 수 있고, 이러한 상황을 특별히 주의한다면, ostial dissection의 빈도를 줄일 수 있을 것이라 예상된다.

CTO 병변을 시술시 가이딩 카테터의 조작에 유의하는 것이 가장 중요하겠지만, 개구부에 중등도 이상의 병변이 있고, 십중팔구 가이딩 카테터에 의한 손상을 받을 위험이 높거나, 아니면 시술후라도 문세의 소지가 높을 것으로 예상되는 경우 아예 개구부위에 안전하게 stent를 삽입한 후 시술을 체계적으로 개시하는 것도 고려해볼 수 있겠다.

예방을 할 수 있으면 그것이 최상이겠지만, 예기치 않게 박리가 발생한다면 어떻게 치료를 하는 것이 효과적일 것인가? 가장 중요한 것은 당황하지 않고 가이드와이어의 위치를 잃지 않는 것이 중요하다. 가이드와이어만 자기 위치에 존재하면, 시술 시작할 때의 혈관조영술 사진을 복습하여 적절한 혈관직경을 평가하여 신속하게 스텐트 삽입술을 시행하는 것이 가장 확실한 대처법이 될 수 있겠다. 스텐트를 삽입 후 정확한 평가를 위해 혈관조영술을 할 경우, 가이딩 카테터의 개구부 위치에 매우 주의를 해야 하며, 축이 맞지 않거나, 조영제가 주로 스텐트와 혈관벽 사이의 박리된 공간으로 들어갈 경우, 조영술을 시행한 후 더욱 광범위한 박리를 추가로 만들 위험도 있기 때문이다. 따라서 개구부 위치의 스텐트는 확실하게 확장이 되어 박리의 시작부위가 완전히 차단될 수 있게 하는 것이 중요하다 할 수 있겠다.

문제는 가이딩 카테터로 박리가 만들어 졌는데, 가이드와이어가 자기 실제혈관 내부에서 빠져버렸거나, 아예 가이딩 카테터와 가이드와이어가 함께 빠져 버린 경우는 더욱 문제가 복잡하고 어려워질 수 있다. 먼발치에서 살살 조영제로 확인하여 전반적으로 혈류가 잘 유지되는 정도이면 이미 CTO 병변인 상태이므로 시술을 중단하고 3개월 이상 상처가 회복될 시간을 두고 재시술을 시도해 볼 수가 있겠고, 개구부의 박리로 개구부 이하의 중요한 분지들을 통한 혈류에 장애가 생겨 허혈성 흉통과 혈역학적인 불안정성의 위험이 높다면, 적극적인 시술을 진행할 수 밖에 없겠다. 다시 wiring 을 시도할 때 중요한 점은 여러 각도에서 혈관조영술 사진들을 찍어 관찰하여 true lumen의 추정위치를 파악하여 wiring을 하는 것이다. Wiring은 부드럽고 조절이 잘 되는 종류의 wire를 사용하되, 무리하게 진행시켜 박리를 더 크게 만들지 않도록 주의해야 한다. 대개 wire가 진행이 안되고 저항이 있거나, 말단부위에서 자주 큰 각도로 굽어지면 이는 이미 가성혈관내부(false lumen)에 와이어가 있을 것을 시사하는 소견이고, 진성 혈관 내부(true lumen)에 들어간 경우 저항없이 진행이 되고, 또한 작은 분지들 쪽으로 와이어가 드나들 수 있는 것이 좋은 참고가 될 수 있다. 때로는 true lumen으로 시작하는 것 자체가 어려우면, 되는대로 와이어를 조금 넣고, IVUS를 통해 true lumen방향을 찾아 wiring을 시도해볼 수도 있겠다. 일단 성공적으로 wiring이 되자마자 바로 스텐트 삽입술을 진행하면 위기를 탈출할 수 있게 된다.

또 한 가지 언급할 부분은 CTO 시술 시 매우 심한 ostial dissection과 연관되어 retrograde aortocoronary dissection이 발생하는 경우와 이에 대한 대처인데, 이러한 합병증은 CTO 시술을 위해 RCA & LM os에 매우 지지가 좋으며 큰 직경의(7–8F) 가이딩 카테터를 사용하여 CTO 시술을 진행하다가 os에 카테터 관련 또는 조영제를 세게 주입하는 과정에서 os부터 박리가 생기고, 그것이 대동맥 쪽으로 파급되는 경우에 발생할 수 있다. 이때는 관상동맥 박리와 잔존협착이 심하거나, 급성 혈전증이 병발하면, 급성심근경색증 및 동반된 심인성 쇼크 등으로 급사할 수 있어, 이러한 경우 bail-out situation으로 간주하고 응급 스텐트시술을 시행하여야 한다. 적절한 스텐트의 삽입으로 대동맥으로의 박리가 진행하는 부위의 봉합이 가능할 수도 있고, IVUS 유도하에 스텐트 삽입위치의 적절성과 대동맥 쪽으로의 박리가 봉합이 되었는지 등을 평가해야 한다. 응급 스텐트 삽입으로 문제가 해결되지 않으면 결국 흉부외과와 상의하여 응급 수술을 시행해야 하겠다. Stent를 삽입하였음에도 불구하고, 대동맥판 역류가 심하거나(severe aortic regurgitation), 대동맥 상방 혈관들이 포함되었거나(involvement of supraaortic vessels) 그리고 본래의 박리가 계속 심해지고 진행이 될 경우(progression of index dissection)는 외과적인 수술을 결정해야 할 소견들이다.

2) 가이드와이어에 의한 내막박리

CTO 병변의 시술은 기본적으로 강하고 날카로운 가이드와이어를 사용하기 때문에 혈관내부에 손쉽게 손상을 줄 수 있으며, 박리, 천공 등을 초래할 수 있겠다. 더구나 근래에는 역행성 접근법(retrograde approach)을 시도하여 septal branch를 통해 또는 epicardial collateral (측부혈류)을 통해 거꾸로 병변까지 wiring을 진행하는 경우 이를 통과하는 혈관 구조와 진행과정에서 내막박리가 발생할 수 있겠다.

일반적으로 CTO를 시술하는 과정에서 발생하는 관상동맥 박리도, 일반적으로 분류하는 박리의 유형대로 평가할 수 있겠다.(표 13-1)

특히 폐쇄된 혈관의 길이가 길면서 각이 진 경우, 매우 stiff한 Conquest series나 Miracle series의 와이어로 wiring과정에서 intimal dissection등 손상의 위험이 증가할 수 있겠다. 임상적으로 중요한 상황은 CTO시술과정에서 내막박리가 시작되었고, 와이어가 내막박리로 인해 가강(false lumen)에 남아 있더라도 말단부위에서 진강(true lumen)과 연결되지 못할 경우 박리로 말미암아 혈관의 재개통이 어려워지게 된다. 이러한 경우 조영제의 주입은 순행방향에서는 해서는 안되며, 반대편 혈관에서 조영제를 투여하여 측부혈류를 통해 와이어가 말단부위에서 진강에 위치하게 되었는지를 확인하는 것이 중요하다고 할 수 있겠다. 와이어가 진강에 일단 위치하게 되면 와이어의 움직임이 'free motion'을 느낄 수 있으며, 특히 박리의 시작부위부터 적절한

표 13-1. National Heart, Lung, and Blood Institute classification system for coronary dissection

Feature	Definition
A	Minor radiolucency within the coronary lumen with minimal or no persistence after dye clearance
B	Parallel track or double lumen separated by a radiolucent area during contrast injection with minimal or no persistence after dye clearance
C	Extraluminal cap with persistence of contrast after dye injection
D	Spiral shape filling defects
E	New persistent intraluminal filling defects
F	Dissection leading to total occlusion without distal antegrade flow

크기의 스텐트 삽입술을 시행받는 것이 중요할 수 있겠다. 마찬가지로, 가강에서 진강으로 찾아가는 것이 어렵다면, IVUS-guided wiring을 시도해 볼 수 있겠다.

박리가 심하게 발생하였으며 prolonged balloon inflation으로 박리편(dissection flap)을 진정시키면 혈류가 회복되어 좋아지는 경우가 있고, 필요한 경우 관류 풍선(perfusion balloon)을 사용하면 원위부의 혈류차단 없이 박리를 적절히 해결할 수도 있다. 박리에 따라 곧 혈전이 발생하여 원위부로의 혈류에 더 장애가 생기면, 혈전용해제 urokinase를 10만-25단위까지 투여하고 풍선확장을 시행해 볼 수도 있고, GP IIbIIIa receptor blocker를 사용하여 회복된 보고도 있다.

약제나 풍선을 이용해 박리 및 박리와 연관된 혈전증 등이 해결이 되지 않으면, 바로 스텐트를 삽입하여 박리에 따른 문제들을 진정시킬 수 있겠다.

임상적으로 박리와 함께 고려해야할 상황은 단순한 풍선확장술(POBA, plain old balloon angioplasty) 또는 스텐트를 삽입하였을 때 치료부위의 경계부위(edge), 특히 원위부 edge에 박리가 생겼을 경우에는 어떻게 하여야겠는가? 만일 스텐트 삽입후 경계부 박리가 경도로 발생하였고, 원위부로의 혈류에 제한이 없으면, 보존적인 약물로 치료하면서 경과관찰을 하면 되고, 스텐트 삽입과 관련되어 일어난 경계부 박리로 인해 혈관내부 면적이 50%가 안 되거나 전략적으로 위험한 부위(LM 그리고 주된 관동맥인 LAD, LCX, RCA의 os 부위)라면 추가적인 스텐트를 삽입하여 병변을 안정화 시키는 것이 안전하고 효율적인 대처법이라 할 수 있겠다.

2. Perforation (천공)

CTO의 시술과정에서 가장 자주 발생하는 합병증은 관동맥 천공이라 할 수 있겠다. CTO 시술과정에서 약 2%에서 발생하는 것으로 보고되고 있다. 이는 크게 두 가지 경우로 나누어 생각해볼 수 있는데, 하나는 주로 단단하고 날카로운 가이드 와이어로 공격적으로 wiring을 하면서 발생되는 천공이 있겠고, 또 다른 경우는 wiring이 끝나고 풍선(balloon)이나 스텐트(stent)를 확장하는 과정에서 비교적 큰 천공이나 아예 혈관 파열(rupture)이 일어나는 경우로 나누어 생각해 볼 수 있다.

1) 가이드와이어에 의한 천공

일반적인 병변에서 PCI를 시행할 때 wiring에 의해 박리가 발생하는 것은 드문 일이지만, CTO 병변은 기본적으로 wiring하는 동안 혈관에 손상을 주기 매우 쉬운 상태라 할 수 있다. 요즘은 진단기술이 발달하여 혈관조영술 장비의 해상력과 정밀도가 높아져서, fluoroscopy자체로 혈관의 석회화된 병변을 잘 관찰하여 혈관주행을 추측하기도 용이하고, coronary MDCT 장비가 많이 upgrade되어 3D MDCT guide하에 wiring에 큰 도움을 받을 수도 있고, IVUS의 도움을 받아 가강과 진강을 감별해가며 효과적으로 wiring을 할 수 있음에도 불구하고, CTO 병변의 치료에 있어서 많은 경우에서 여전히 blind wiring을 해야 할 경우가 있다. 이러한 상태는 마치 어두운 밤에 빛도 없는 거리에서 어느 쪽으로 갈 것인지 손으로 더듬어 걸어가는 것과 비슷하다고 할 수 있겠다.

CTO wiring의 종말점은 CTO의 시작부위부터 측부혈류(collaterals)에서 보여주는 말단부 관동맥까지므로, 목표로 한 true lumen까지 거리가 길면 길수록, 직경이 작을수록, 그리고 요철과 굴곡이 심할수록, Conquest series처럼 딱딱하고 날카로운 wire를 사용할수록, wiring하는 과정에서 wire가 혈관 밖으로 오가며 천공을 만들 가능성이 높아질 수 있겠다. 한편, 동맥경화병변이 비교적 풍부한 병변 부위는 와이어에 의해 천공이 되었다고 해도 와이어를 뽑았을 경우 혈액이 혈관 밖으로 스며나올 가능성은 적은 편이다. 반면에 동맥경화병변이 적은 혈관부위에서 천공이 되었다면, 심낭압전(pericardial tamponade)의 원인도 될 수가 있다. 또한 CTO 병변 자체뿐 아니라, 아주 말단 원위부에서도 wire에 의한 천공이 일어날 수 있겠다.

특히 아주 어려운 CTO 병변일수록 장시간 stiff한 와이어 또는 친수성 와이어(hydrophilic wire)로 공격적인 wiring을 할 경우가 많으므로 와이어에 의한 천공이 발생하였는지를 시술 중간중간, 또 시술 마무리 후 혈관조영술을 전체적으로 시행하여 천공여부를 확인하는 것이 중요하다고 할 수 있겠다. 왜냐하면, 와이어에 의한 작은 천공은 발생 직후에 증세가 거의 없을 수 있고, 저절로 막히는 일도 드문 일이라, 추후 병실에 환자가 돌아와서 어느 순간 심낭압전이 발생하며 혈압이 떨어지며 쇼크에 빠지던지 할 수 있으므로, 재차 확인하는 것이 환자의 안전을 위해 중요한 점이라 할 수 있겠다.

가이드와이어에 의한 천공이 발생하였을 경우 어떻게 대처할 것인가? 일단은 지속적인 출혈로 심낭압전이 발생하여 혈역학적으로 불안정하게 되지 않도록 조치하는 첫 번째 해야 할 일은 일단 천공이 관찰되는 혈관의 천공 근위부에 풍선(balloon)으로 막아 출혈이 되지 않게 지혈조작을 하는 것이 중요하다, 조영제가 유출되고 있는 부위에 balloon/artery=0.9-1.0 정도가 되게 하여 2-6기압 정도의 비교적 낮은 압력으로 최소한 10분 이상 압박하여 지혈을 시도하도록 한다. 이렇게 하여 지혈이 되지 않는 경우 관류풍선(perfusion balloon)으로 다시 낮은 압력으로 20-30분 정도 확장하며 출혈이 멎는지를 주기적으로 확인한다.

풍선으로 막고 있는 동안 이동식 심초음파 기계를 속히 가져오도록 하여 심막혈종(hemopericardium)의 양을 측정하여 고인 출혈을 천자하여 뽑아야 할지, 경과관찰을 하여도 될지를 평가하여야 하며, 일정 시간 간격으로 추적조사를 해야만 한다. 이는 출혈이 줄어드는 추세인지, 더 늘지는 않는지 등 천공 및 출혈과 관련된 환자 상태의 추세를 이해할 수 있어 변화에 따른 적극적인 대처를 가능하게 할 수 있다. 풍선으로도 지혈이 완전하게 되지 않는 경우나, 역행성 접근법(retrograde approach)을 하는 과정에서 측부혈류의 천공 또는 풍선이 접근할 수 없는 작은 분지에서의 천공 등에는 coil, gelform또는 환자의 천자부위등에서 얻어낸 지방(fat) 덩어리를 이용하여 microcatheter를 통한 색전술(embolization)을 시행하여 지혈을 시도하여야 하며, 천공된 혈관이 2.75-3.0 mm이상 직경을 가진 큰 혈관이면, graft stent를 삽입하여 지혈을 시도하여야 한다. 일단 aspirin, clopidogrel 등의 항혈소판제들과 heparin, low molecular weight heparin (LMWH) 등의 항혈전제를 잠시 중단하고 reversal agent인 protamine sulfate를 주입하도록 한다. Reversal은 첫 4시간에 heparin 25 unit당 protamine 1mg을 투여하고, protamine을 25–50mg정도씩 10–30분 간격으로 투여하여 ACT가 150초 이하가 되게 한다.

2) 풍선 또는 스텐트에 의한 천공

가이드 와이어가 CTO 병변을 잘 통과하고, 원위부의 혈관내부에 안착이 잘 되었어도, 성공적으로 완료된 와이어를 따라 풍선이나 스텐트를 삽입할 때 관동맥의 천공(perforation) 또는 파열(rupture)이 생길 수 있다. 강하고 날카로운 와이어로 CTO 병변을 통과한 경우 이미 혈관내부의 손상이 가 있는 상태이고, CTO 병변의 여러 곳에 크고 작은 석회화 병변이 상존하는 경우가 많고, 그러한 상황에서 비교적 큰 풍선과 높은 압력으로 풍선확장술을 시행할 경우, 혈관벽에 손상을 주어 비교적 커다란 천공이나 혈관 파열을 초래할 수도 있다.

전통적으로 천공이 잘 일어나는 임상적인 상황은 노인환자, 여자환자, 그리고 매우 굴곡이 심한 병변을 가지고 있고, 매우 적극적으로 rotational or directional atheroablative device를 사용할 때, excimer laser를 사용할 때, 그리고 스텐트 내강 면적을 최대로 얻기 위해 IVUS를 시행하여 시술을 할 때 더 많이 발생할 수 있다는 보고가 있다.

CTO의 시술 방법과 관련하여서는 Subintimal Tracking And Re-Entry (STAR) technique을 사용하거나, Retrograde Subintimal Tracking Technique (CART) technique을 사용할 경우 천공의 빈도가 올라간다는 보고들도 있다. 일반적으로 와이어가 CTO 병변을 통과했는지 확인 후 풍선확장술을 시행해야 하는데, 가장 안전하고 확실한 방법은 혈관 조영상 와이어가 CTO 병변 원위부 혈관내에 있는 것을 확인 후 풍선 확장술을 시행하는 것인데, 원위부 혈관을 조영술로 확인하기 어려운 경우엔 시술자가 와이어의 움직임이 자유롭고 저항없이 진입함을 느끼는 것으로 CTO 병변을 성공적으로 통과했음을 판단하는 경우도 있다. 하지만 이 경우 드물게 Cardiac vein으로 와이어가 진입하는 경우도 있기 때문에 유의해야 한다.

Balloon이나 stent에 의한 천공을 일으킬 위험요소들을 정리하면 표 13-2와 같다.

표 13-2. Risk factors of coronary perforation

1. Oversizing balloon (balloon-artery ratio〉1.2)
2. High-pressure balloon inflation outside the stent
3. Stenting of tapering vessel
4. Stenting of contained perforations from other devices
5. Stenting of lesions that are recrossed after severe dissection or abrupt closure
6. Stenting of total occlusion when there has been unrecognized subintimal passage of the wire
7. Stenting of small vessels (〈2.5mm)

와이어가 통과한 후 직경 1.5mm, 2.0mm, 2.5mm 정도 크기의 풍선은 일반적으로 stent 삽입전에 안전하게 풍선확장술을 시행할 수 있다. 그러나 더 큰 풍선이나 stent의 직경을 정할 때는 원칙적으로 IVUS를 시행하여 IVUS 유도하에 근위부와 원위부의 참고혈관 크기를 측정하고, 동맥경화반의 분포도를 조사하여, 근위부 어디부터 원위부 어디까지 스텐트를 삽입할지, 스텐트의 크기나 길이는 얼마짜리를 넣을지를 결정하여 하는 것이 재발도 줄이고, 풍선이나 스텐트에 의한 천공을 예방하는데 중요한 요소로 작용할 것으로 생각된다.

천공이 발생하면 Ellise et al. 등의 제안에 따라 혈관조영술의 소견에 따라 3가지 class로 분류하기도 한다. Class I은 조영제의 extravasation의 jet가 관찰되지 않고 epicardial staining만 되는 경우, Class II는 1mm 이상의 출구구멍이 없이 pericardial 또는 myocardial blush가 관찰되는 경우, 그리고 Class III는 1mm 이상의 출구구멍이 있고 이를 통해 extravasation되는 것이 관찰되는 경우이다. 특히 Class III의 천공이 발생되면 시술이나 수술을 해도 경과가 매우 불량할 수 있을 정도로 부담스러운 합병증으로 알려져 있다.(표13-3)

일단 천공이 생기면, 예후는 천공의 class, 신기능 부전의 정도 및 GP IIb/IIIa receptor blocker의 사용정도와 관련이 있는 것으로 되어 있다. Javaid등에 의해 grade에 따라 임상양상을 보고하였는데, Class I 천공은 심낭압전이나 원내사망이 없었다고 보고하였고, 7%정도에서 응급 관동맥우회수술(coronary artery bypass graft, CABG)

표 13-3. Classification according to coronary perforation severity grade

Class	Definition	Risk of tamponade
Class I	Extraluminal crater without extravasation	8%
Class II	Pericardial or myocardial blush without contrast jet extravasation	13%
Class III	Extravasation through a frank (≥1mm) perforation or cavity spilling into an anatomic cavity chamber A; Directed toward the pericardium B; Cavity spilling into coronary sinus, myocardium etc	 63% 0%

을 요하였다. Class II 천공의 환자들에서는 12%에서 심낭압전이 발생하였고, 3%에서 원내사망이 있었고, 응급 CABG는 27%에서 있었다. Class III 천공은 63%에서 심낭압전 발생, 60%에서 응급 CABG를 받게 되겠고, 44%가 첫 입원기간 동안 사망에 이르게 되었다.

일단 풍선이나 스텐트에 의해 천공이 발생하면, 천공의 크기가 크고 그에 따른 출혈양이 많을 수 있어 곧 심낭압전이 발생하게 될 가능성이 크므로 곧 환자가 흉통과 호흡곤란 등을 호소하며 바로 혈압이 떨어지고 혈역학적으로 매우 불안정한 상태에 이르기가 쉽다. 우선적으로는 수액보충을 하며 바로 적절한 크기의 풍선을 삽입하여 천공부위 근위부에 풍선을 확장하여 원위부로 가는 혈류를 차단하여 천공을 통해 출혈되는 것을 막고, 그 사이 초음파로 심낭압전 소견이 관찰되면 바로 천자하여 고인 출혈을 배출시키도록 해야 한다. 우선적으로 고려할 확실한 지혈방법은 PTFE-covered stent (polytetrafluoroethylene; Graft stent)로 천공부위를 완전히 덮어 씌어 스텐트를 삽입하면 천공을 막고 지혈을 시킬 수 있다. 그러나 중요한 제한점은 graft stent는 직경이 작은 것들은 없어(3.0-5.0mm, 9-26mm), 2.75mm이하의 작은 혈관들의 천공은 크지 않을 경우 protamine sulfate를 투여하고 풍선으로 좀더 긴 시간을 압박하여 지혈을 기대해 보거나, 또다른 일반적인 스텐트(BMS or DES)를 추가로 삽입하거나, coil, gelfoam, 환자의 지방조직 등을 이용하여 색전술(embolization)을 시행할 수가 있겠다.

환자의 상태가 적절한 지혈이 이루어지지 않고, 전체적인 상황이 호전이 되지 않으면 곧 흉부외과의 도움을 받아 수술적인 치료를 요한다.

천공의 class에 따라 권고하는 다음의 치료방침을 염두에 두면 응급상황에 많은 도움이 될 것으로 생각한다. Class I 천공이 발생하면 이는 대개 가이드와이어에 의해 발생한 것이므로 풍선으로 낮은 압력으로(2-6 atm) 10분가량 압박 지혈하면(prolonged balloon inflation; artery:balloon ration 0.9:1.1) 대개 지혈을 할 수 있다. Class II 천공이 발생하면, 기본적으로 풍선으로 누르는 시간을 더 길게 해야 하므로, 관류풍선(perfusion balloon)으로 좀 더 긴 시간을 압박하여 지혈을 할 수도 있다. 10-15분 관류풍선으로 압박지혈 후 지혈여부를 평가하고, 지속될 경우 20-30분 가량 더 압박 지혈을 하도록 한다. 이러한 방법으로 약 60-70%의 천공이 지혈이 된다고 보고되고 있다. 단, 관류풍선의 현실적인 문제는 회사들이 제조 및 분배를 잘 하지 않아 구하기가 어렵고, 적절하게 위치하여도, 원위부의 혈류는 환자의 혈압에 의존해야 하므로 심인성 쇼크나 심낭압전으로 혈압이 떨어진 상태에서는 관동맥 원위부의 혈류공급에 제한이 될 수 밖에 없다. 상당히 profile이 큰 편이라 혈관이 크고 곧지 않고, 굴곡이 심하고 석회화가 많이 되어 있는 병변이면 통과가 어려울 수 있고, 풍선확장을 하고 있는 부위안에 큰 분지가 존재한다면, 이를 막아 더 큰 심근허혈을 초래할 수 있는 단점이 있다. 아무튼 관류풍선으로 prolonged inflation을 하여도 적절한 지혈이 되지 않으면, 크기가 좀 큰 혈관(2.75-3.0mm 직경이상)이면 graft stent를 삽입해야겠고, 그렇지 않고 작은 혈관이면 전술한 plug, coil, gelform (gelatin sponge), 환자의 피하지방(천자부위에서 긁어낸 피하지방을 microcatheter를 이용해 주입하는 것), thrombin, 3-4cc 정도의 platelet infusate, polyvinyl alcohol form (PVA) 또는 local thrombogenic molecule등을 주입하여 지혈을 시도할 수 있겠다. 일단 Class II & III 천공은 기본적으로 헤파린등의 항응고제의 사용을 중지할 뿐 아니라 역전(reverse)시키는 것이 좋겠다.

주기적으로 심초음파 검사를 통해 심낭삼출액이 고이는지를 관찰할 것을 권한다. 심낭압전소견이 심초음파에서 보이고, 혈역학적으로 불안정한 상태이면, 응급 심낭천자를 통해 배액을 하여야 하므로(pericardiocentesis) 시술자가 pericardiocentesis를 빠른 속도로 안전하게 할 줄 아는 것은 매우 중요한 일이다.

그러나 일단 Class III 천공은 상당히 긴급하게 처리해야 할 합병증이므로, graft stent가 준비되기 전에 바로 적절한 크기의 풍선을 선택해 압박지혈을 우선적으로 하고, 심낭압전에 따른 pericardiocentesis 여부를 결정하기 위해 신속히 심초음파 검사를 진행시키고, 바로 graft stent를 준비하도록 한다. 천공이 거의 혈관파열에 가까울 정도로 큰 경우 풍선을 deflation하고 빼어낸 후 다시 graft stent를 진행시켜 자리잡고 스텐트를 삽입하는 시간 동안 쇼크가 심해지며 심호흡 정지가 일어날 경우도 있으므로, 좀더 안전한 방법은 반대편 쪽의 대퇴동맥 접근법으로 다른 가이딩 카테터와 가이드와이어를 넣어 해당 병변 혈관의 개구부(ostium) 주위에서 기다린다. 기존의 가이딩 카테터를 개구부에서 약간 떼어내고(disengage) 풍선을 일부 deflation하여 그 틈으로 새로운 가이딩 카테터와 가이드와이어를 위치시키고, graft stent를 넣어 가이딩 카테터내에 대기시킨 후, 압박하던 풍선을 완전히 deflation하여 제거하자마자 바로 graft stent를 삽입하는 방법이 extravasation및 심낭압전을 최소화 하며 빠른 지혈을 이룰 수 있는 안전한 방법으로 생각된다. 결국 이러한 조작을 하기 힘든 상황이면, 바로 흉부외과의의 도움을 청하여 개흉수술을 통해 합병증을 해결하도록 하는 수 밖에 없겠다.

Graft stent를 삽입하여 완전한 지혈이 이루어진 경우, 적절한 항혈소판 2제요법(aspirin, clopidogrel)은 사용되어야 하며, 가능한 1년 이상을 유지시키도록 해야 한다. Graft stent 자체도 재협착과 스텐트 혈전증이 문제될 수 있어 정기적인 추적 조사를 권면하도록 하는 것이 좋겠다.

그림 13-1~2는 매우 심한 Class III의 관동맥 천공에 해당하는 경우로, PTFE-covered graft stent를 이용하여 성공적으로 치료한 증례가 되겠다.

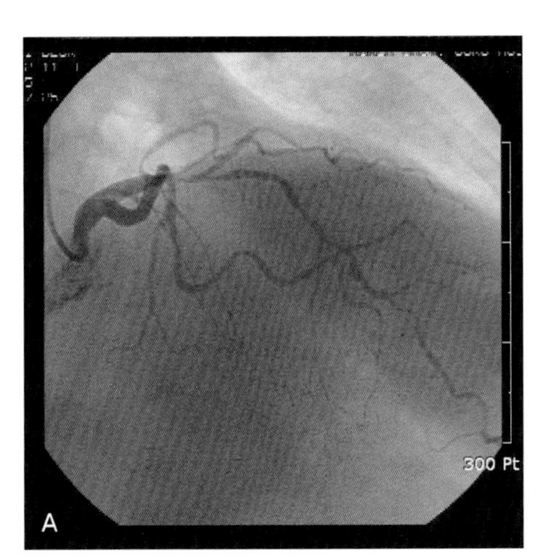

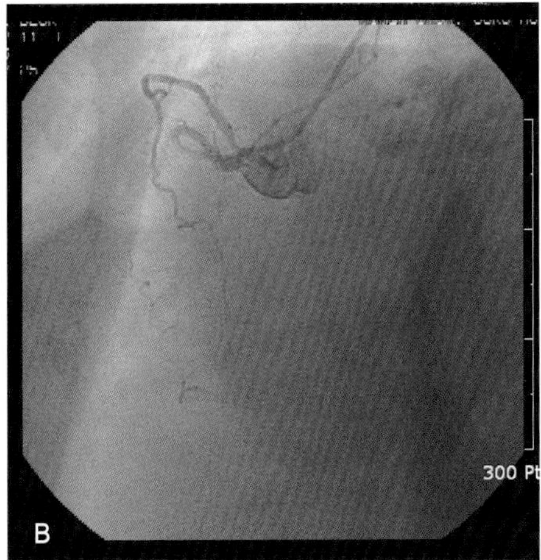

그림 13-1. 기저 혈관조영술상 LAD에는 매우 심하고 굴곡이 많은 불규칙한 협착 병변이 관찰되고(A) 우측 관상동맥은 CTO 소견일 보였다(B)

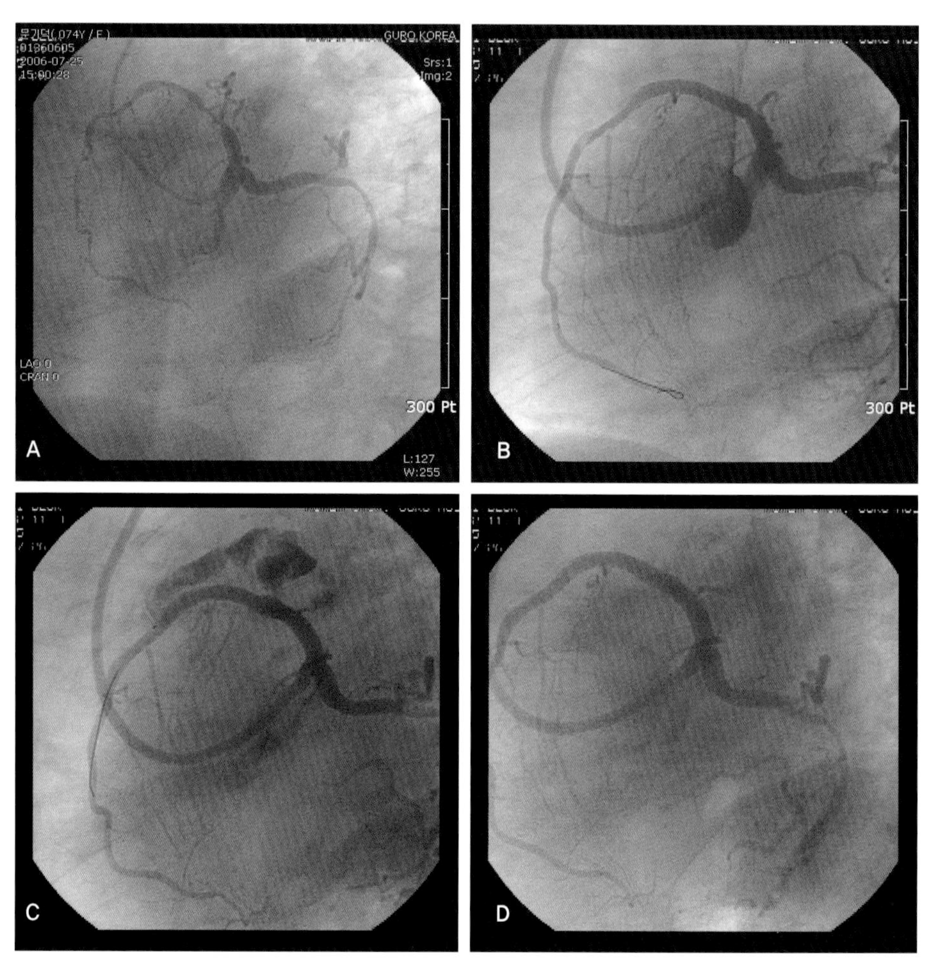

그림 13-2. 기저 관동맥 조영술을 left anterior caudal view 에서 보았을 때(A) 3 Taxus stent implantation (B), 두개의 proximal Taxus stents 의 overlapped segment에 adjunctive balloon postdilation을 고압으로 시행한 후 type Ⅲ coronary perforation이 발생하였다(C), and successfully sealed coronary perforation using 응급으로 PTFE-covered stent graft (JOSTENT 3.5X16mm) 로 천공부위에 stenting을 시행하고 천공에 따른 출혈이 멈추는 것을 확인하였다(D).

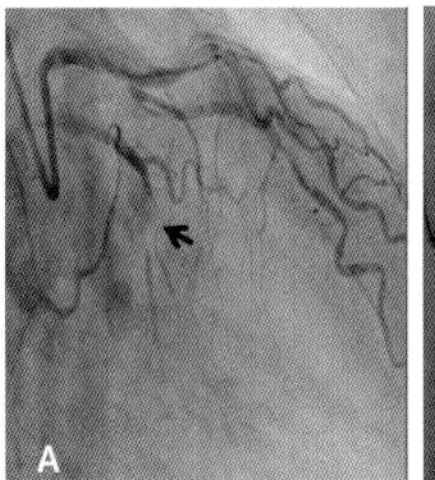

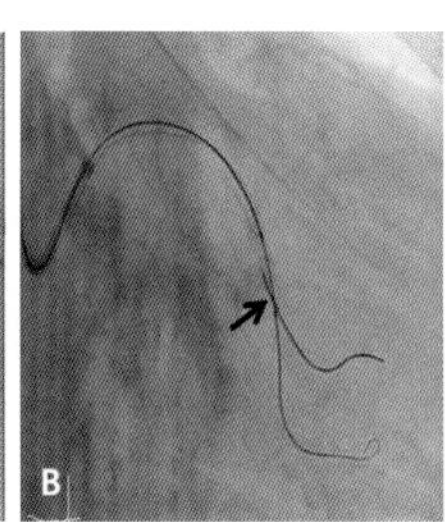

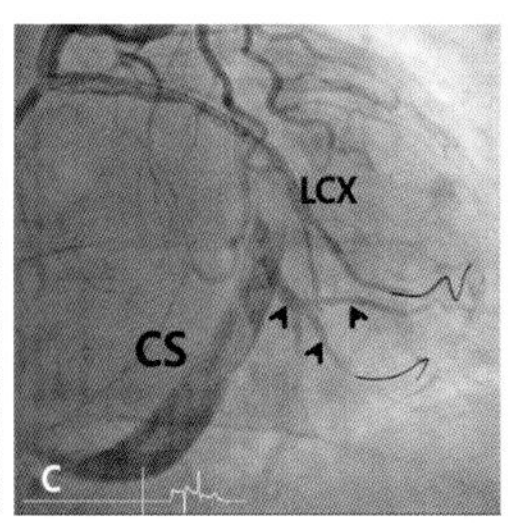

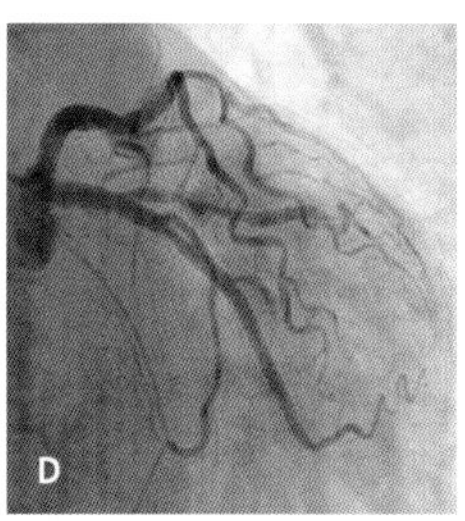

그림 13-3. 기저 혈관조영술에서 mid-LCX 부위에서 CTO가 관찰되고 tiny bridging collateral에 의해 distal LCX와 obtuse marginal branch가 조영되고 있다(A). 혈관조영으로 distal flow가 가지 않아 FielderXT wire가 혈관 조영없이 free motion과 와이어 저항이 없은 것만으로 distal LCX로 성공적으로 wire가 관통했던 것으로 판단하고 ballooning을 시행하였다(B). Cineangiogram에서 the posterior vein of left ventricle with side branches (arrows)를 경유하여 coronary sinus (CS)로 draining 되는 arteriovenous fistula가 발생하였다(C). 3.0X19 mm polytetrafluoroethylene-covered stent로 AVF를 seal-off 하였다(D).

그림 13-3은 혈관 조영이 되지 않아 시술자가 와이어의 free motion과 저항없이 와이어가 진입함을 느껴 와이어가 성공적으로 CTO 병변을 관통하여 원위부로 있다고 판단하여 풍선확장술을 시행했으나 결과적으로 cardiac vein으로 와이어가 진입하여 coronary perforation type IIIb (Cavity spilling type)이 발생했던 증례이다. 이 증례의 경우 shunt 양이 많아 추후 iatrogenic arterio-venous fistula로 인한 심부전 발생가능성을 있을 것으로 예측하여 graft stent를 삽입하였다. 이 증례의 교훈은 와이어가 culprit lesion을 제대로 통과하였는지는 혈관 조영술상에서 와이어가 원위부 진강(distal true lumen)에 위치해 있는지를 확인해야 한다는 것이다.

3. Device Entrapment (시술장비 덧걸림), loss (소실), 또는 fracture (골절)

CTO 병변을 시술함에 있어서, 병변 자체가 매우 심한 석회화를 동반하거나, 매우 딱딱하고 불규칙한 동맥경화반을 가지고 있는 경우가 많고, 미만성이고 긴 병변일 경우가 많아 wiring이 되었다 해도 풍선이나 스텐트의 삽입이 어려운 경우가 있다. CTO시술과 관련하여 사용되는 장비들은 현대에는 매우 안전하고 잘 고안된 제품들

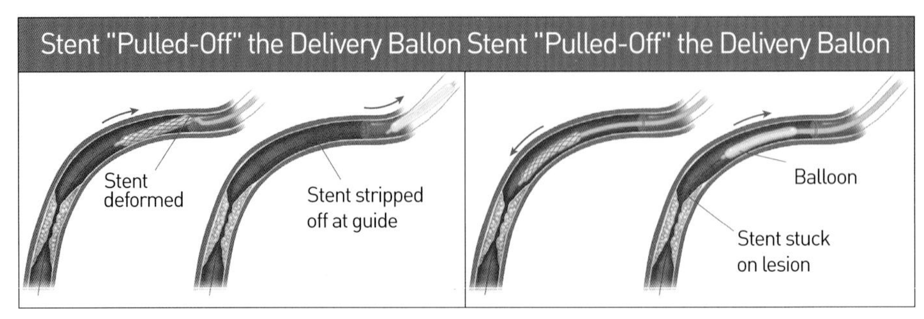

그림 13-4. 좌측은 스텐트가 guideing catheter에 걸려 빠지는 경우를 보여주고 있고, 우측은 스텐트가 병변에 끼어 빠지는 경우를 나타낸 그림이다.

이지만, 매우 험한 병변에 사용하다가 파손되어 병변에 일부가 끼어 배출되지 못하는 합병증들이 생길 수 있다. 얇은 와이어가 끊어져 병변에 걸려 나오지 않는 경우는 급한 혈역학적 변화가 초래되지는 않지만, 풍선의 tip이 끊어져 박히거나, 스텐트가 삽입되지 못하고 적절한 삽입자리를 위해 이동하다 스텐트 풍선에서부터 빠져나와 병변조직에 걸려 나오지 못하게 된 경우 device entrapment와 이에 따른 관동맥 혈류의 감소, 혈전증의 발생으로 곧 심근경색증, 치사성 부정맥, 심부전증 및 심장사를 초래할 수 있어 기본적으로 시술장비가 손상되고 병변에 박혀서 빠지는 일이 없도록 처음부터 조심을 하는 것이 가장 중요하다 할 수 있겠다.

1) 스텐트 덧걸림(Stent entrapment) 또는 스텐트 소실(Stent loss)

특히 스텐트가 확장되기 전에 빠지는 것은 스텐트 소실(stent loss, SL)이라 하고, 기구 덧걸림 중 가장 많이 일어나는 합병증이라 할 수 있겠다. 과거 초창기의 스텐트들에 비해 요즈음 생산되는 약물용출 스텐트(DES)들은 stent retention force (SRF, 풍선이 스텐트를 잘 붙들어 둘 수 있는 힘)가 좋아 과거보다 SL가 적게 발생하기는 하지만, 그럼에도 불구하고 보고되는 발생빈도는 적게는 0.32%, 많게는 3.4%정도 발생한다고 한다. 특히 SL이 잘 발생하는 예측인자들을 살펴보면, 매우 구불구불한 혈관, 매우 석회화가 심하고, 병변의 협착이 딱딱하고 심할수록 SL의 발생빈도가 증가하는 것으로 되어 있다. 특히 가장 발생되기 쉬운 상황은, 매우 딱딱한 협착 병변을 무리하게 힘을 주어 스텐트를 통과시키려 하다 병변에 스텐트가 끼이게되고, 스텐트 삽입 전에 좀더 전확장(predilation)을 하려고 스텐트를 다시 빼어내려 할 때 병변에

끼여 스텐트가 확장되지 않은 채 병변에 걸려있고, 스텐트 풍선만 빠져나오는 경우이다.(그림 13-4)

일단 SL이 발생하면, 이미 심한 협착 병변에 펴지지 않은 스텐트가 걸려있어 원위부로의 혈류가 줄거나 차단되어 급성 심근경색증과 심인성 쇼크으로 발전하게 되어 혈역학적으로 매우 불안정한 상태에 이르게 될 수 있다. 따라서 이러한 경우 어떻게든 빨리 혈류를 재개시켜 안정을 찾게 하는 것이 가장 중요한 대처법이라 할 수 있겠다.

임상적으로 SL를 일으키는 주요한 위험요소중의 하나는, 가이딩 카테터를 통해 스텐트가 병변쪽으로 나가던지, 병변에 위치를 하지 못하여 다시 가이딩 카테터 내로 빼던지 하다가 가이딩 카테터의 tip에 걸리며 빠져버리는 경우가 있다. 따라서 가이딩 카테터의 위치, 방향, 각도 등이 co-axial하게 되어 스텐트가 가능한 편히 오갈 수 있게 해 주어야 한다.

끼어버린 스텐트를 어떻게 해결해야 할까? Small balloon technique이 흔한 해결 방법 중 하나가 될 수 있는데, 1.5mm 정도의 풍선카테터를 와이어를 따라 삽입하여, 스텐트의 중앙을 통과하여 원위부 경계부위에서 풍선을 확장시켜(1-2기압등 낮은 기압으로) 그 상태에서 당겨서 빠진 스텐트를 뽑아보는 방법이 있겠다. 만일 이 방법으로 실패하면, 이미 스텐트 의 내강이 어느 정도 확장되어 가고 있으므로 큰 풍선을 넣어 그대로 deploy하는 방법이 있겠고, 또 다른 방법은 조심스럽게 다른 와이어 하나를 더 삽입하여, 그것을 따라 다른 풍선을 넣어 그 풍선으로 스텐트를 혈관벽쪽으로 crushing하고 풍선전확장(predilation)을 충분히 하고 다른 스텐트를 추가로 삽입하여 Crushing stenting으로 처리하는 방법이 있겠다.

그 외에도 SL를 해결하는 여러 방법들이 보고되어 있는데, snare (loop, goose), twisted guidewires, multipurpose basket, 다양한 겸자(myocardial biopsy forcep, 5F Alligator forcep, 6F bioptome forcep등) 및 distal protection device인 Angioguard를 사용하여 제거하는 경우도 있다.

마지막으로 언급할 사항은 이러한 device를 이용하여 SL를 제거하거나 해결하지 못할 경우 결국은 흉부외과의의 도움으로 응급으로 수술적인 치료를 하는 방법으로 문제를 해결해야겠다.

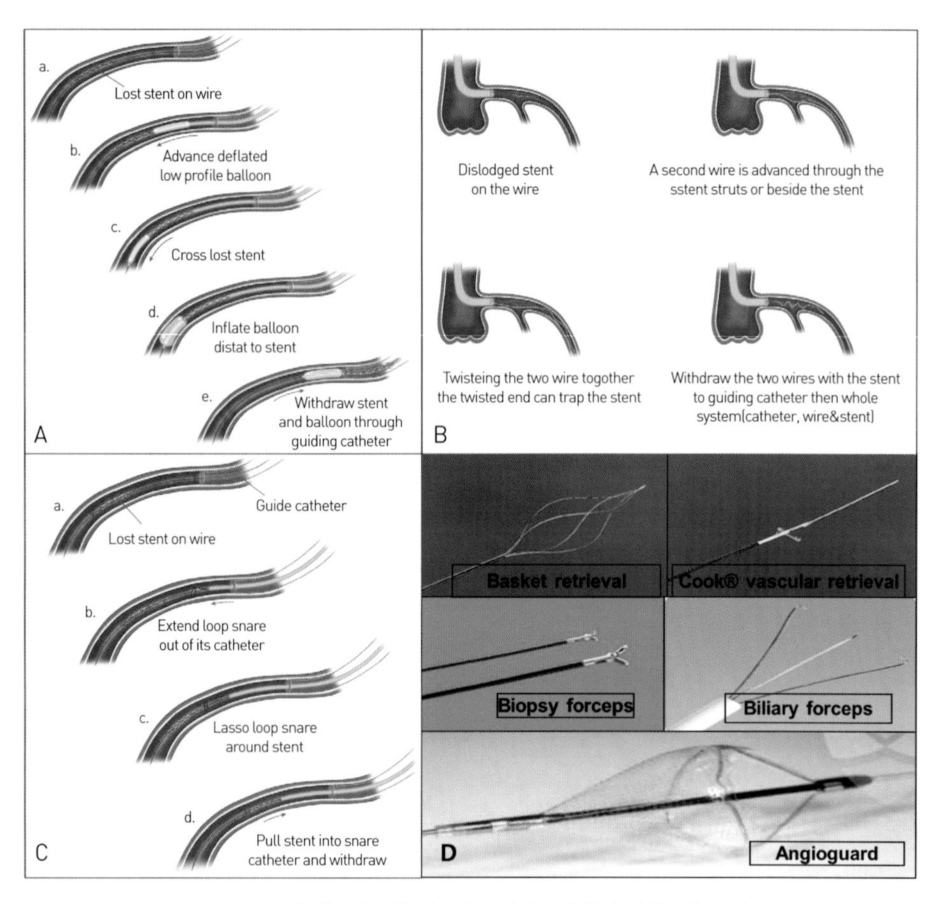

그림 13-5. Entrapped stent를 빼내는 다양한 방법들로 앞서 기술했던 사항들을 그림으로 나타낸 것이다. A: Small balloon technique. B: two wire technique으로 wire를 그림과 같이 위치시킨후 15 내지 20번 돌려서 스텐트와 wire가 꼬이게 해서 빼내는 방법이다. C: snare를 이용하는 방법. D: 그외 다양한 retrieval 시술 기구들.

이번 chapter에서는 실제로 스텐트가 entrapment되고 SL가 발생하여, 이를 snare를 이용하여 성공적으로 제거하였고, 그 과정에 가이딩 카테터로 심한 좌주간부 박리가 발생하여 응급 stenting으로 해결한 증례와, 스텐트를 위치하려다 되지 않아 다시 뽑아 내던 중 stent delivery catheter 자체가 끊어져 가이딩 카테터 안에서 끊어진 카테터 원위부를 성공적으로 잡아내어 제거한 증례를 소개하도록 한다.

그림 13-6~10은 안정형 협심증으로 내원한 76세 환자에서 LAD/D1 bifurcation 병변을 치료하는 과정중 SL가 발생하여 이를 snare를 이용해 제거하였고, 이러한 과

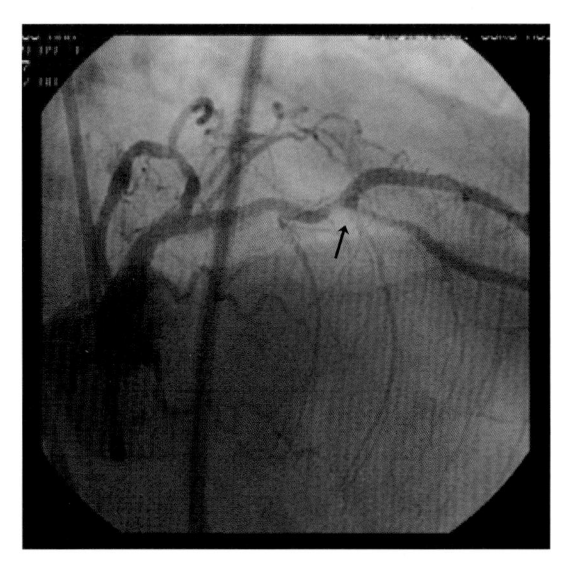

그림 13-6. LAD mid CTO 병변을 성공적으로 wiring 하고, predilation까지 마치고 스텐트를 삽입하기 전 찍은 right anterior oblique (RAO) view이다. Proximal to mid LAD까지 매우 굴곡이 심하고, 길고 석회화 된 병변을 보이고 있다.

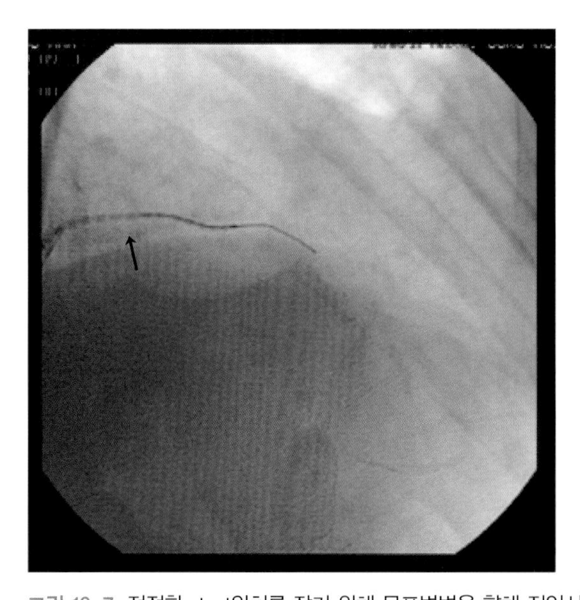

그림 13-7. 적절한 stent위치를 잡기 위해 목표병변을 향해 진입시키던 긴 Cypher stent (2.5X33 mm) 가 병변을 통과할 수 없어 더 적극적인 predilation을 위해 스텐트를 빼 내던중, 스텐트가 mid LAD culprit lesion에 붙잡히고 stent balloon과 wire가 동시에 빠져버리는 SL가 발생하였다. SL는 LM부터 mid LAD까지 위치하였고, 이로인해 원위부로의 혈류가 감소하여(TIMI 1) lost stent를 빼내기 위해 즉각적인 WIRING을 다시 시도하였다(arrow).

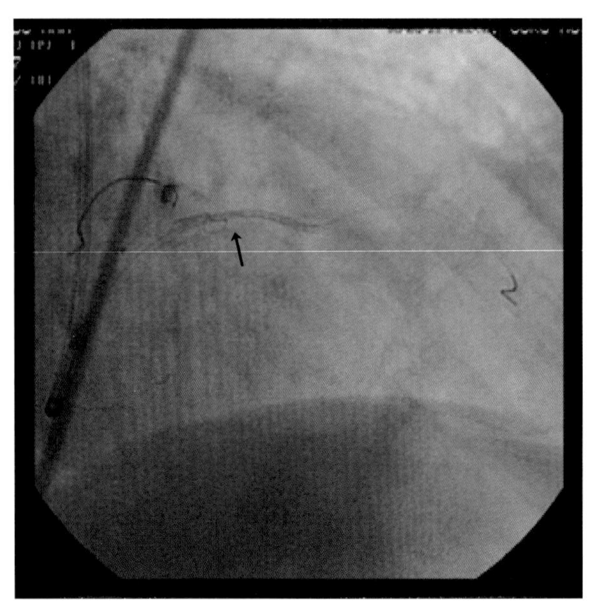

그림 13-8. Distal LAD 까지 성공적으로 wiring을 다시할 수 있었고, 이 wire를 따라 gooseneck loop snare를 이용하여 걸려있던 stent를 무사히 제거해 낼 수 있었다.

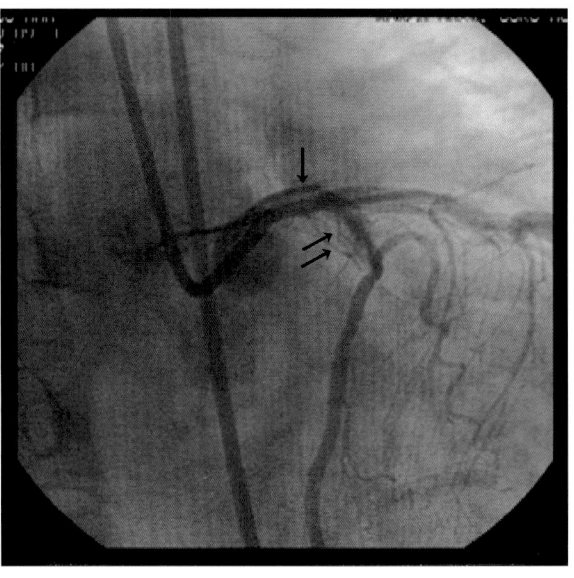

그림 13-9. 그러나 이러한 snare조작을 필요한 강한 guiding catheter 조작을 하는 과정에서 매우 광범위하고 심한 LM dissection (arrow) LAD proximal 일부와 proximal LCX (double arrow) 까지 연결되어 발생하였다.

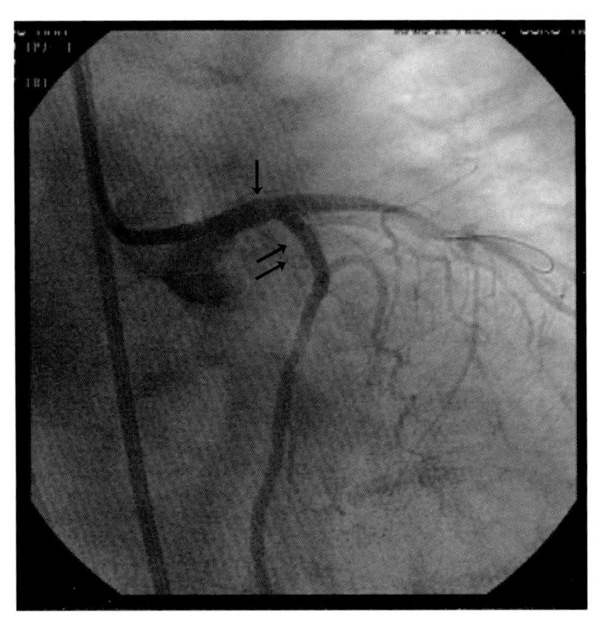

그림 13-10. 즉각적으로 전체 LM (arrow, Driver 4.0X12 mm)과 and proximal LCX (double arrows, Cypher 2.75X33 mm)에 응급으로 direct stenting을 시행하였고, 다시 원위부 LAD & LCX 로 원활한 혈류가 재개되어 환자는 생체활력징후의 안정을 찾을 수 있었다.

정중 강한 지지를 위해 가이딩 카테터를 조작하는 중에 LM에서 proximal LAD & LCX 로 심한 박리가 발생하여 rescue stenting으로 치료한 증례이다.

그림 13-11~13은 안정형 협심증으로 내원한 64세 남자가 LAD/Diagonal bifurcation 병변을 시술하던 과정에 2.5X33mm의 긴 Taxus stent를 Diagonal branch에 anchor balloon technique으로 강한 지지를 얻어 위치하는 과정에서 성공적으로 스텐트를 위치할 수 없어 추가적인 predilation을 위해 스텐트를 빼어내는 과정에서 stent delivery catheter 의 원위부 자체가 파손되어 끊어져 버려, 2.8 F amplatz gooseneck loop snare (Microsnare; Microvena Corporation)로 잡아 빼어내려다 실패하여, 3.0X8mm Quantum Maverick balloon으로 끊어진 catheter을 guiding catheter에 고압으로 밀착시켜 guiding catheter와 함께 성공적으로 제거하였고, 재차 스텐트 삽입을 시도하던 중 SL가 발생하여 small balloon technique으로 제거하려다 실패하여, 좀더 큰 balloon으로 그 자리에 스텐트를 deploy하고 추가적인 stenting으로 성공적으로 재관류를 이룬 예를 소개한다.

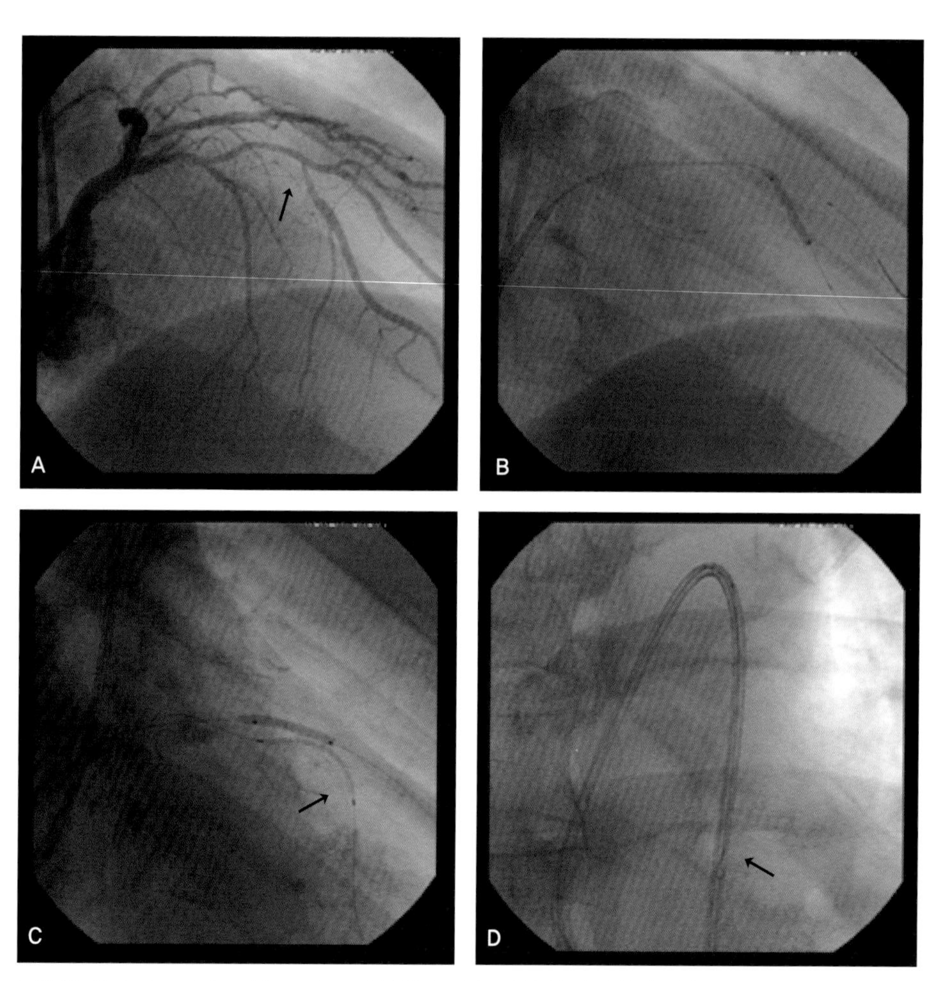

그림 13-11. Right anterior oblique view 에서 찍은 기본 조영술상 가장 심한 병변은 mid LAD (arrow, Panel A)로 평가되었다. 2.0X15 mm balloon 으로 Predilation 을 시행하였다(Panel B). Diagonal branch쪽으로 또 다른 balloon을 삽입하여 'anchor balloon technique'의 도움을 받아2.5X33mm Taxus stent (arrow) 를 위치시키려 하였으나, 실패하였다(Panel C). 더욱 적극적인 predilataion을 위해 스텐트를 빼내던중 stent delivery catheter가 끊어졌고, Loop snare (arrow)로 끊어진 부분을 잡아 제거하려 하였으나 실패하였다(Panel D).

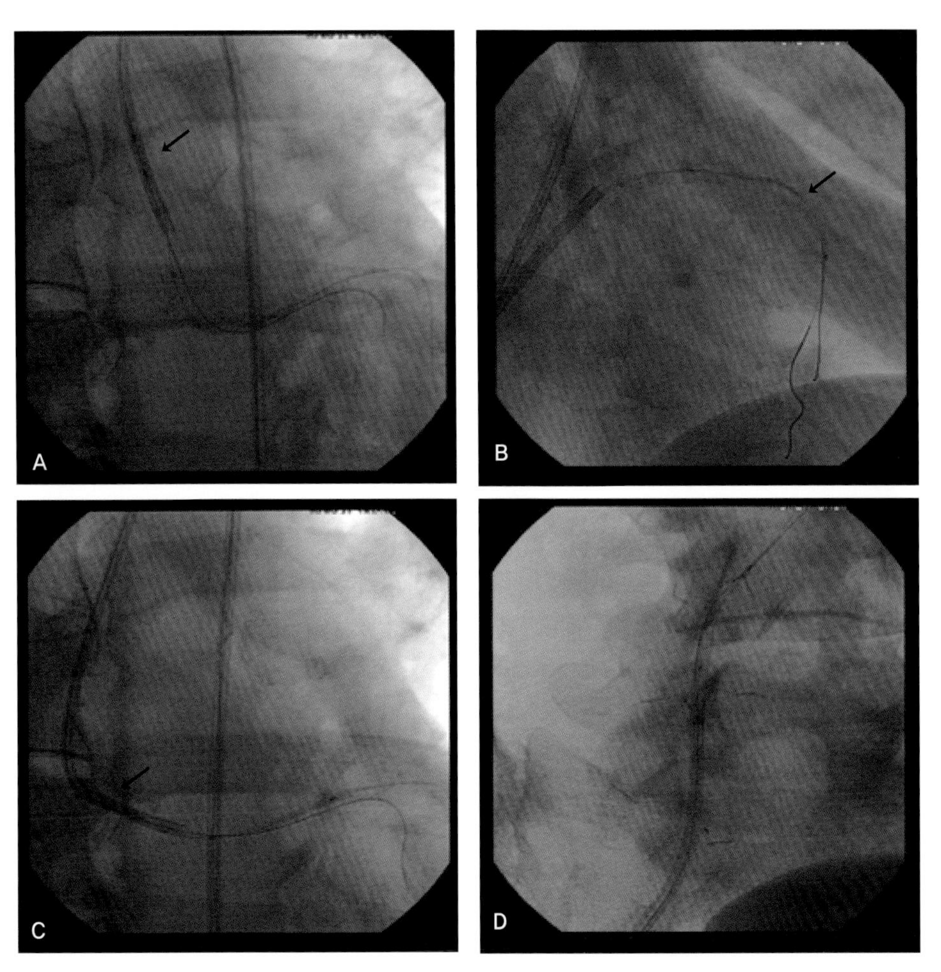

그림 13-12. 3.0X8 mm Quantum Maverick balloon (arrow) 을 14기압까지 올려 wire, 끊어진 catheter의 일부분을 guiding catheter의 내벽쪽으로 밀어붙여 단단히 붙잡았다(Panel A). Panel B & C에서는 잡은 전체 device를 대동맥을 거쳐 대퇴부의 sheath에까지 잡아 빼고 있는 모습을 보여주고 있다. 다시 성공적인 wiring을 한 후 스텐트를 위치하려다 되지 않아 다시 뽑아 내던 중 이번엔 stent가 entrap되어 SL이 발생하였고, 이를 small balloon technique으로 해결하려는 의도로 1.5X15 mm balloon 을 삽입하여 제거하려 하였다(Panel D).

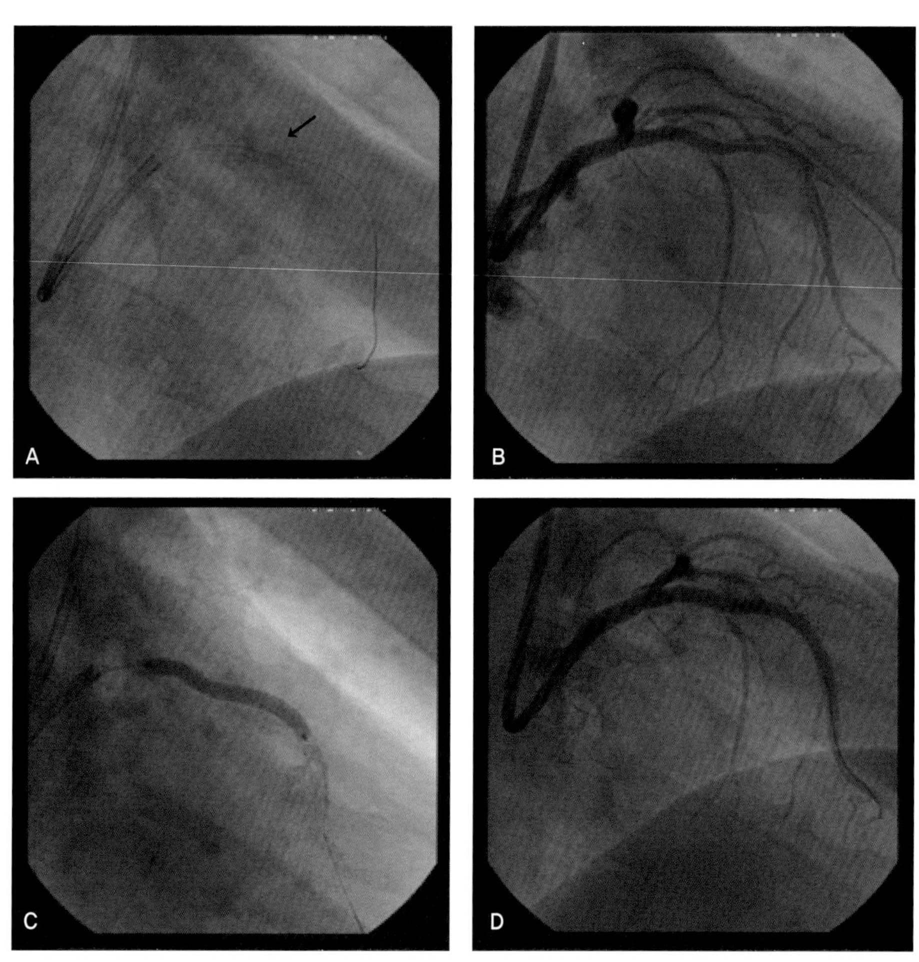

그림 13-13. 1.5X15mm balloon을 이용한 Simple balloon technique으로 SL을 해결하려 하였으나 Taxus 2.5X16mm를 빼내지 못하고 오히려 일부가 병변에 약간 inflation되어 있던 small balloon으로 인해 부분적으로 deploy가 되었다(arrow, Panel A). 곧이어 2.5X20mm balloon로 추가적인 ballooning을 하여 확실히 deploy하였다(Panel B). 두개의2.75mm Taxus stents 를 추가적으로 삽입하여(Panel C) 매우 좋은 결과를 보여주었다(Panel D).

2) 가이드와이어 덧걸림 또는 골정(Guidewire entrapment or fracture)

유도철사의 덧걸림과 골절은 CTO 병변에서 간혹 발생될 수 있다. 특히, 와이어의 과도한 회전 조작으로 인해 platinum coil이 풀리거나 늘어나면 쉽게 골절 될수 있다. 또는 재사용된 와이어(reused wire)가 손상을 받은 경우에도 잘 발생될 수 있다. 역행성 경로(Retrograde access)로 미세한 측부혈관(collateral channel)을 통과하거나 병변의 굴곡 심하거나 석회화 병변이 심할수록 발생빈도가 증가되는 것으로 알려져 있

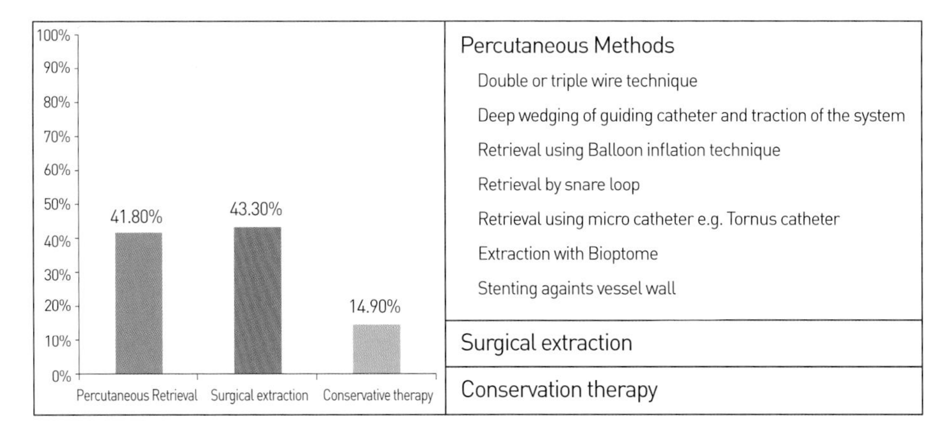

그림 13-14. Management approaches used for entrapped wire fragment

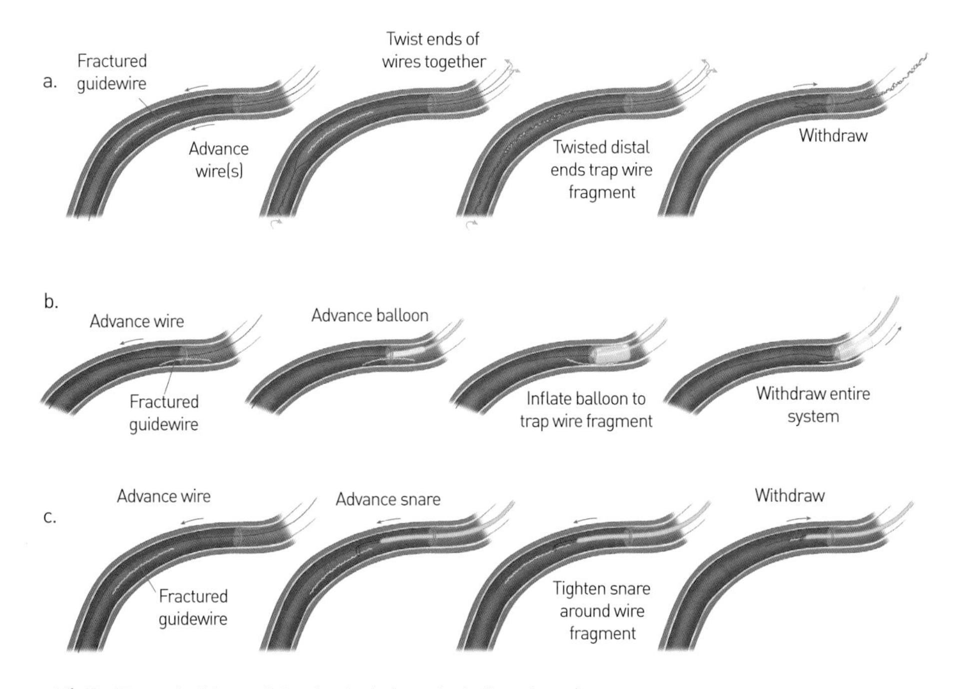

그림 13-15. a: double or triple wire technique, b: balloon trapping, c: snare use

다. 가이드와이어가 끊어져 혈관에 남게되면 관동맥 협착, 후기 천공(late perforation), 부정맥, 관동맥 혈전(coronary thrombosis) 등 치명적인 합병증을 유발시킬수 있다.

특히, 가이드와이어가 길게 끊어졌거나 끊어진 가이드와이어가 정상 관동맥에 남아있게 되면 이런 합병증 발생의 빈도가 높아지기 때문에 이런 경우엔 가능하면 끊어진 가이드와이어를 빼내야 한다. 하지만 작은 가지 혈관(small branch)에 남게 된 경우나 끊어진 가이드와이어의 길이가 매우 작거나 폐쇄된 혈관안에 남아 있는 경우는 문제를 일으키는 빈도가 낮아 제거하기 어려운 상황이라면 무리하지 말고 경과 관찰을 할 수도 있다. 아래 그림은 유도 철사가 끊어지거나 덧걸림이 발생했을 때 조치에 관한 사항을 나타낸 내용이다.

그림 13-16~19는 역행성 CTO 시술(Retrograde CTO intervention)중 발생된 가이드와이어 골절 증례이다. 이 환자의 경우에서 미세 측부혈관(tiny collateral vessel)로 인해 지지카테터(support catheter)의 충분한 back-up없이 오랜 시간 와이어 조작을 하는 과정에서 와이어가 골절되었다. 와이어 골절 부위는 shaft 부위였고, RCA의 PDA branch에서부터 septal channel에 걸쳐 길게 골절되어 남아있게 되었다. 시술 직후 환자 상태는 무증상의 안정적이었기 때문에 시술을 종료하였고, 시술후 5일뒤 퇴원하였다. 하지만 시술시행 날짜로부터 11일째 비정형적 흉통과 호흡곤란으로 응급실 재내원하였고 심장초음파 및 심장 CT에서 가이드와이어의 이동(guidewire migration)이 있었고 RV를 뚫고 나와 이로 인해 심막혈종(hemopericardium)를 발생된 것을 확인하였다. 이후 window operation 시행하여 증상을 완화시킨후 elective operation

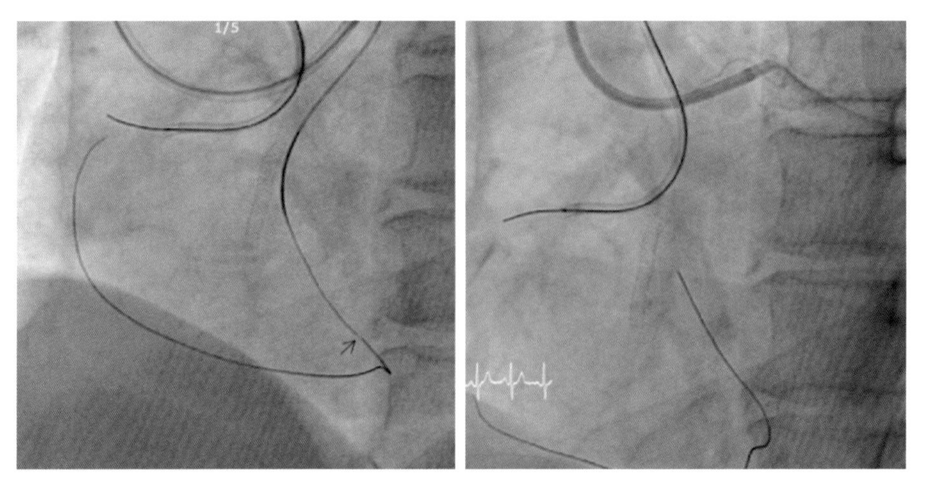

그림 13-16. The broken Fielder XT-R guidewire in the mid portion of the septal channel outside of the Corsair microcatheter

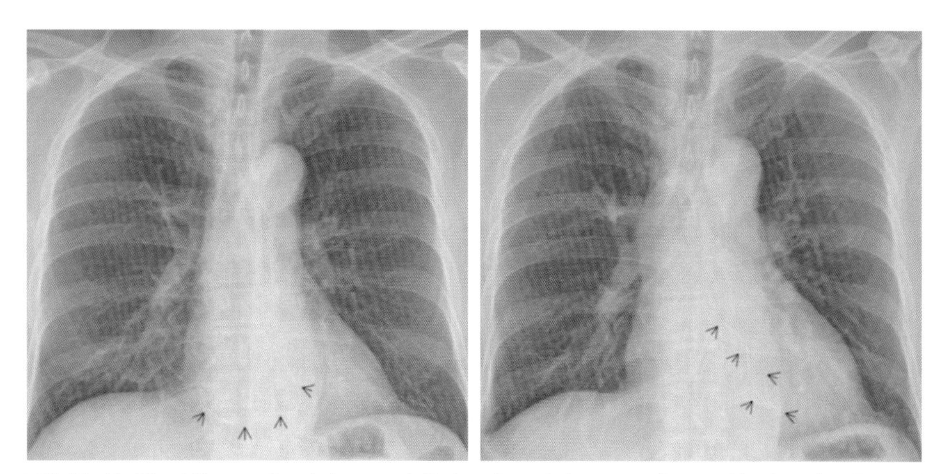

그림 13-17. Chest X-ray after 4 days and 11 days from index procedure; guidewire migration and cardiomegaly were observed.

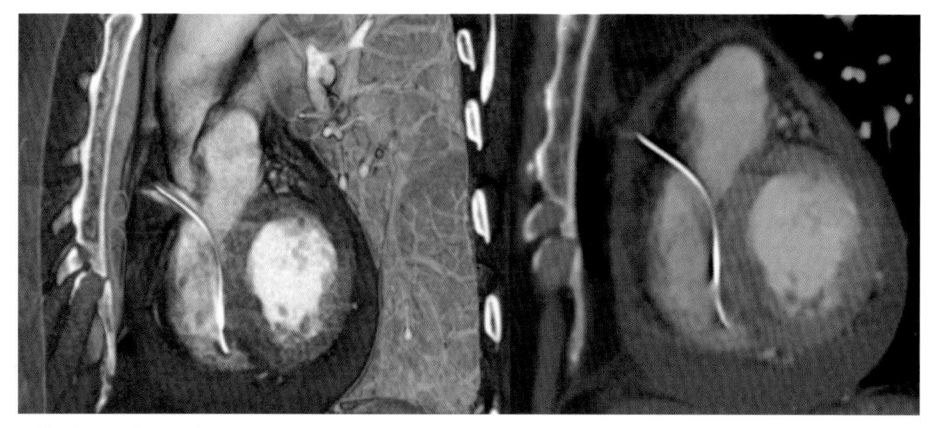

그림 13-18. Chest CT demonstrated hemopericardium and penetrated guidewire into pericardium via septum and right ventricle

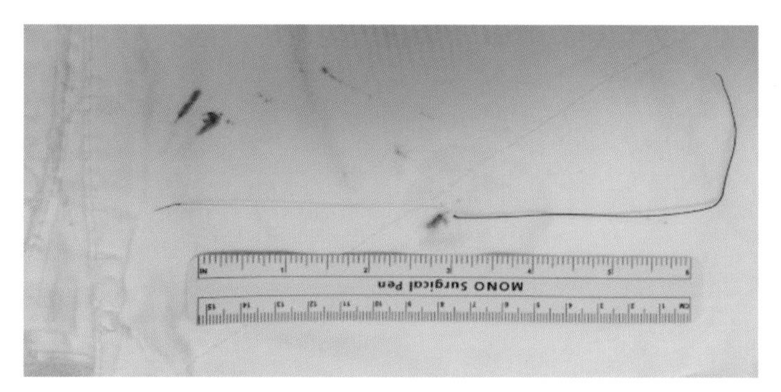

그림 13-19. . Surgically removed Fielder XT-R

으로 와이어를 외과적으로 제거한 증례이다. 이 증례의 교훈은 역행성 CTO 시술시 되도록 angle 심한 부위 또는 septal channel 부위는 지지카테터로 충분히 지지된 상태에서 와이어를 조작하는 것이 와이어 손상 또는 골절을 방지할수 있다는 것이다. 특히, 최근 CTO 와이어가 보다 가늘어졌으며 torquability나 collateral channel 같은 tiny vessel 관통력은 많이 향상되었으나 profile이 작아져 상대적으로 골절의 관한 빈도는 증가될 수 있음 시사하는 증례이기도 하겠다. 따라서 시술자는 각각의 coronary CTO 용 와이어의 특성을 잘 파악하는 것도 중요하겠다.

4. 역행성 접근로 관련 합병증(Retrograde Specific Event)

시술 기구의 발달로 인해 CTO 병변에 대한 기법이 다양화되었고, 이런 시술 기구와 기법의 발달로 성공률이 증가하게 된 반면 이로 인한 시술 합병증의 빈도도 증가하게 되었다. 이와 관련된 내용으로 donor 혈관 또는 측부 혈관과 연관된 합병증, 역행성 접근로로 시술중 50% 이상에서 흉통을 호소하게 되고 시술후 1.0 미만의 약간의 troponin의 상승하게 된다. 때로는 donor vessel의 spasm, straightening, 또는 혈전(thrombosis)으로 인해 쇼크가 발생할 수 도 있다. 이를 방지하기 위해 시술중 30분에서 한시간 간격으로 ACT를 측정하여 350초 이상으로 유지시켜야 하고 intracoronary nitroglycerin이나 nicorandil 등을 적절히 투여해야 한다. 역행성 CTO 시술은 보다 복잡한 병변인 경우가 흔하고 시술 시간이 오래 걸리기 때문에 가이딩 카테터의 혈전 발생 가능성이 높다. 이를 방지하기 위해서는 ACT를 잘 monitoring하는 것 뿐만 아니라 시술하는 동안 역행성 가이딩 카테터(retrograde guiding catheter)에 혈전이 발생되지 않도록 주기적으로 조영제를 채우는 것 또한 중요하다. 또한, donor vessel의 spasm 또는 kinking 등으로 인한 문제가 될수 있기 때문에 시술 이전단계부터 충분한 시술 계획을 세워두어야 하고 시술중 close monitoring을 하는 것이 중요하겠다.

역행성 CTO 시술에서 혈관박리와 연관된 합병은 앞서 다루었다. 다만 여기서 추가로 언급하는 것은 LAD ostial lesion 또는 RCA ostial lesion에 CTO 병변이 있는 경우, 역행성 와이어가 좌주간지 또는 대동맥내로 재진입(re-entry)이 잘 되지 않는경우 무리하게 wire tracking하다가 좌주간부 또는 대동맥 박리를 유발시켜 치명적인 상황을 초래할 수가 있다. 와이어 재진입 위치가 LAD나 RCA가 되도록 최대한 노력하는 것이 중요하고 reverse CART technique을 사용하면 이런 상황을 비교적 원활하게 해결할 수 있겠다. Reverse Cart 기법시 간혹 작은 직경의 풍선을 사용하게 되면 재진입이 잘 안되는 경우가 있는데 이런 경우 IVUS를 이용하여 혈관 직경를 파악한후 최적의 사이즈의 풍선을 선택하는 것이 천공의 합병증를 예방하는데 도움이 되고 순행성 와이어(anterograde wire)를 최대한 진강에 진입시키는 것이 중요하다.

역행성 접근법(retrograde approach)이 늘어나면서 와이어나 풍선을 조작하면서 septal branch들이나, epicardial collaterals에 천공을 일으키는 합병증이 보고되고 있다. Septal branch들의 천공은 대개 심각한 문제를 유발하지 않고 지혈이 되는 편이나, 굴곡이 심한 epicardial collateral 혈관들이 손상을 받으면, 곧 심낭압전으로 발전할 가능성이 높으므로 주의를 요한다. Septal collateral 천공은 1. microcatheter가 extraluminal portion에 위치한 가이드와이어를 지나갈 때, 2. 매우 작고 굴곡이 심한 septal collateral을 풍선 확장하거나 microcatheter가 통과할 때, 3. externalization 된 가이드와이어를 제거하는 동안 microcatheter가 septal collaterals를 protection되지 않고 시행될 때 잘 발생하는 것으로 알려져 있기 때문에 이런 상황을 이해하고 있어야 사전에 예방할 수 있겠다. 반면 epicardial collateral의 천공은 앞서 언급한데로 매우 심각한 합병증을 초래할 수 있기 때문에 epicardial collateral wiring의 시도는 상당히 숙련되고 경험이 풍부한 CTO 시술자에 국한되어야 하고, 천공이 발생했을 때 합병증을 조속히 해결할 수 있는 장비가 사전에 준비되어야 한다. 굴곡이 심한 epicardial collaterals에서 과격하게 와이어나 microcatheter를 진입시킬 때 천공이 잘 발생될 수 있다. Microcatheter 로 selective contrast injection하면서 epicardial collateral의 주행을 확인하면서 와이어를 조심스럽게 진입시키도록 한다. Epicardial collaterals로 한면 시도해 본다는 식의 "surfing"은 시행하지 말아야 한다. Epicardial callateral의 천공이 발생된 상황은 응급상황으로, 삽입된 microcatheter에 음압(negative pressure)을 유지시킨다. Coil, subcutaneous fat, thrombin 등으로 색전술(embolization)을 시행할 수 있다. 일반적으로 출혈이 완전히 멈출때까지 순행성과 역행성 모두에서 색전술을 시행해야 할 수도 있다. 최종적으로 bilateral angiography를 시행하여 천공부위가 완전히 막혔는지 확인해야 한다. 원위부 와이어 천공(Distal wire perforation)은 stiff, tapered, polymer–jacketed guidewire나 microcatheter가 부주의로 작은 분지부위로 진입되었을 때 발생할 수 있다. 가능하면 CTO wire가 표적 CTO 병변을 통과한후 soft wire로 바꾸면 원위부 와이어천공의 위험도를 줄일 수 있겠다.

한편, 560명의 환자를 대상으로 한 CTO 연구에서 관동맥 동맥류 형성이 역행성 CTO 시술에서 7.3%의 빈도로 발생하고 순행성 CTO 시술에서는 2.6% 발생하였으며, 이는 late incomplete apposition과 연관이 있다고 보고되기도 하였다.

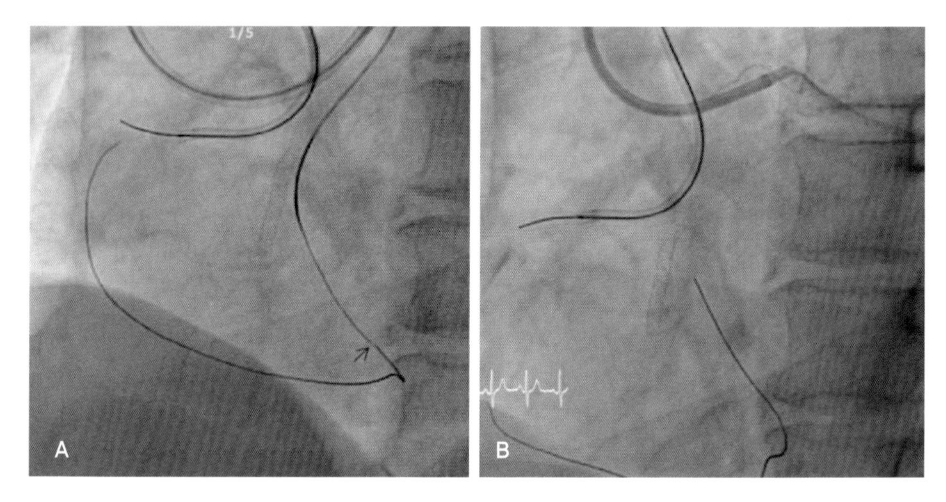

그림 13–20. Retrograde CTO intervention에서 발생된 chronic artery aneurysm formation case로 A는 시술 직후 혈관 조영술 사진이고, B는 5개월뒤 추적 혈관 조영술 사진이다.

참고문헌

1. Huber M, Mooney J, Madison J, Mooney M. Use of a morphologic classification to predict clinical outcome after dissection from coronary angiography. Am J Cardiol 1992;19:926–935.
2. Suh SY, Rha SW, Jin Z, Minami Y, Chen K, Na JO, Choi CU, Kim JW, Kim EJ, Park CG, Seo HS, Oh DJ. Unexpected coronary perforation following adjunctive balloon postdilation after overlapping drug-eluting stent implantation rescued by successful stent graft implantation. Int J Cardiol. 2009 Feb;132(1):e11–13.
3. Stankovic G, Orlic D, Corvaja N, Airoldi F, Chieffo A, Spanos V, Montorfano M, Carlino M, Finci L, Sangiorgi G, Colombo A. Incidence, predictors, in-hospital, and late outcomes of coronary artery perforations. Am J Cardiol 2004;93:213–216
4. Lansky AJ, Yang YM, Khan Y, Costa RA, Pietra C, Tsuchiya Y, Cristea E, Collins M, Mehran R, Dangas GD, Moses JW. Treatment of coronary artery perforation complicating percutaneous coronary intervention with a polytetrafluoroethylene-covered graft. Am J Cardiol 2006;98:370–374
5. Briguori C, Nishida T, Anzuini A, Di Mario C, Grube E, Colombo A. Emergency polytetrafluoroethylene-Covered stent implantation to treat coronary ruptures. Circulation 2000;102:3028–3031
6. Ellis SG, Ajluni S, Arnold AZ, Popma JJ, Bittl JA, Eoger NL, Cowley MJ, Raymond RE, Safian RD, Whitlow PL. Increased coronary perforation in the new device era. Indicence, classification, management and outcome. Circulation 1994;90:2725–2730.
7. Ly H, Awaida JP, Lesperance J, Bilodeau L. Angiographic and clinical outcomes of polytetrafluoroethylene-covered stent use in significant coronary perforations. Am J Cardiol 2005;95:244–246
8. Gercken U, Lansky AJ, Buellesfeld L, Desai K, Badereldin M, Mueller R, Selbach G, Leon MB, Grube E. Result of the Jostent coronary stent graft implantation in various clinical settings: Procedural and follow-up results Cathet Cardiovasc Intervent 2002;56:353–360
9. Eggebrecht H, Haude M, von Birgelen C, Oldenburg O, Baumgart D, Herrmann J, Welge D, Bartel T, Dagres N, Erbel R. Nonsurgical retrieval of embolized coronary stents. Catheter Cardiovasc Interv 2000; 51: 432–440.
10. Emmanouil S. Brilakis, Patricia J.M. Best, Ahmad A. Elesber, Gregory W. Barsness, Ryan J. Lennon, David R. Holmes Jr., Charanjit S. Rihal, Kirk N. Garratt Incidence, retrieval methods, and outcomes of stent loss during percutaneous coronary intervention: A large single-center experience. Catheter Cardiovasc Interv 2006; 66: 333–340
11. Cantor WJ, Lazzam C, Cohen EA, et al. Failed coronary stent deployment. Am Heart J 1998; 136: 1088–1095.
12. Alfonso F, Martinez D, Hernandez R, et al. Stent embolization during intracoronary stenting. Am J Cardiol 1996; 78: 833–835.
13. Elsner M, Peifer A, Kasper W. Intracoronary loss of balloon-mounted stents: successful retrieval with a 2 mm- Microsnare -device. Cathet Cardiovasc Diagn 1996; 39: 271–276.
14. Patterson M, Slagboom T. Intracoronary stent dislodgment: Updated strategy enabled

by the new generation of materials. Cathet Cardiovasc Interv 2006;67:386–390

15. Foster-Smith KW, Garratt KN, Higano ST, Holmes DR Jr. Retrieval techniques for managing flexible intracoronary stent misplacement. Cathet Cardiovasc Diagn 1993; 30: 63–68.
16. Kim MH, Cha KS, Kim JS. Retrieval of dislodged and disfigured transradially delivered coronary stent: report on a case using forcep and antegrade brachial sheath insertion. Catheter Cardiovasc Interv 2001; 52: 489–491.
17. Eeckhout E, Stauffer JC, Goy JJ. Retrieval of a migrated coronary stent by means of an alligator forceps catheter. Cathet Cardiovasc Diagn 1993; 30: 166–168.
18. Berder V, Bedossa M, Gras D, Paillard F, Le Breton H, Pony JC. Retrieval of a lost coronary stent from the descending aorta using a PTCA balloon and biopsy forceps. Cathet Cardiovasc Diagn 1993; 28: 351–353.
19. Khattab AA, Geist V, Toelg R, Richardt G. AngioGuard: a simplified snare?. Int J Cardiovasc Intervent. 2004;6(3–4):153–5
20. Herman WR, Foley DP, Rensing BJ, et al. Usefulness of quantitative and qualitative angiographic lesion morphology, and clinical characteristics in predicting major adverse cardiac events during and after native coronary balloon angioplasty. Am J Cardiol 1993;72:14 - 20.
21. Dunning DW, Kahn JK, Hawkins ET, O' Neill WW. Iatrogenic coronary artery dissections extending into and involving the aortic root. Cathet Cardiovasc Intervent 2000;51:387 - 393.
22. KM Hiroshi. Complications of CTO intervention. Coronary Intervention 2008; 4(4): p27–32
23. Waksman R, Saito R. Chronic total occlusion, a guide to recanalization. 1st edition. Blackwell Publishing Ltd, 2009; 167–177
24. Saito S, Nguyen TN, Colombo A, Hu Dayi and Grines CL. Practical handbook of advanced interventional cardiology, tips and tricks. 3rd edition. Blackwell Publishing Ltd, 2008
25. Park SJ, Jang YS, Yoon JH et al, The manual of interventional cardiology. 1st edition. Korean Society of Interventional Cardiology, 2004.
26. Norell MS, Perrins EJ. Essential interventonal cardiology. 1st edition. W.B. Saunders. 2001.
27. Tanaka H, Kadota K, Hosogi S, et al. Mid-term angiographic and clinical outcomes from antegrade versus retrograde recanalization for chronic total occlusions. J Am Coll Cardiol 2011:57:E1628
28. Al-Moghairi AM, Al-Amri HS. Management of retained intervention guide-wire: a literature review. Curr Cardiol Rev. 2013 Aug;9:260–6.
29. Stephen G. Ellis, David R Holmes et al. Strategic approaches in Coronary Intervention. 3rd edition. Lippincott Williams & Wilkins 2006.

Chapter 14

CTO 시술의 성적과 향후 전망

이민호(순천향대 서울병원), 김효수(서울대병원)

1. 서론

만성완전폐색(chronic total occlusion, 이하 CTO) 병변은 관상동맥이 완전히 폐쇄되면서(TIMI flow grade 0), 폐쇄 기간이 3개월 이상인 경우로 정의된다. CTO 병변은 관상동맥 조영술을 시행 받는 환자의 15~30% 정도에서 확인되며, 이러한 CTO 병변 중재술은 가장 어려운 시술 분야 중 하나이다. 뿐만 아니라, CTO 병변 중재술은 시술 과정에서 합병증 발생률이 높으며, 성공적인 중재술 후에도 높은 재협착률(restenosis) 및 재폐쇄율(reocclusion)을 보인다. 이번 장에서는 현재까지의 CTO 병변 중재술의 성적 및 향후 전망에 대해서 알아보고자 한다.

2. 현재까지의 시술 성적

최근 몇 년 사이 시술자의 경험 증가, 시술 도구 및 시술 기술의 발전에 힘입어 CTO 병변 중재술의 성공률은 지속적으로 높아지고 있으며, 연구에 따라 시술의 성공률은 55%~80% 정도로 보고되고 있다. 이러한 성공률 차이는 시술자의 기술과 경험, 시술 기구 및 각 연구에서의 CTO 병변 정의 및 환자 군 차이에 의한 것으로 생각된다.

CTO 병변 중재술 후의 재협착률 및 재폐쇄율은 비폐쇄 병변 중재술과 비교할 때 높은 편이며, 장기적 예후 역시 나쁜 것으로 보고되고 있다. TOSCA 연구에서는, 일반 금속 스텐트(Bare metal stents, 이하 BMS) 삽입 후의 재협착률 및 재폐쇄율을 각각 50% 및 10% 이상으로 보고하였으며, 재폐쇄가 발생할 경우, 사망률과 재관류의 필요성이 증가하는 경향을 보였다.[1] Elezi 등의 연구에 따르면, CTO 병변 중재술은 비폐쇄 병변 중재술에 비하여 더 높은 재폐쇄율을 보였으며(43% vs. 27%; p 〈 0.01), 보다 많은 스텐트가 삽입되었고, 시술 후 최소 혈관 내경(minimal luminal diameter, 이하 MLD)은 작았다.[2]

BMS를 이용한 CTO 병변 중재술의 높은 재협착률과 재폐쇄율로 인하여 CTO 병변 중재술에서 약물 방출 스텐트(Drug–eluting stents, 이하 DES)에 대한 관심이 증가하였다. 그 결과 DES를 사용한 CTO 병변 중재술에서, BMS와 비교할 때, 비약적인 재협착률 및 재폐쇄율의 감소를 보였다. Nakamura 등은 시롤리무스 방출 스텐트(sirolimus–eluting stents, 이하 SES)를 이용하여 성공적인 CTO 병변 중재술을 받은 88명의 환자를 6개월간 추적, 관찰하여 4.5%의 주요 심장 사건 발생률(major adverse cardiac event rate, 이하 MACE) 및 3.4%의 조영술상 재협착률을 확인하였다.[3] RESEARCH 레지스트리를 이용한 연구에서도, 완전폐쇄 병변 중재술에서 SES와 BMS를 비교했을때, SES는 BMS에 비해서 우월한 1년째 무사고 생존률(event–free survival)을 보였다.(96.4% vs. 82.8%; p 〈 0.05)[4] 또한, Werner 등의 연구에서는, CTO 병변 중재술에서 파클리탁셀 방출 스텐트(Paclitaxel–eluting stents, 이하 PES)를 사용한 경우, BMS에 비하여 6개월째 조영술상 재협착률이 84% 감소하였고(8.3% vs. 51.1%; p 〈 0.001), 재폐쇄율은 91% 감소하였으며(2.1% vs. 23.4%; p 〈 0.001), 1년째 주요 심장 사건 발생률은 74% 감소하였다고 보고하였다.(12.5% vs. 47.9%; p 〈 0.001)[5] 정리하면, CTO 병변 중재술에서 DES는 BMS와 비교하여, 낮은 재협착률 및 재폐쇄율과 함께 우수한 장기적 예후를 보였다. 결국 DES의 사용은 CTO 병변 중재술 발전의 가장 중요한 계기 중 하나가 되었으며, CTO 병변 중재술에 대한 관심을 더욱 높이는 계기가 되었다.

새로운 DES는 SES, PES 등과 같은 1세대 DES에 비하여 얇은 스텐트 스트럿(strut)을 가지며 혈관 손상 및 염증 반응을 줄이고 혈관 내피화을 촉진하는 특성을 가진다.

하지만, CTO 병변 중재술에서 이러한 새로운 DES의 효용성에 대한 연구는 많지 않다. DES를 사용하여 성공적인 CTO 병변 중재술을 시행받은 1,035명을 분석한 Valenti 등의 연구에서는, 2세대 DES인 에버롤리무스 방출 스텐트(everolimus-eluting stents, 이하 EES)를 사용한 군에서 1세대 DES (SES or PES)를 사용한 군에 비하여 6-9개월째 재폐쇄율이 낮음을 보고하였다.(3.0% vs. 10.1%; p = 0.001)[6] 하지만, 이 연구는 단일 기관 비무작위 연구로 혼란 변수가 통제되지 않았으며, 심장 사망이나 주요 심장 사건 발생률과 같은 임상 결과에서는 EES가 1세대 DES에 비하여 우월함을 보여주지 못했다는 한계가 있다. CTO 병변 중재술에서 EES와 SES를 비교한 Moreno 등의 연구에서도 두 스텐트 사이에 1년째 MACE는 차이가 없었다.(11.1% vs. 5.9%; p = 0.335)[7] 현재까지의 연구 결과를 종합할 때, CTO 병변 중재술에서 2세대 DES와 1세대 DES는 비슷한 임상 결과를 보인다고 정리할 수 있다.

3. 국내 시술 성적

국내에서도 CTO 병변 중재술 관련하여 지속적인 연구 결과를 보고하고 있다. Lee 등의 연구에서는 CTO 병변 중재술에서 1세대 DES인 SES (n = 132)와 PES (n = 71)를 비교하였다.[8] SES는 PES에 비하여 6-9개월째 조영술 추적 결과에서 후기 손실(late loss)이 적었으며(0.27 ± 0.60 vs. 0.53 ± 0.62 mm; p = 0.04), 평균 2년 추적 관찰 동안 낮은 목표 혈관 실패율(target vessel failure, 이하 TVF)을 보였다.(14.9% vs. 28.4%, p = 0.01)(그림 14-1) 전향적 무작위 다기관 연구인 CATOS 연구에서는 2세대 DES인 조타롤리무스(zotarolimus-eluting stents, 이하 ZES)(n = 80)와 1세대 DES인 SES (n = 80)를 비교하였다.[9] ZES는 SES와 비교할 때, 9개월째 조영술 추적 결과 분절내 재협착률(in-segment binary restenosis)(14.1% vs. 13.7%, p = 0.947)뿐만 아니라, 12개월 째 TVF (10.0% vs. 17.5%; p = 0.168) 및 스텐트 혈전 발생률(stent thrombosis, 이하 ST)(0.0% vs. 1.3%; p = 0.316)에서 비열등함을 보였다.

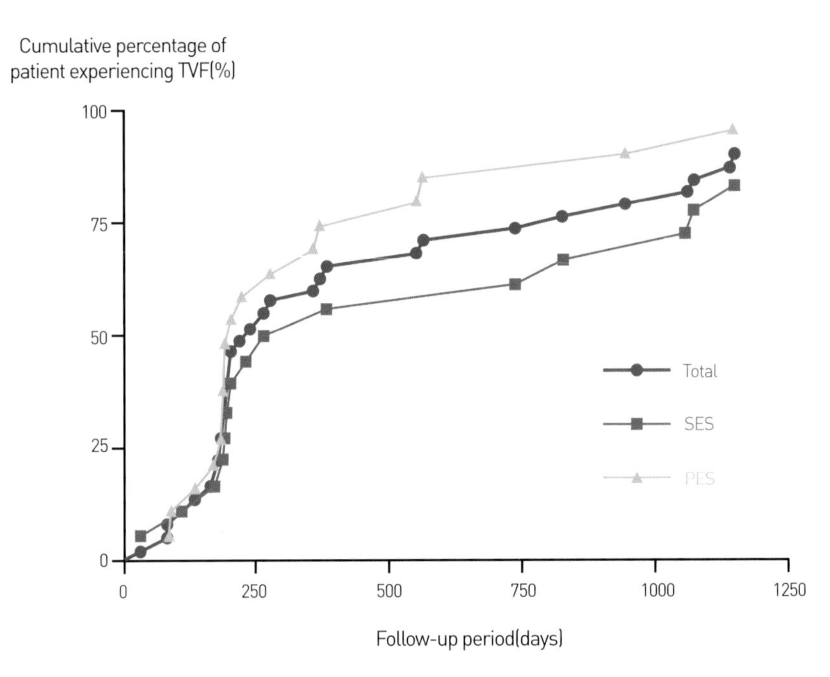

그림 14-1. Cumulative distribution curve of the day of target vessel failure after the index procedure.8

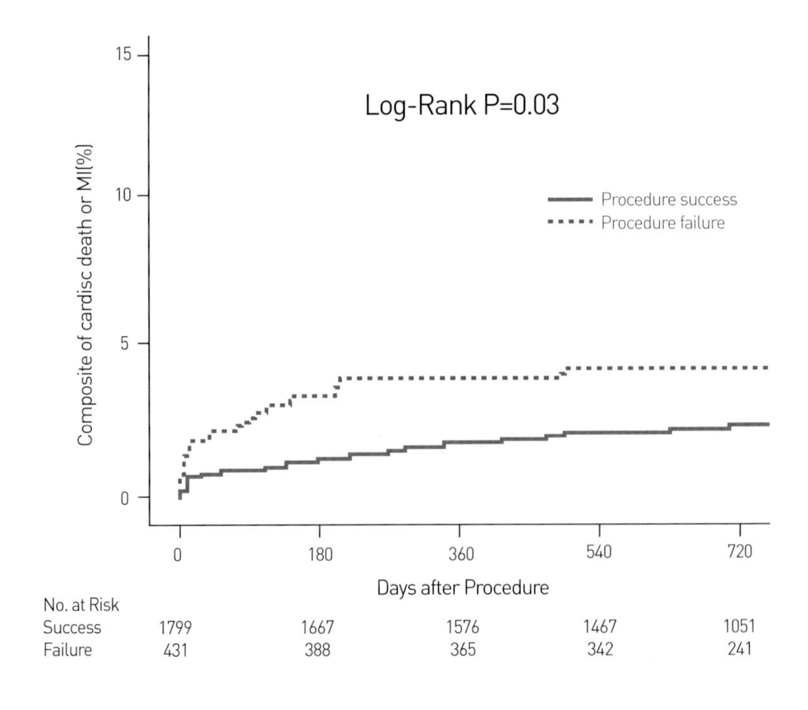

그림 14-2. Cumulative event rates according to Kaplan-Meier analysis of the occurrence of the composite of cardiac death and myocardial infarction.10

대한 중재시술 연구회 산하 e-CTO club에서는 2007년 1월부터 2009년 12월 동안 국내 26개 기관에서 enroll한 환자를 바탕으로 K-CTO registry를 만들었으며, 최근 이를 이용한 많은 연구 결과가 보고되고 있다. Kim 등은 K-CTO registry를 이용하여 CTO 병변 중재술 성공군(n = 2045)과 실패군(n = 523)의 임상 결과를 비교하였다. [10] 그 결과 중재술 성공군은 실패군에 비하여 1년 째 및 2년 째 심장 사망 혹은 심근 경색 발생률에서 우월함을 보였다.(1년 : 1.3% vs 2.8%; p = 0.01, 2년 : 1.6% vs 3.0%, p = 0.02)(그림 14-2) Lee 등은 K-CTO registry를 바탕으로 CTO 병변 중재술에서 EES (n = 311)의 임상적 효용성을 SES (n = 642) 및 PES (n = 556)와 비교하였다. [11] 비무작위 연구의 한계를 보완하고자 역확률 가중치(inverse probability weighting) 모형을 도입하여 분석한 결과에서 EES는 1년째 MACE에서 SES (5.8%

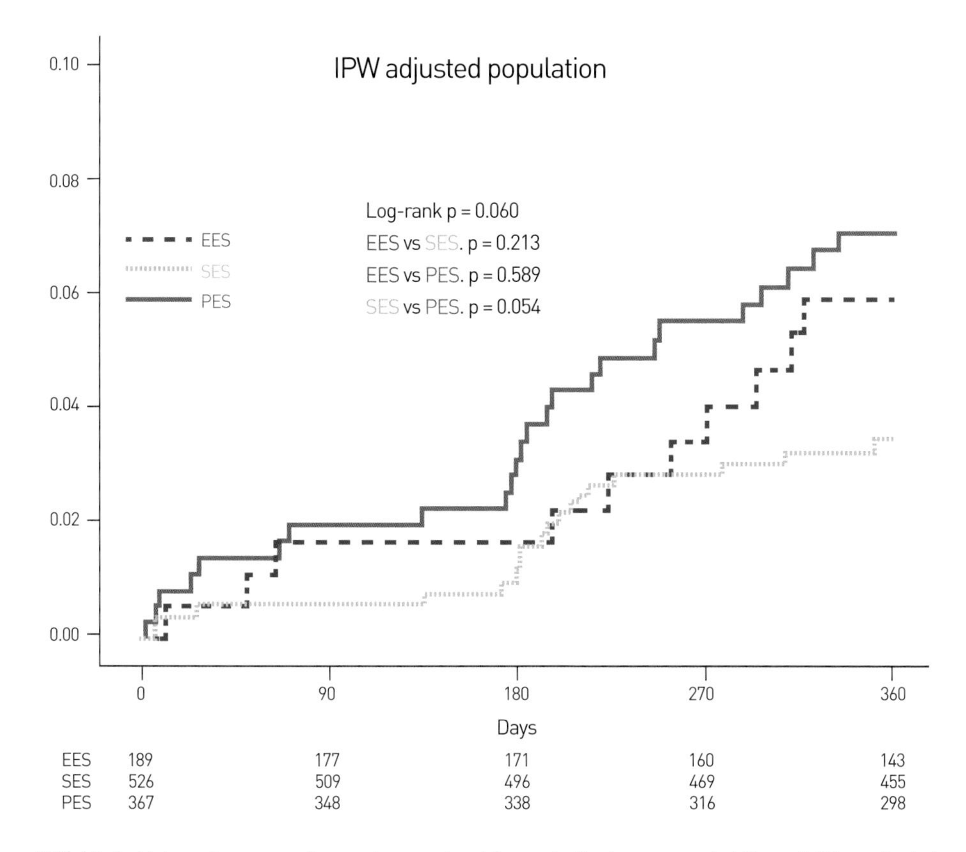

그림 14-3. Major adverse cardiovascular events at 1 year in the inverse probability weighting adjusted population.11

vs. 3.4%, p = 0.796) 및 PES (5.8%, vs. 6.9%, p = 0.740)와 비슷한 임상 결과를 보였으며, 이 연구에서 MACE의 독립 예측 인자로 당뇨, 심부전 병력 및 좌회선지 CTO가 확인되었다.(그림 14-3)

4. 향후 전망

CTO 병변 중재술은 많은 시간이 소요되고, 방사선 노출이 많으며, 조영제 사용량이 많고, 비폐쇄 병변 중재술에 비하여 성공률이 낮은 등의 이유로, 많은 심혈관 중재시술 전문의에게 큰 도전의 분야이다. 더욱이 CTO 병변에서 중재술의 대상이 되는 범위, CTO 병변에 대한 적절한 시술적 접근 방법, CTO 병변 재관류화 후 환자의 예후 등과 관련되어 아직 논란의 여지가 남아있다. 또한, 시술 과정이 복잡하고, 사용되는 새로운 시술 기구 및 기술에 대하여 친숙하지 않다는 이유로 CTO 병변 중재술은 종종 쉽게 포기되기도 한다. 그래서, CTO 병변을 동반한 단일 혈관 질환 의 경우에는 허혈의 범위와 상관 없이 약물 치료만 지속하는 경우도 있으며, CTO 병변을 동반한 다혈관 질환의 경우에는, 중재술에 적합한 병변임에도 불구하고, 관상동맥우회술로 바로 의뢰되기도 한다. 지속적인 연구 결과, CTO 병변 중재술에서 DES의 등장으로 재협착률이 비약적으로 감소하였으며, 성공적인 CTO 병변 중재술을 통해서 생존률 향상은 물론, 좌심실 기능 호전, 증상 개선 및 운동 능력 향상을 기대할 수 있다는 사실이 증명되고 있으므로, 높은 시술 성공률이 예상되는 CTO 병변에는 우선적인 재관류 방법으로 중재술이 고려되어야 한다. 최근 몇 년 동안 비약적인 시술 기구과 시술 방법이 소개되어 발전하면서, 몇몇 센터에서는 CTO 병변 중재술의 성공률을 80~90%까지 보고하고 있다. 따라서 심혈관 중재시술 전문의는 CTO 병변 중재술의 필요성과 정당성을 인지하고 새로운 시술 기구 및 기술을 충분히 숙지하여 CTO 병변 중재술을 시도하고, 그 성공률을 높여야 한다.

참고문헌

1. Buller CE, Dzavik V, Carere RG, Mancini GB, Barbeau G, Lazzam C, Anderson TJ, Knudtson ML, Marquis JF, Suzuki T, Cohen EA, Fox RS, Teo KK. Primary stenting versus balloon angioplasty in occluded coronary arteries: the Total Occlusion Study of Canada (TOSCA). Circulation. 1999;100:236 -242.
2. Elezi S, Kastrati A, Wehinger A, Walter H, Schuhlen H, Hadamitzky M, Dirschinger J, Neumann FJ, Schomig A. Clinical and angiographic outcome after stent placement for chronic coronary occlusion. Am J Cardiol. 1998;82:803- 806.
3. Nakamura S, Muthusamy TS, Bae JH, Cahyadi YH, Udayachalern W, Tresukosol D. Impact of sirolimus-eluting stents on the outcome of patients with chronic total occlusions: multicenter registry in Asia. J Am Coll Cardiol. 2004;43:35A. Abstract.
4. Hoye A, Tanabe K, Lemos PA, Aoki J, Saia F, Arampatzis C, Degertekin M, Hofma SH, Sianos G, McFadden E, van der Giessen WJ, Smits PC, de Feyter PJ, van Domburg RT, Serruys PW. Significant reduction in restenosis after the use of sirolimus-eluting stents in the treatment of chronic total occlusions. J Am Coll Cardiol. 2004;43:1954 -1958.
5. Werner GS, Bahrmann P, Mutschke O, Emig U, Betge S, Ferrari M, Figulla HR. Determinants of target vessel failure in chronic total coronary occlusions after stent implantation. J Am Coll Cardiol. 2003;42:219 -225.
6. Valenti R, Vergara R, Migliorini A, Parodi G, Carrabba N, Cerisano G, Dovellini EV, Antoniucci D. Predictors of reocclusion after successful drug-eluting stent-supported percutaneous coronary intervention of chronic total occlusion. J Am Coll Cardiol. 2013;61:545-550
7. Moreno R, Garcia E, Teles R, Rumoroso JR, Cyrne Carvalho H, Goicolea FJ, Moreu J, Mauri J, Sabate M, Mainar V, Patricio L, Valdes M, Fernandez Vazquez F, Sanchez-Recalde A, Galeote G, Jimenez-Valero S, Almeida M, Lopez de Sa E, Calvo L, Plaza I, Lopez-Sendon JL, Martin JL, Investigators C. Randomized comparison of sirolimus-eluting and everolimus-eluting coronary stents in the treatment of total coronary occlusions: Results from the chronic coronary occlusion treated by everolimus-eluting stent randomized trial. Circulation. Cardiovascular interventions. 2013;6:21-28
8. Lee SP, Kim SY, Park KW, Shin DH, Kang HJ, Koo BK, Suh JW, Cho YS, Yeon TJ, Chae IH, Choi DJ, Kim HS. Long-term clinical outcome of chronic total occlusive lesions treated with drug-eluting stents: Comparison of sirolimus-eluting and paclitaxel-eluting stents. Circulation journal : official journal of the Japanese Circulation Society. 2010;74:693-700
9. Park HJ, Kim HY, Lee JM, Choi YS, Park CS, Kim DB, Her SH, Koh YS, Park MW, Kwon BJ, Kim PJ, Chang K, Chung WS, Seung KB. Randomized comparison of the efficacy and safety of zotarolimus-eluting stents vs. Sirolimus-eluting stents for percutaneous coronary intervention in chronic total occlusion—catholic total occlusion study (catos) trial. Circulation journal : official journal of the Japanese Circulation Society. 2012;76:868-875
10. Kim BK, Shin S, Shin DH, Hong MK, Gwon HC, Kim HS, Yu CW, Park HS, Chae IH, Rha SW, Lee SH, Kim MH, Hur SH, Jang Y. Clinical outcome of successful percutaneous coronary intervention for chronic total occlusion: Results from the multicenter korean chronic total occlusion (k-cto) registry. The Journal of invasive cardiology. 2014;26:255-259

11. Lee MH, Lee JM, Kang SH, Jang Y, Yu CW, Park HS, Lee SH, Hur SH, Kim MH, Rha SW, Gwon HC, Gwon HC, Kim HS. Comparison of Outcomes after Percutaneous Coronary Intervention for Chronic Total Occlusion Using Everolimus versus Sirolimus versus Paclitaxel Eluting Stents (From the Korean National Registry of Chronic Total Occlusion Intervention). Am J Cardiol. [Under revision]